Rapport au secrétariat d'État à la Santé

BERNARD ROQUES

LA DANGEROSITÉ
DES DROGUES

Préface de Bernard Kouchner

ÉDITIONS
ODILE JACOB

La Documentation française

Le produit de la vente de cet ouvrage
sera intégralement reversé à une association
de lutte contre la toxicomanie.

© ÉDITIONS ODILE JACOB/LA DOCUMENTATION FRANÇAISE, JANVIER 1999
15, RUE SOUFFLOT, 75005 PARIS
INTERNET : http://www.odilejacob.fr

ISBN : 2-7381-0657-9

PRÉFACE

Toxicomanie : il est grand temps que notre démocratie, tende l'oreille, ouvre ses yeux et son cœur sur cette question difficile, ce sujet blessant. Au-delà des polémiques, voici quelques questions sensibles. Voire crues. Ces interrogations méritent attention. Au nom du respect que nous inspire nos concitoyens, les jeunes en particulier. Au nom de la santé publique.

Ce n'est pas en attisant des angoisses, fussent-elles légitimes, ou en avançant des solutions simplistes, toujours fausses, que nous pourrons faire face aux problèmes liés à l'abus de drogues. Lorsque l'on parle des toxicomanes, nous craignons toujours pour ceux que nous connaissons, pour ceux que nous aimons. Pour nous-mêmes aussi.

Ne prônons pas uniquement l'improbable, la souhaitable abstinence ; œuvrons aussi pour que les jeunes qui usent de produits toxiques n'en abusent pas et surtout qu'ils n'en deviennent pas dépendants. Ne raisonnons plus seulement en termes de répression, autour d'un toxique ou de son trafic, plaçons l'homme, l'usager au centre de nos préoccupations, cible de nos attentions.

Je verse aujourd'hui au débat le rapport sur la dangerosité des drogues que j'avais demandé au professeur Bernard Roques. Face à l'évolution récente des modes de consommation, face surtout à l'émergence de nouvelles drogues devant lesquelles nous sommes désarmés, il nous fallait disposer d'une analyse scientifique des effets de ces substances sur la santé physique et mentale. Nous ne pouvions demeurer le seul pays à rester loin des faits, dans des postures idéologiques conduisant à stigmatiser un toxique, sans le comparer à d'autres.

En d'autres termes, au nom de prétendues habitudes culturelles, nous ne pouvions continuer à nous résigner aux soixante mille morts dus au tabac, des cinquante mille morts dus à l'alcool, tout en nous indignant des décès par surdose ou par sida transmis par une seringue ! Un alcoolique et un héroïnomane ne présentent-ils pas le même danger pour eux-mêmes, leur famille, leur entourage ? Est-il légitime de poursuivre avec acharnement certains comportements de dépendance et de tolérer d'autres pratiques qui pourtant sont infiniment plus nombreuses, plus dangereuses, plus coûteuses aussi. On compte cent fois plus de décès attribués directement à l'alcoolisme et cent fois plus au tabagisme qu'à toutes les autres drogues... Nous devons en tenir compte, pour des raisons épidémiologiques, morales aussi.

Cet état des lieux a donc été conduit de façon très rigoureuse. Il s'appuie non seulement sur les travaux du professeur Roques, éminent pharmacologue français qui depuis plus de vingt ans s'occupe des modes d'action des drogues, mais aussi sur l'analyse de plus de quatre cent cinquante références scientifiques internationales. Au bout du compte, ce rapport distingue trois groupes de substances. Le plus toxique comprend l'héroïne, la cocaïne et l'alcool ; le deuxième est constitué par les psychostimulants, les hallucinogènes, le tabac et les tranquillisants ; vient enfin le cannabis.

Cette classification dérange. Les nombreux commentaires qui ont entouré sa présentation au printemps en témoignent. Mais justement, parce qu'elle bouscule les idées reçues, parce qu'elle montre à quel point les apparences peuvent être trompeuses, cette analyse scientifique alimente aujourd'hui un débat auquel nos concitoyens sont désormais, légitimement, invités à participer.

Les conclusions du texte qui suit ont d'ailleurs été renforcées par la publication des travaux des chercheurs australiens Wayne Hall et Nadia Solowij [1]. Et, plus paradoxalement, par un rapport du comité de la Chambre des Lords à Londres.

Toxiques licites et illicites

Une classification aussi juste et précise soit-elle ne peut rassembler la problématique liée à l'usage de la drogue. Tous ceux qui, de près ou de loin, ont été touchés dans leur famille, savent combien ces schémas sont insuffisants à résumer une personnalité, une histoire, une vie, des joies comme de terribles souffrances, de l'amour aussi. Essayons malgré tout d'y réfléchir. Sans tabou.

On l'a vu avec l'alcool ou le tabac : ce n'est pas parce qu'une substance est licite qu'elle ne présente aucun danger pour l'organisme. Un autre exemple nous en est donné avec l'abus de médicaments. La consommation de tranquillisants en France est trois fois supérieure à la moyenne européenne. Notre situation contraste d'ailleurs avec celle de nos voisins où la consommation de tranquillisants a baissé au cours des dix dernières années : de 30 % en Hollande, de 47 % en Allemagne, de 57 % en Grande-Bretagne.

L'armoire à pharmacie est devenue un refuge pour un certain nombre de nos concitoyens qui en sont réduits à absorber diverses substances pour dormir, se réveiller, faire l'amour, danser, travailler, rire... Grâce à cet arsenal médicamenteux, issu de nos laboratoires, tous les espoirs nous

---

1. Éditorial du *Lancet*. Vendredi 14 novembre 1998.

seraient permis pour nous raccrocher à un modèle connu, rassurant : traiter le surpoids, faire repousser les cheveux, rendre euphorique n'importe quel déprimé, transformer tous les sexagénaires du « papy booum » en « boys bands »... Une pilule miracle nous est même désormais proposée pour faire disparaître les défaillances sexuelles ou supposées telles. La sexualité médicalement assistée créera-t-elle une nouvelle dépendance ? Dans le premier mois de lancement du Viagra, quatre cent mille boîtes ont été vendues en France : un généraliste sur quatre a déjà prescrit le produit miracle, substitut annoncé de la lassitude, de l'amour, de l'angoisse et autres maux...

En fait, nous vivons déjà dans le meilleur des mondes. Le professeur Édouard Zarifian appelle cette façon d'encadrer chimiquement nos émotions, notre façon de vivre, la « médicalisation de l'existence ». Faudra-t-il demain traiter par des antidépresseurs systématiques, les deuils, les chagrins d'amour ? Certains y songent. D'autres le font. En caricaturant, tout ce qui apparaît deviendrait ainsi pathologique, justifierait une médicalisation avec la cohorte classique des consultations, des ordonnances, des arrêts de travail... Nous serions de moins en moins des individus avec leurs sentiments et leurs autonomies, mais plutôt des malades, légitimés dans leur statut par le médecin et « label-lisés » par une reconnaissance officielle : le remboursement par la Sécurité sociale.

Ces abus qui débouchent à l'évidence sur une véritable dépendance face aux médicaments, n'en sont pas moins, socialement et médicalement admis. Ils ne sont pourtant pas sans conséquence sur la santé : une étude menée dans le 16e arrondissement de Paris a montré que 7 % des nourrissons de trois mois auraient déjà consommé tranquillisants et hypnotiques ! Il faudrait sans doute aussi mesurer leur impact sur les performances scolaires, le rendement professionnel... Les conséquences de ces abus de psychotropes sur la prévention ne sont pas anecdotiques. Non seulement des jeunes, imitant leurs parents, commencent très tôt à consommer des hypnotiques, mais comment expliquer à notre jeunesse, les dangers d'autres drogues (l'ecstasy, par exemple) alors que, quotidiennement, ils voient leurs parents et leurs grands-parents, d'autres, consommer massivement des produits comparables?

Il nous faut prendre garde au développement rapide de la consommation de ces drogues de synthèse. De l'ecstasy en particulier et son terrible concurrent le DOB (diméthoxibromamphétamine), cent fois plus toxique. Car le phénomène tend à se diffuser. Il ne se limite plus aux adeptes des « raves parties ». Quelle sera l'ampleur, la durée de cette évolution? Difficile à prévoir. Comme il est très difficile d'en connaître précisément les risques sanitaires. Déjà des effets aigus ; décès par surdosage, déshydratation sont connus. Mais le danger est peut-être devant nous : comme le souligne une récente étude de l'INSERM, il existe des effets retardés de l'humeur conduisant à l'anxiété, voire à la dépression grave...

La toxicomanie aux psychotropes nous le prouve : la frontière entre le médicament et la drogue tend bel et bien à se brouiller. Nous disposons en français de deux mots, alors qu'en anglais, le même terme « drug » désigne l'ensemble. Si les psychotropes agissent sur nos émotions au cours d'épisodes aigus, ne perturbent-ils pas gravement l'essentiel de notre vie affective et notre système de valeurs lorsqu'ils sont administrés de manière prolongée?

Un autre danger nous menace. A vouloir gommer systématiquement par des drogues ou des médicaments les expériences et les rugosités de la vie, nous obtiendrons une société sans goût, sans but, incapable d'avancer sans béquille. Bref, un bonheur insoutenable... Interrogeons-nous, dès lors, sur l'insupportable et très recherché risque zéro.

Une pharmaco-dépendance

En abordant la question des stimulants, il apparaît une dimension dont on ne peut faire l'économie : celle du plaisir. Ou de la performance, comme on le voit avec ce dopage devenu habitude. J'ai beaucoup apprécié les travaux conduits pendant deux ans par la Commission sociale de l'Épiscopat, présidée par Mgr Albert Rouet. Je rends hommage à sa « naïveté réfléchie ». Et que dit cet homme au-dessus de tout soupçon de partialité, à propos du plaisir ? « Il est un premier problème caché : celui du plaisir. Il est si bien gardé que deux ans d'entretiens ont cependant occulté sa présence à l'équipe de la commission sociale. Elle en a bien entendu parlé ici ou là, mais les participants n'ont pas insisté sur son influence et sa force. Tous n'étaient pas de loin conditionnés par une éducation janséniste. Nous avons été très sérieux en un domaine où la gravité n'apparaît qu'après coup, avec l'habitude et la dépendance.

D'un côté, le plaisir enferme l'individu : difficilement communicable, il se situe dans un vis-à-vis avec soi-même. Mais d'un autre côté, il tend vers son propre dépassement, frôle tous les risques, y compris celui de la mort. Il se meut comme une sortie de soi : une " ex-stase " ».

Il convient de se garder de tout amalgame. Évoquer cette dimension de « plaisir » inhérente à toute consommation ne signifie pas, loin s'en faut, faire l'apologie des drogues. Apologie au sens de l'article de L-630 du code de la santé publique qui proscrit toute « présentation sous un jour favorable des substances stupéfiantes » – une interdiction passible, rappelons-le, de cinq ans d'emprisonnement et de cinq cent mille francs d'amende et qu'il nous faudra bien faire évoluer. Plusieurs associations, regroupées en « collectif », vont d'ailleurs jusqu'à demander l'abrogation de cet article. Au motif qu'il entraverait, voire interdirait le débat. Cela ne s'est jamais produit, mais il reste en effet théoriquement possible, en vertu de cet article L-630, de traîner devant les tribunaux, tout usager ou ancien usager, tout chercheur amenés à évoquer cette dangerosité du « plaisir » lors de colloques, de sessions de formation professionnelles médicales ou de tout autre intervention publique.

Appliqué à la lettre, cet article L-630 peut-il empêcher d'informer pour prévenir ? À restreindre le débat, on occulte en effet la dimension personnelle, ludique et sociale qui préside en grande partie aux divers modes d'entrées et de consommation liés en particulier à des conduites à risques. Or, ne pas identifier ce problème réduit nos capacités d'action, notamment en matière de prévention.

Bernard Roques le souligne à maintes reprises dans son rapport : « Aucune substance n'est complètement dépourvue de dangers. » Dans la mesure où « toutes sont hédoniques et stimulent le système dopaminergique », autrement dit, « le système de récompense ». Tous les individus vont-ils pour autant tomber dans la toxicomanie, à la moindre stimulation de ce système ? Non, heureusement. Laissons, là encore, le travail qui suit nous éclairer : « Tous les individus ne sont pas égaux devant le risque toxicomaniaque. » Sans d'ailleurs qu'il soit possible de distinguer la part qui relève de la nature des produits, de facteurs environnementaux, sociétaux. Le pharmacologue relève ensuite que « les états dépressifs, les troubles obsessionnels compulsifs, les personnalités anti-sociales, l'anxiété, sont retrouvés avec une très forte incidence chez les sujets dépendants à l'héroïne, l'alcool et la cocaïne ». Quant à la toxicomanie proprement dite, elle refléterait enfin « une difficulté, voire une impossibilité à mettre en œuvre une conduite ajustée aux situations rencontrées, conflictuelles ou non ».

Fondé sur l'analyse exhaustive des déclarations recueillies auprès de quatre mille jeunes, le baromètre santé du CFES [1] souligne que les conduites à risques sont influencées par le statut familial et le milieu social. Ainsi il existe plus de jeunes fumeurs dans les foyers monoparentaux et recomposés. On observe plus de fumeurs dans les milieux modestes. Le lien classique entre tabagisme, alcoolisme et prise de produits illicites est évident.

Aussi faut-il prendre en charge, globalement et sans doute sous forme de contrat de santé, *l'individu* bien plutôt que de stigmatiser le *toxique*.

La dépendance apparaît donc, selon les experts, comme le stade ultime, la forme la plus grave qui se caractérise – outre par la dépendance qui signe ce stade – par des complications, la réduction des capacités relationnelles, familiales et sociales. Il nous faut également prendre en compte, par des réponses appropriées et concrètes, les stades antérieurs de cette consommation, inhérents à toutes les substances, licites ou illicites. Autrement dit : l'usage et l'abus.

Trop souvent en effet, on condamne le consommateur de produits toxiques à n'être qu'un délinquant ou, dans le meilleur des cas, un malade. Non seulement ce raisonnement binaire rétrécit gravement l'ampleur du phénomène, en occultant la dimension de conflits psycho-sociaux, de choix de vie pour certains, de droits de l'homme, pour d'autres. Mais il offre surtout bien peu d'alternatives pour nombre d'usagers, récréatifs ou non, et qui sont pourtant susceptibles de courir des risques, immédiats ou retardés. Ne s'agit-il pas pour chaque jeune – et ce dès la première fois – d'une relation avec la loi, avec le plaisir, d'une relation avec le corps, d'une relation avec la mort ?

Pour sortir de ce raisonnement binaire, je suis partisan d'une démarche pragmatique. Son objectif est triple : distinguer d'abord ce qui relève de l'usage simple et qui n'a pas la

---

1. Comité français d'éducation pour la santé.

même signification, ni les mêmes risques selon l'âge de la personne ; prévenir ensuite l'abus ; enfin orienter vers les soins les cas de dépendance ou de toxicomanie. Réduire les risques, dans tous les cas : mission de service public par excellence.

La personne, pas le produit

Un simple usager n'a pas sa place en prison. Nous le savons : la détention présente plus de risques qu'elle n'en évite. Il me semble difficile, en outre, qu'un magistrat ou un policier ne puisse « qualifier » les risques sanitaires qu'encourent ces usagers. Tous deux ont, en revanche, toutes compétences, s'agissant de la délinquance éventuellement associée à cette consommation. C'est à cette articulation qui ne se confond pas avec une quelconque subordination, qu'il nous faut réfléchir. Sans pour autant transformer les intervenants sanitaires en auxiliaires de justice.

Nous travaillons, avec la garde des Sceaux, Élisabeth Guigou à des réponses en cas d'usage simple. Réponses qui ne soient ni une poursuite devant le tribunal correctionnel, ni une injonction thérapeutique. Parmi les options étudiées, le classement avec avertissement ou orientation et information constitue dans certains cas constituer une réponse adaptée. La contravention, comme pour conduite automobile avec plus de 0,5 g/l d'alcool dans le sang, dans d'autres cas. Une attention particulière doit bien sûr être portée à l'usage des mineurs. Elle pourrait se traduire par l'obligation de se rendre auprès d'une structure de soin désignée et d'en justifier. Aussi sommes-nous très attentifs à l'expérience menée entre le parquet d'Aix-en-Provence, l'Association de prévention et de réinsertion sociale

(CAPERS), et le centre hospitalier Montperrin qui ont mis au point un module alternatif aux poursuites dans le cadre des infractions à la législation sur les stupéfiants au bénéfice de mineurs et de jeunes majeurs. Des entretiens, une information, un contact avec les parents, tous les professionnels concernés : cette expérience nous semble riche de promesses.

Comme on peut le constater, je ne préconise pas, après y avoir beaucoup réfléchi, la simple dépénalisation de l'usage des drogues. Car non seulement la dépénalisation ne peut être une fin en soi, mais ce serait aussi et surtout une régression par rapport aux efforts qui ont été déployés au cours des dernières années pour prévenir d'autres fléaux sanitaires – l'alcoolisme et le tabagisme en particulier – ou encore par rapport à ceux visant à mieux encadrer l'usage de médicaments. Je plaide pour la contraventialisation, et la réglementation.

S'agissant de l'abus de substances toxiques, nul ne peut nier que la situation actuelle a fait naître des zones de non-droit. Il a ainsi fallu du temps pour que l'on prenne conscience des dangers de l'alcool au volant. Or on le sait aujourd'hui : 30 % des morts, sans compter les blessés, par accidents de la route, sont dus à l'abus d'alcool. On sait moins que le risque d'accidents de la route augmente chez les consommateurs d'anxiolytiques : près de 10 % des conducteurs responsables d'accidents en auraient consommé selon une récente étude du *Lancet*. De la même façon, l'alcool est associé à 20 % des accidents domestiques, 15 % des accidents du travail, 5 % des accidents du sport, 80 % des rixes et des bagarres. Et dans l'immense majorité des cas, les auteurs de ces accidents ne sont pas des alcooliques, mais des usagers d'alcool.

Cette tolérance culturellement admise dans notre pays et dramatiquement mortelle, notamment pour la jeunesse française, contraste avec la sévérité et l'énergie déployée pour réprimer l'usage du cannabis, par exemple. Les statistiques en témoignent : on a recensé en 1997, 20 % d'interpellations supplémentaires de consommateurs de haschich. Quand bien même la dangerosité sociale et les altérations comportementales très sévères de l'alcool et de la cocaïne sont beaucoup plus rarement observées avec le cannabis. À moins que celui-ci ne soit associé à d'autres toxiques, ce qui est, au vrai, fréquent.

Pour être efficace, la loi se doit d'être appliquée. Et les sanctions d'être adaptées au délit. On peut s'interroger sur l'opportunité de renforcer les actions de contrôle visant à prévenir l'usage d'alcool sur la route, mais personne ne conteste leur effet dissuasif. Il pourrait donc être envisagé de mieux cibler les interdits, avant tout pour protéger les mineurs. Nous n'aimons pas l'idée d'une jeunesse qui se réfugierait dans la toxicomanie pour vivre la seule aventure de la transgression, dont le goût serait meilleur que son seul risque pour la santé.

Actuellement, le danger majeur vient de l'apparition des polytoxicomanies. Cette situation va devenir encore plus dangereuse lorsqu'elle va associer l'alcool et le crack. Il y a alors des risques d'accidents majeurs et un désordre sur la voie publique que les riverains demandent à voir prendre en charge. Nous sommes décidés à le faire sans procédure d'exception, à l'aide d'un réseau d'associations, d'intervenants des rues et de psychiatres volontaires.

Le rapport de Bernard Roques a déjà favorisé une grande avancée : la Mission interministérielle de lutte contre les drogues et la toxicomanie (MILDT) est chargée de la prise en charge de toutes les drogues, licites et illicites, tabac et alcool donc, aux côtés du cannabis, de l'héroïne etc. Car il s'agit – répétons-le – d'un continuum.

Tendre la main

« Les toxicomanes cherchent à sortir de l'enfer. Ils ont besoin d'entendre un langage qui ne soit pas seulement celui de la répression, mais un langage d'attention humaine. » Ainsi s'exprimait, au printemps 1998, le président de la République, lors de son intervention devant l'Assemblée générale des Nations unies. Quel que soit notre souci de conduire des actions contre le trafic international, le blanchiment de l'argent de la drogue, je pense en effet, comme Jacques Chirac, qu'on ne peut se satisfaire d'une stratégie qui consisterait seulement à combattre la production au Sud et la consommation au Nord. L'usage tend à se répandre au Sud quand la production de drogues chimiques se développe au Nord. Conséquence, on ne peut plus désormais opposer « pays consommateurs » et « pays producteurs ».

En écoutant le président de la République à l'ONU, je repensais surtout à la décision courageuse qu'en qualité de Premier ministre, il avait prise en 1988, à la demande de Michèle Barzach, de permettre l'accès aux seringues pour les usagers de drogues. Une décision essentielle face à l'épidémie du sida. Et une façon concrète de montrer que les usagers de drogues ont, comme il le dit lui-même, « besoin d'être accompagnés, guidés, accueillis... Cette dimension de la solidarité demande que les moyens nécessaires soient réunis et que de nouvelles méthodes soient développées ». Dix ans après, nous continuons à nous y employer.

L'épidémie du sida, avec ses drames et ses morts, l'intervention de nouveaux acteurs, médecins, associations, nous a forcé à explorer de nouvelles pistes, de nouveaux modes d'intervention. Bref, à nous engager concrètement sur des actions de réduction des risques. En cela, la France ne se distingue pas de ses voisins européens : la Grande-Bretagne, les Pays-Bas, la Suisse, l'Espagne, entre autres. Tous ont évolué, à des degrés divers, vers de telles pratiques et obtenu des résultats. Sans pour autant d'ailleurs disposer d'un arsenal aussi répressif que celui de la France ou de la Suède nouvelle manière. À cet égard, je me souviens d'une réflexion d'un responsable de Scotland Yard que nous avions invité, il y a cinq ans, à une rencontre de magistrats, de policiers et divers spécialistes de la toxicomanie de Paris, Londres et New York. Ce parfait policier britannique nous disait : « Pour obtenir l'ordre public, nous avons recherché la santé publique. Et nous avons réussi. »

J'ai initié de telles actions, ministre de la Santé, en 1992-1993. Mais que de polémiques, d'invectives, d'insultes parfois n'ont-elles pas suscitées ! Nous nous étions alors fixés pour objectifs, une baisse de la mortalité des usagers de drogues, une réduction de la contamination virale, une stabilisation voire une baisse de la consommation d'héroïne. Ces programmes ont été poursuivis par Simone Veil, Philippe Douste-Blazy, Jacques Barrot et Hervé Gaymard. Aujourd'hui, ils donnent indéniablement des résultats. Les chiffres de l'OCTRIS[1] parlent d'eux-mêmes : en passant de cinq cent soixante-quatre en 1994 à deux cent vingt-huit en 1997, le nombre de décès par surdose a été divisé par trois depuis 1994, grâce à l'élargissement de l'accès aux traitements de substitution. Dans le même temps, on a réduit le nombre de contaminations par le virus du sida, ce qui n'est hélas pas encore vrai pour l'hépatite C. On peut enfin se féliciter d'une moindre attirance pour l'héroïne, avec une chute globale de près de 20 % de ses usagers et un âge moyen en hausse.

---

1. Office central pour la répression du trafic illicite de stupéfiants.

La santé publique

Ces éléments concrets doivent convaincre : nous sommes dans la bonne direction, celle de la santé publique. C'est à la fois ma responsabilité et ma préoccupation. Certes, il ne s'agit pas de victoire, même si chaque contamination évitée, chaque vie sauvée, est un espoir de plus. Ne nous masquons pas les difficultés. Si l'accès aux traitements de substitution a été une avancée importante (cinquante mille personnes sous Subutex, six mille sous méthadone), ces traitements présentent aussi des risques. En particulier dans le cas de l'association du Subutex à des médicaments psychotropes ou à l'alcool. À ce jour, cette association du Subutex à d'autres molécules est impliquée dans trente-quatre décès, selon l'Agence du Médicament. Sans que l'on puisse en préciser le degré de causalité.

Parmi les autres réformes engagées, nous devons donc nous employer à bâtir un encadrement plus sévère de la délivrance des médicaments de substitution. Ainsi, les pharmaciens ne pourront-ils délivrer ces traitements, et notamment ceux de substitution, que pour sept jours seulement, sauf indication expresse du médecin. Je souhaite aussi mieux associer les médecins et les pharmaciens, dans le cadre d'un des réseaux ville/hôpital. De façon à ce que ces prises en charge se déroulent dans les meilleures conditions et concilient à la fois le nécessaire accès à ces traitements et un meilleur encadrement.

Et comment ne pas saisir l'occasion de cette présentation pour rendre hommage au travail décisif des intervenants qui, jour après jour, tendent la main, accompagnent, soignent les toxicomanes : médecins, travailleurs sociaux, éducateurs, psychologues. En décembre dernier, je les ai réunis, à leur demande, au ministère de la Santé, pour les écouter, les entendre. Ces rencontres nationales ont permis d'établir des recommandations. Je souligne l'importance du travail effectué, la qualité des échanges, le respect des points de vue différents qui témoignent de la nécessaire diversité des approches. La Documentation française vient de publier les actes de ces rencontres.

Le rapport de Bernard Roques représente une contribution essentielle à notre débat. Ses avis, ses recommandations seront-ils davantage suivis d'effets que la longue série des rapports sur les drogues et les toxicomanies déjà rédigés et publiés, par des scientifiques, des experts, des commissions ? Nous nous y emploierons avec force. La plupart de ces écrits étaient pourtant de bonne qualité. C'est à se demander s'ils ont même été lus !

Hasard du calendrier, le premier de ces rapports multiples a tout juste vingt ans, cette année. Il s'agissait de la mission confiée par le président de la République, Valéry Giscard d'Estaing, à Monique Pelletier. Cette dernière proposait à échéance de trois ans, l'élaboration d'un nouveau régime juridique de la toxicomanie, après un large débat public et une information continue et objective pour aboutir à un éventuel consensus social. « Les simples usagers de haschich ne doivent plus être systématiquement poursuivis », préconisait-elle. De la même façon, la proposition de loi du Dr Ghysel, approuvée en octobre 1994 par les cent huit députés de la majorité d'alors distinguait l'usage et la détention de stupéfiants à usage personnel de l'usage collectif ou public, susceptible de troubler l'ordre public. Enfin, une faible majorité, mais majorité tout de même, s'est prononcée pour une dépénalisation du cannabis au sein de la commission présidée par le professeur Henrion. « Malgré cela, observait ce dernier lors de ces rencontres, le cadre législatif n'a pas évolué. Il n'a même pas été discuté. Il semble que la loi de 1970 soit devenue en France un véritable dogme. Nous continuons à évoluer entre déclarations grandiloquentes et petites phrases indigentes. »

Ni tabou ni préalable

Je prends acte de cette demande de modification de la loi de 1970. À mon sens, cette évolution ne pourrait intervenir que dans le cadre de la politique que je viens de détailler. Et conjointement avec le développement et la diversification de nos capacités de réponses sanitaires, de prévention et de soins.

Je réfute en effet toute approche idéologique de la loi de 1970. Je lui préfère une démarche pragmatique. S'agissant de ce texte de loi, l'approche idéologique se trouve, à mon sens, dans les deux camps : chez ceux qui prônent sa modification immédiate, comme chez ceux qui la refusent obstinément. Modifier cette loi pour faciliter unilatéralement l'usage des drogues, revient à faire l'apologie de substances toxiques. Cela n'est pas recevable en termes de santé publique et il s'agit là d'un faux combat auquel ont renoncé tous les pays européens. S'arc-bouter, *a contrario*, à cette loi en y voyant un rempart contre les drogues, une protection de la société contre elle-même, est encore moins pertinent. Elle n'a pas empêché l'usage des drogues. Cette position idéologique a sans doute donné bonne conscience, et reconnaissons-le, fait illusion. Elle a surtout contribué à masquer certains enjeux essentiels de la lutte contre la toxicomanie... Les pratiques des parquets demeurent très diverses. Le nombre des interpellations pour usage, qui a doublé en cinq ans, est de près de soixante-dix mille dont 80 % concernent le cannabis. Le nombre des injonctions thérapeutiques reste très modéré et en majorité pour usagers de cannabis. La priorité donnée à la lutte contre le trafic est-elle assez affirmée ? Les objectifs de la répression de l'usage sont-ils actualisés à la lumière des impératifs de santé publique et de réduction des risques ?

La loi de 1970 n'est ni un tabou, ni un préalable. Elle n'est pas un préalable car il est possible, dans le cadre d'instructions générales, de l'appliquer en conciliant les intérêts de l'ordre public et de la santé publique. Elle n'est pas non plus un tabou car il est envisageable de modifier la loi sans dépénaliser : en informant, en maintenant un interdit, en réglementant ce qui peut l'être, en réprimant ce qui doit l'être. Je pense, en particulier, aux problèmes posés par le trafic dans certains quartiers et à ce qu'on appelle pudiquement l'économie parallèle.

Je ne suis pas naïf : personne ne peut prétendre aux recettes miracles, aux solutions faciles qui nous permettraient de résoudre, comme par enchantement, les problèmes inhérents à toutes ces substances toxiques, légales ou illégales. Comme toujours, il y a des provocations, des excès.

En santé publique, on le sait, toute exclusion est un « trou noir » dans lequel se développent la souffrance, la maladie, la mort. Je ne peux m'empêcher ici de faire un parallèle avec les guerres. L'ingérence n'est pas la solution à la guerre, mais sa mise en œuvre précoce pourrait contribuer à prévenir les conflits, à éviter ces « trous noirs » dans lesquels on s'engouffre. À commencer par les plus vulnérables, les moins fortunés. En matière de drogue aussi, c'est par l'ingérence sanitaire que nous pourrons trouver des réponses, certes incomplètes mais humaines. Et surtout plus efficaces. À condition bien sûr d'avoir les coudées franches et les moyens d'agir. À condition de s'intéresser à la personne et non au produit. À condition de proposer des contrats d'accompagnements. Et de prendre les jeunes là où ils sont, entre l'usage, l'abus et la dépendance. Sans jugement moral, en tendant d'abord la main.

Cette démarche m'apparaît résolument éloignée du supposé laxisme régulièrement mis en avant dès lors que l'on aborde ce sujet sensible de la toxicomanie. Nous ne sommes pas – loin s'en faut – des laxistes qui se condamnent à ne pas utiliser tous les moyens d'action pour prévenir l'utilisation de drogues, en réduire les dangers, qui refuse toute adaptation aux situations nouvelles, toute redéfinition de ses priorités et de ses stratégies d'intervention.

Nous souhaitons, au contraire, explorer sans tabou toutes les pistes qui peuvent à la fois sauver des vies, épargner des souffrances, mais aussi permettre que la loi de la République soit respectée.

Et je compte sur cette confrontation nécessaire pour éclairer sereinement nos concitoyens sur ces défis majeurs de santé publique. Avec le rapport Roques, que vous allez lire, le débat rebondit de scientifique et magistrale façon.

Au bénéfice des hommes, par des toxiques.

Bernard KOUCHNER
Secrétaire d'État à la Santé et à l'action sociale.

Monsieur le Professeur,

Je vous remercie d'avoir accepté de conduire une mission sur les problèmes posés par la dangerosité des drogues et d'animer un groupe de travail sur ce sujet.

En effet, je souhaite que vous puissiez réaliser, à partir de vos travaux et de ceux publiés dans la littérature internationale, une analyse scientifique visant à comparer la dangerosité, en particulier sur le cerveau, des différents toxiques et psychotropes, y compris l'alcool et le tabac, souvent associés à la prise d'autres drogues. Une attention particulière devrait être portée sur les mécanismes physiopathologiques d'inter-dépendance entre les différents toxiques.

Il m'apparaît important que vous fassiez des propositions sur les principaux axes de recherche qui doivent être développés, et qui pourraient concerner le programme hospitalier de recherche clinique.

Je souhaite pouvoir disposer de votre rapport pour le mois d'avril et je demande aux administrations concernées de vous apporter l'appui et l'aide dont vous auriez besoin pour le bon déroulement de votre mission. Vous pourrez également faire appel aux experts qui vous semblent utiles pour mener à bien votre mission.

Je vous prie d'agréer, Monsieur le Professeur, l'expression de mes sentiments les meilleurs.

Bernard KOUCHNER

Monsieur Bernard ROQUES
Faculté de Pharmacie
4, avenue de l'Observatoire
75006 PARIS

LISTE DES MEMBRES
DE LA COMMISSION

Professeur Bernard ROQUES (président)
Membre de l'Académie des sciences
U 266 INSERM – URA D1500 CNRS, UFR des sciences pharma-
ceutiques et biologiques (Paris)

Docteur Patrick AEBERHARD
Secrétariat d'État à la Santé (Paris)

Docteur Patrick BEAUVERIE
Service pharmacie, Hôpital Paul-Guiraud (Villejuif)

Professeur Marie-José BESSON
UA 1199 CNRS, Institut des neurosciences, université P. & M.
Curie (Paris)

Docteur Michel BIOUR
Pharmacologie-Pharmacovigilance, faculté Saint-Antoine
(Paris)

Professeur Jordi CAMI
Pharmacology Unit, Institut municipal d'investigacio
Medica (Barcelone)

Docteur Bruno GIROS
U 288 INSERM, CHU Pitié-Salpêtrière (Paris)

Docteur Jean-Pierre Lépine
Hôpital F.-Widal (Paris)

Docteur Rafael Maldonado
U 266 INSERM – URA D1500 CNRS, UFR des sciences pharmaceutiques et biologiques (Paris)

Docteur Louis Stinus
U 259 INSERM, université de Bordeaux-II

Docteur Marc Valleur
Service de toxicomanie, Centre hospitalier Marmottan (Paris)

Les membres de la commission ont été choisis par B. Roques au cours du mois de janvier 1998, de manière à couvrir, autant que faire se peut, le domaine de la mission.

La commission s'est réunie une première fois début février pour mettre au point le contenu du rapport et répartir entre les membres les thèmes à couvrir. Un rapport écrit, étayé par les résultats des travaux les plus récents, a été demandé à chaque participant. La prise de contact avec des experts extérieurs (voir liste) a été décidée.

B. Roques a pris en charge l'introduction du rapport, les chapitres 1, 2, 3, 5, 10, 17 et le chapitre 15 (avec l'aide de R. Maldonado), la délivrance contrôlée d'héroïne (chapitre 16) avec P. Aeberhard, les conclusions, recommandations finales, la proposition de création d'agences et la mise en forme définitive du rapport.

R. Maldonado a pris en charge plus directement les chapitres 9 et 14 (avec P. Beauverie), M. Valeur le chapitre 4, M.-J. Besson, les chapitres 6 et 11, M. Biour le chapitre 12, J.-P. Lépine le chapitre 8. Le chapitre 5 a été rédigé par B. Giros. Le chapitre 13 a été rédigé par P. Beauverie et le chapitre 7 par L. Stinus et P. Beauverie.

Néanmoins, il s'agit d'un rapport collectif puisque tous

les textes ont été revus et discutés par les membres de la commission et même par certains membres extérieurs.

Six réunions ont eu lieu pour discuter de l'avancement du rapport et confronter certains résultats.

Les différents documents collectés ont été reliés et le document total envoyé à deux reprises aux participants pour corrections, commentaires, etc., et mis sous sa forme définitive dans les premiers jours de mai.

LISTE DES CONSULTANTS EXTÉRIEURS

Docteur Martine Cador
U 259 INSERM, université de Bordeaux-II

Professeur Jean Feger
Unité 289 INSERM, Hôpital de la Pitié-Salpêtrière (Paris)

Docteur A. K. P. Jones
Rheumatic Diseases Centre, Clinical Sciences Building,
Hope Hospital (Salford, Angleterre)

Docteur Mary-Jeanne Kreek
Laboratory on the Biology of Addictive
Diseases, The Rockefeller University (New York)

Professeur Georges Lagier
Pharmacologie expérimentale et clinique, Hôpital Fernand-
Widal (Paris)

Docteur José-M. Palacios
Almirall Prodesfarma, Centro de Investigacion (Barcelone)

Professeur Éric Simon
New York University Medical Center, School of Medicine
(New York)

Organisation des réunions, missions, etc., Annick Bouju

INTRODUCTION

Les progrès récents dans la connaissance du fonctionnement du système nerveux central incluant aussi bien la neurochimie que les domaines de la psychiatrie et de la psychologie expérimentale ont permis d'éclaircir un certain nombre de questions posées par la consommation de substances psychoactives capables d'engendrer des conduites caractérisées par une utilisation répétée de quantités importantes d'une ou plusieurs de ces substances et susceptibles, pour certaines, de générer des phénomènes de dépendance (addiction).

Parmi ces substances, on trouve des opiacés comme l'héroïne, des psychostimulants tels que la cocaïne ou l'amphétamine, l'alcool, le tabac, le cannabis, les benzodiazépines, etc. Certains de ces composés possèdent des propriétés pharmacologiques intéressantes (opiacés, benzodiazépines) qui les font utiliser couramment en thérapeutique sous forme de médicaments avec des posologies adaptées. D'autres, au contraire, ne sont pas utilisés en médecine, soit parce que des effets toxiques ou comportementaux indésirables apparaissent dès les faibles doses (nicotine, cocaïne), soit parce que les éventuels effets bénéfiques n'ont pas encore été clairement démontrés (cannabis). Il est, en effet, désormais bien établi que les effets engendrés par toutes ces molécules s'expliquent par leur liaison à des récepteurs biologiques spécifiques situés dans le système nerveux central et les effets toxiques par un recrutement excessif de ces mêmes récepteurs et par des actions non spécifiques sur d'autres cibles biologiques situées ou non dans le cerveau.

La consommation de substances psychoactives peut répondre à des objectifs extrêmement divers : tentative d'échapper au quotidien jugé comme insupportable ou, inversement, tentative de surmonter une inadaptation psychologique à la communication ou d'apaiser une souffrance psychique, volonté de transgression des interdits par révolte ou par désir du risque, etc. On pourrait multiplier les raisons du « recours » à la psychopharmacologie, le concept unificateur de ces consommations étant, au moins dans un premier temps, la recherche du plaisir. C'est un rituel de fête qui accompagnait et accompagne encore dans de nombreux pays la consommation de drogues. Les pratiques collectives de consommation d' « ecstasy » au cours de « rave parties » sont un exemple récent de ce type de rituel. Il existe beaucoup d'autres substances qui agissent sur le psychisme, tels les puissants neuroleptiques. Ils n'engendrent cependant aucune sensation de plaisir et sont, de ce fait, absents de la liste des substances à risques d'abus.

À ce stade, il est indispensable de distinguer l'usage qui implique un contrôle de la consommation du produit et entraîne peu de modifications psychiques et les pratiques d'abus dont les attendus pathologiques restent maîtrisables, mais qui peuvent conduire à un état de dépendance. Celui-ci est caractérisé par le besoin compulsif du produit et ce, en dépit de la connaissance par le consommateur des effets néfastes qu'il aura pour sa santé et sa vie sociale.

L'addiction peut conduire également à des actes portant atteinte à autrui (vols, trafics, rixes, accidents, etc.). C'est pour se prémunir contre ces risques que les substances pouvant conduire à des consommations abusives ont été classées en deux catégories : les drogues dites « dures » à usage et détention illicites (héroïne, cocaïne, cannabis...)

par opposition à celles licites (alcool, tabac, psycho-stimulants...) dont la consommation était tenue comme moins dangereuse.

Cette classification se basait donc essentiellement sur la spécificité des drogues « dures » à induire un état de dépendance. Nous verrons à la lumière de travaux récents que cette classification est incorrecte. Tout le monde connaît les difficultés que représente, par exemple, l'abandon du tabagisme.

Néanmoins, le consommateur de drogues « dures » véhicule une image très négative de marginal dangereux revendiquant sa désocialisation et incapable de dominer ses désirs. Cela a entraîné une politique de répression à la fois basée sur la peur du désordre social, et sur le refus de légitimer une attitude d'autodestruction, transgressant un principe fondateur de l'éthique tel qu'il est énoncé par Spinoza : « L'effort pour se conserver est le premier et unique fondement de la vertu. » Mais pour s'exercer, cette force vitale doit s'appuyer sur une satisfaction d'être. Or le développement rapide des sociétés industrielles a rompu l'équilibre en prônant comme vertu l'individualisme forcené et la performance comme passeport obligatoire pour la reconnaissance sociale. Comment s'étonner que dans ces conditions, amplifiant les situations conflictuelles sociales, familiales et scolaires, les plus démunis psychologiquement perdent ce que les spécialistes de la psychologie cognitive dénomment « l'estime de soi ».

C'est de ce déficit que se sont nourris les pourvoyeurs de drogues, mettant en place un réseau de fabricants et de revendeurs capables de s'adapter à toutes les politiques de répression, y compris en manipulant la rareté et donc le cours des produits. Cette « économie » de la drogue s'est amplifiée au point de remettre en cause les principes mêmes des attitudes répressives, en particulier lors de la fin de la guerre du Viêt-nam qui a vu aux États-Unis s'intensifier le recours aux traitements substitutifs par la méthadone, agoniste opioïde actif par voie orale dont l'utilisation se trouvait donc illicitement détournée de l'usage thérapeutique habituel des opiacés. La réussite de ce plan, dont nous analyserons plus tard les raisons neurobiologiques et psychologiques, a transformé le statut du consommateur de drogues.

Les médecins, psychiatres en particulier, n'avaient cependant pas attendu ces événements pour relier la « toxicomanie » à d'autres troubles compulsifs sans usage de « produits » comme la boulimie, la pratique intensive des jeux, certains comportements sexuels, l'excès d'activité, etc., et donc à mettre en place des stratégies thérapeutiques, en particulier pharmacologiques, de ces comportements addictifs. Les programmes de substitution à la méthadone pour aider au détachement de la consommation d'héroïne ont débuté dans les années 1960-1965 aux États-Unis.

Le but de ces traitements est de soulager la détresse physique et morale des toxicomanes qui souhaitent « sortir » de leur dépendance, celle-ci étant considérée comme une « maladie » chronique et récidivante. Il est bien évident que si c'est la substance qui engendre et pérennise la symptomatologie, elle n'est que le reflet d'un mal-être qui, *in fine*, doit être pris en charge.

L'épidémie de sida a accéléré le recours à la médecine pour diminuer les risques de transmission virale par injection. La plupart des pays, y compris la France, ont mis en place des systèmes de soins appropriés et ouvert aux médecins généralistes l'autorisation de prescriptions d'agonistes opioïdes tels que la buprénorphine, détournée là encore de son application thérapeutique initiale, c'est-à-dire le traitement de la douleur.

La loi de 1970 réglementant la vente, l'achat et l'emploi de substances vénéneuses était donc prise en défaut. En même temps, la séparation entre drogues illicites et licites, basée sur des critères de risques d'addiction, se trouvait remise en cause par les progrès de la recherche sur les mécanismes d'action de ces substances, comme cela a déjà été souligné précédemment à propos du tabac. De plus, de nouvelles substances chimiques détournées de leur usage thérapeutique primitif comme les psychostimulants, ou chimiquement modifiées comme l'ecstasy s'avéraient aussi dangereuses que la cocaïne à laquelle elles se rattachent par leur site d'action.

Par ailleurs, la consommation de cannabis, substance « illicite », n'a fait que s'amplifier chez les adolescents ou les adultes jeunes. En même temps son aptitude à engendrer une dépendance était contestée, ses bienfaits thérapeutiques stigmatisés et les conséquences de la répression de son usage jugées souvent trop sévères. Ces contradictions et ces incertitudes ont conduit de nombreuses associations de médecins, psychiatres, usagers, psychologues, etc., ainsi que le Comité national d'éthique à s'interroger sur l'opportunité d'adapter la loi de 1970. C'est également dans cet esprit que des commissions se réunissent dans de nombreux pays, par exemple en Angleterre, où le pharmacologue lord Walton a été chargé d'étudier les propriétés du cannabis et la prise en compte juridique de sa consommation. Enfin, l'utilisation de plus en plus fréquente d'associations de substances licites ou illicites – et en particulier d'alcool – chez les jeunes pose le problème de l'amplification possible de leurs effets néfastes en termes de santé publique. C'est dans cet esprit qu'a été initiée par le secrétariat d'État à la Santé une mission sur la « dangerosité des drogues ».

Il s'agit donc de faire le point sur les effets à court et à long termes des substances licites et illicites, en particulier au niveau du système nerveux central. Ce bilan prendra en compte les découvertes récentes sur les mécanismes d'action des différentes substances à risque, leurs analogies et leurs différences, mettant en particulier à profit les méthodes modernes d'exploration du fonctionnement cérébral (neuro-imagerie). Les connaissances actuelles sur les bases neurobiologiques seront analysées ainsi que les travaux sur les éventuelles prédispositions biologiques et génétiques des comportements compulsifs et, sur le plan psychiatrique, leur parenté avec d'autres pathologies du même type.

Les méthodes de substitution chimique actuelles destinées à d'éventuels traitements à long ou très long terme seront analysées sur le plan de leur éventuelle toxicité au regard de leur efficacité. Une attention particulière sera portée au problème de la maternité associée à la consommation de substances à risque d'abus. L'amélioration constante des techniques de dosage des différentes substances à risque sera discutée selon diverses perspectives : prévention, suivi et amélioration des traitements substitutifs.

La dangerosité individuelle et collective sera ensuite examinée au regard des bilans statistiques sur la prévalence, la morbidité et la comorbidité des substances.

Enfin, des propositions seront avancées pour une meilleure connaissance des processus biologiques, psychologiques et socioculturels de la consommation des substances à risque d'abus et de dépendance et leur réduction par le développement de nouvelles substances adaptées à chaque produit.

CHAPITRE PREMIER

PHARMACOLOGIE ET TOXICOLOGIE : RAPPELS SUR LES NOTIONS « EFFETS-DOSES »

On connaît désormais les cibles spécifiques de pratiquement toutes les substances à risque d'abus ainsi que leur(s) effecteur(s) endogène(s). Les premières sont des protéines, souvent, mais pas exclusivement, situées à la surface des cellules nerveuses (récepteurs couplés aux protéines G, récepteurs canaux, transporteurs, protéines de stockage, récepteurs de clairance, enzymes du métabolisme ou du catabolisme, etc.). Un des principes fondateurs de la pharmacologie est que les substances exogènes (médicaments, « drogues ») se lient aux cibles qui sont naturellement recrutées par des effecteurs endogènes. Ces effecteurs naturels agissent soit de manière permanente (ou tonique), soit de façon stimulée (ou phasique) en activant des récepteurs localisés dans une structure particulière pour obtenir la réponse exigée par l'organisme pour répondre à une situation donnée. Ainsi, lorsque l'activation des systèmes de récompense par les peptides opioïdes enképhalines est nécessaire, elle ne s'accompagne pas de stimulation des récepteurs médullaires contrôlant la douleur. Au contraire, une substance exogène, héroïne par exemple, active de manière ubiquitaire tous les récepteurs, même ceux qui sont habituellement peu utilisés. Il y a donc une rupture des équilibres physiologiques assurés par le recrutement sélectif des récepteurs dans un contexte particulier. Cette manipulation pharmacologique peut s'avérer nécessaire, par exemple en cas de douleurs vives où le contrôle endogène par les enképhalines est très insuffisant. Dans ce cas, l'administration de morphine recrute un nombre plus important de récepteurs opioïdes et la douleur s'estompe.

Les effecteurs endogènes, catécholamines en particulier, possèdent une multitude de cibles (récepteurs pré- ou post-synaptiques, enzymes du métabolisme, sites de recapture, de stockage, etc.). La complexité de cette organisation permet d'avancer l'idée qu'un désordre dans la communication harmonieuse entre les cellules nerveuses pourrait être à l'origine d'affections mentales (anxiété généralisée, dépressions bipolaires, schizophrénie, etc., ou de certaines maladies neurodégénératives, etc.). Le recours abusif à des composés psychoactifs appartenant aussi bien à la classe des médicaments (benzodiazépines, psychostimulants, antidépresseurs) qu'à ceux classés parmi les drogues licites ou illicites s'apparente certainement, dans de nombreux cas, à une automédication. On sait en effet qu'il existe une comorbidité psychiatrique très importante chez les sujets dépendants à la cocaïne, l'héroïne ou l'alcool.

Un autre principe fondateur de la pharmacologie est qu'il existe une relation étroite entre l'occupation d'une cible biologique par une substance (liaison) et l'effet produit. Ce principe est essentiel à la compréhension des différences entre réponses spécifiques et non spécifiques produites par une substance et à celle de ses effets toxiques. Ce principe est, de plus, à la base des méthodes pharmacologiques de substitution.

De manière schématique, plus une cible biologique sera occupée, plus la réponse sera forte (relation dose-effet). La liaison à un récepteur entraîne souvent une cascade d'événements intracellulaires aboutissant à un changement de l'activité intrinsèque (électrique par exemple) d'un neurone, qui, reproduit dans un ensemble (tissu), conduira à une réponse globale. Ainsi l'occupation des récepteurs opioïdes de la corne dorsale de la moelle par la morphine engendre une puissante analgésie alors que l'occupation des mêmes récepteurs dans l'aire tegmentale ventrale entraîne des effets euphorisants et celle des récepteurs présents dans le noyau du tractus solitaire des effets sur le cœur et la respiration à l'origine des accidents mortels par overdose. Les effets produits par une substance donnée dépendront donc de l'occupation des cibles dans les différentes structures où ils se situent et donc de la dose administrée. La morphine est d'abord analgésique, puis euphorisante au niveau central, et à plus haute dose elle déprime la respiration.

Les récepteurs (cela peut également exister dans le cas d'autres protéines cibles) peuvent adopter des structures légèrement différentes (états discrets). Ces structures sont en équilibre et peuvent être stabilisées par un agoniste (héroïne par exemple) donnant une réponse pharmacologique éventuellement plus forte que celle fournie par l'agoniste endogène, ou par un antagoniste (naltrexone) qui bloquera la réponse physiologique de l'effecteur naturel, en réduisant la proportion de récepteurs actifs. Il existe des substances qui sont incapables de produire l'effet maximum généré par l'effecteur naturel ou par un autre agoniste. Ce sont des agonistes partiels (buprénorphine). Un agoniste peut, du reste, être dépourvu de sélectivité et interagir avec plusieurs cibles. C'est le cas de nombreuses molécules agissant sur plusieurs récepteurs ou transporteurs des catécholamines (DA, 5HT). Une autre propriété partagée par quelques substances est d'être agoniste d'un récepteur et antagoniste d'un autre. C'est le cas de la buprénorphine qui est agoniste partiel opioïde μ et antagoniste opioïde $\varkappa$. Enfin une classe particulière de molécules est celle des agonistes inverses qui se lient à la structure active du récepteur et déplacent l'équilibre en faveur de cette forme sans pour autant permettre la traduction intracellulaire du message.

Pour en terminer avec les notions d'occupation de cibles biologiques et de réponses pharmacologiques, il faut ajouter que le temps d'occupation de la cible par un produit, et donc sa durée d'action est fonction à la fois de son affinité et de sa concentration. Les effets d'un produit dépendront donc de l'accessibilité à ses cibles biologiques, c'est-à-dire à sa biodisponibilité. Elle est réglée par de nombreux paramètres et en particulier par l'absorption du produit : les voies hautes (pulmonaire, sublinguale ou nasale) qui évitent le foie sont en général plus favorables que les voies intraveineuse ou orale (dans cet ordre) pour pénétrer dans le cerveau. Cela explique la préférence pour la prise nasale de cocaïne ou l'inhalation du « crack ». Le tabac « chiqué » donne des effets retardés par rapport à la cigarette. Dans tous les cas, l'accès aux cibles centrales est conditionné par le franchissement de la barrière hémato-encéphalique peu perméable aux substances polaires, d'où l'avantage de la cocaïne « fumée » qui passe à l'état gazeux sous forme de base. Bien entendu, les molécules très hydrophobes (tétrahydrocannabinol, héroïne) entreront aisément dans les structures nerveuses. Leur durée d'action sera réglée par leur rémanence dans les différents tissus et leur relargage, plus ou moins rapide, dans le plasma pour s'en échapper vers les structures centrales. Ainsi en fonction des doses ingérées, certaines substances peuvent demeurer à des concentrations suffisantes pour produire un effet psychopharmacologique durant des périodes longues. C'est sur ce principe que se basent de nombreux traitements pharmacologiques des dépendances. Il s'agit d'occuper une fraction des cibles pour donner un effet psychique réduit mais suffisant pour éviter le malaise et le besoin incontrôlable du produit. Ainsi la méthadone est un agoniste opioïde comme l'héroïne mais sa biodisponibilité orale est telle qu'elle occupe plus longuement les récepteurs opioïdes centraux, et aux doses utilisées dans les traitements substitutifs, elle en stimule un nombre plus faible du fait d'une concentration insuffisante dans le tissu cérébral. La toxicité d'une substance sera donc étroitement reliée aux quantités ingérées et à la voie d'administration utilisée. Plus le passage dans le cerveau sera rapide, plus le risque de neurotoxicité immédiat sera élevé. À cette toxicité spécifique s'ajoute une toxicité non spécifique par action sur des cibles souvent non caractérisées. Lorsque les doses absorbées sont très élevées, la substance peut interférer avec des systèmes physiologiques qui fonctionnent avec d'autres effecteurs endogènes. La modification des effets produits par ces derniers peut engendrer des perturbations (immunologiques, endocriniennes, etc.) sans rapport direct avec les actions pharmacologiques attendues de la substance. Inversement, la présence de cibles d'une substance donnée (tétrahydrocannabinol par exemple) au niveau d'une multitude de tissus ne signifie pas nécessairement qu'il existe une stimulation tonique de ces cibles par un effecteur naturel. Ainsi l'enzyme de conversion de l'angiotensine (ECA) ou l'endopeptidase neutre dont les substrats sont l'angiotensine ou la bradykinine dans le premier cas, et les enképhalines ou le peptide atrial natriurétique dans le second sont détectés à la surface de cellules présentes dans la plupart des tissus (cerveau, cœur, vaisseaux, foie, poumons, lymphocytes, prostate, ovaires, spermatozoïdes, etc.). Dans la plupart des tissus, le rôle de ces enzymes reste inconnu, leur recrutement physiologique est sans doute inexistant ou trop faible pour qu'une action pharmacologique due à leur inhibition soit détectée. Cela explique que l'administration d'inhibiteurs d'ECA à des dizaines de millions de patients conduit à un nombre limité d'actions secondaires (toux en particulier) sans commune mesure avec sa distribution tissulaire quasi ubiquitaire. De ce point de vue, l'utilisation de molécules capables de bloquer le fonctionnement d'une cible biologique (récepteur, transporteur, enzyme, etc.) ou l'utilisation d'animaux dans lesquels cette cible a été délétée sont extrêmement précieuses pour préciser son importance physiologique et, par là même, les risques toxicologiques inhérents à son recrutement excessif (toxicité aiguë) ou répété (toxicité chronique).

Conclusion

Pratiquement toutes les substances chimiques deviennent toxiques lorsqu'elles sont consommées volontairement ou non en très fort excès. C'est le cas de l'insuline, de la digitaline ou des hypotenseurs pour prendre quelques exemples dans la classe des médicaments.

La dangerosité pour le consommateur des drogues licites ou illicites est donc reliée aux modifications comportementales qu'elles induisent et donc aux quantités absorbées.

Il est donc essentiel de tenir compte de l'importance des effets provoqués par les différentes substances dans des conditions de consommation occasionnelle à doses faibles et à la suite d'usages répétés pour évaluer leur dangerosité.

Cela permet de relativiser les conséquences décrites très souvent comme dramatiques de la consommation des drogues et d'évaluer objectivement les risques en termes de santé publique de la consommation récréationnelle de substances comme l'alcool et le cannabis.

ACTIVATION DES SYSTÈMES HÉDONIQUES. DONNÉES RÉCENTES SUR LES MÉCANISMES NEUROBIOLOGIQUES

Ce qui caractérise les recherches effectuées dans le domaine de la toxicomanie depuis environ cinq ans, c'est l'irruption des méthodes de la biologie moléculaire avec, en particulier, le clonage de gènes, l'utilisation des techniques de délétion de gènes, et la quantification des effecteurs biologiques intracellulaires et extracellulaires par microdialyse chez l'animal libre de ses mouvements. Cela a permis d'aborder plus directement l'effet des « drogues » sur la régulation de l'expression des protéines impliquées dans la messagerie cellulaire, d'étudier le rôle de l'environnement (conditions de stress, etc.) dans la prise répétée de ces substances et d'analyser les relations possibles entre addiction et processus mnésiques. Les modèles animaux ont été également adaptés afin de reproduire le mieux possible les conditions de consommation chez l'homme. En dépit de leur caractère très fruste, ces modèles se sont révélés prédictifs des risques d'abus et même d'addiction. Enfin, les structures cérébrales impliquées dans la consommation et le phénomène de sevrage ou d'addiction ont été explorées de manière précise, y compris *in vivo* par les méthodes de neuro-imagerie.

Nous nous attacherons donc à exposer brièvement les résultats récents les plus importants obtenus dans l'étude neurobiologique de la consommation de substances psychoactives, en particulier celles conduisant à des risques d'abus et d'addiction.

1. Émotion et évolution

Il est important de rappeler que le cerveau, comme les autres organes, n'échappe pas aux règles de l'évolution telles qu'elles ont été énoncées par Darwin, puis démontrées par des approches de génétique moléculaire. Les grandes fonctions vitales qui conditionnent la survie des espèces, telles que la recherche de nourriture, la reproduction, les conduites d'évitement vis-à-vis des prédateurs se sont mises en place dans le système nerveux central par des ensembles de connections neuronales dont les voies commencent à être bien répertoriées, y compris chez l'homme. Une observation importante a été que la mise en œuvre de ces comportements vitaux est associée à l'activation d'un système hédonique souvent appelé système de récompense chez l'animal (Bozard et Wise, 1981). Le désir de les mettre en œuvre serait donc lié au plaisir qu'ils procurent. La modulation de ces comportements s'effectuerait par des systèmes opposants dont le rôle a été encore peu étudié mais qui est sans doute important, y compris dans la toxicomanie.

2. Rappel sur les principales méthodes d'étude

Diverses expériences ont permis d'attribuer à la voie dopaminergique (DA) mésocorticolimbique un rôle majeur parmi les systèmes de récompense. Elle est subdivisée en plusieurs régions telles que l'aire tegmentale ventrale (ATV) où sont situés les neurones dopaminergiques qui innervent en particulier le noyau accumbens (N. Acc.) et le cortex préfrontal (Cx). Il est maintenant bien établi que le noyau accumbens est lui-même constitué de deux sous-structures dénommées « core » et « shell ». Cette dernière, reliée à une région importante du système limbique, l'amygdale, semble être particulièrement impliquée dans l'activation du système DA par les « drogues » (Di Chiara et Imperato, 1988 ; Pontieri *et al.*, 1995). L'hippocampe qui intervient dans les processus de mémorisation est également un élément de cette circuiterie.

La démonstration du rôle majeur joué par la voie DA mésocorticolimbique dans les systèmes de récompense a été initialement démontrée par la technique dite d'auto-stimulation, chez le rat puis chez le singe. En effet, après implantation sur le trajet de cette voie d'une électrode reliée à un stimulateur que l'animal peut déclencher par appui sur un levier, on constate un comportement de stimulation quasi permanent et ceci aux dépens de fonctions vitales comme le comportement de faim ou de soif (Olds, 1958). La notion subjective de plaisir a ensuite été décrite lorsque de telles stimulations ont été effectuées chez l'homme, lors d'interventions neurochirurgicales. Chez l'animal, on peut mesurer le seuil d'intensité d'une stimulation électrique « hédonique » et sa modulation positive ou négative par diverses substances.

L'implication des neurones dopaminergiques dans les systèmes de récompense a été confirmée à la suite de ces premières expériences par l'observation de l'auto-administration chez l'animal des substances addictives dans l'aire tegmentale ventrale. On constate que les effets produits localement par la morphine, la cocaïne ou les psycho-stimulants sont similaires à ceux engendrés par une administration systémique (Kalivas et Weber, 1988). On peut mesurer de cette manière l'appétence ou l'aversion pour un produit, un mélange de produits, le remplacement de l'un par l'autre, les effets en fonction de la dose, etc. Un proto-cole également souvent utilisé consiste à mesurer la préférence ou non que montre un animal pour l'environnement qui a été apparié à l'administration d'un produit. Si la consommation de ce dernier active les systèmes de récompense, l'animal reviendra préférentiellement dans l'environnement associé à l'administration du produit (test de préférence de place).

Une autre technique très utilisée est le test de discrimination. Il consiste à évaluer la capacité d'un animal à identifier les effets « subjectifs » d'une drogue à l'aide des techniques de comportement opérant. Les réponses obtenues dans ce test sont bien corrélées avec les effets subjectifs de la drogue chez l'homme et peuvent aider à prédire le risque d'abus d'une substance (revue dans Simon, 1997). On étudie désormais de plus en plus directement les effecteurs endogènes (par exemple, par mesure de la libération de dopamine et de ses métabolites et/ou de neuropeptides grâce au système de microdialyse chez l'animal éveillé) dans des régions cérébrales très précises des systèmes de récompense (ATV, N. Acc., Cx, hippocampe, etc.). Cela permet de mesurer, par une approche neurochimique, l'effet de produits exogènes (drogues par exemple) mais aussi de situations particulières (stress, prise alimentaire, activité sexuelle, etc.) sur les neurones impliqués dans les systèmes de récompense.

De cette manière on a pu montrer que les « drogues » augmentent la libération de dopamine dans le N. Acc. (Di Chiara et Imperato, 1988).

Enfin chez l'homme on utilise depuis quelques années des méthodes non invasives qui permettent de rendre compte de l'activité cérébrale. Elles seront discutées plus tard.

Ce rappel très bref permettra de mieux discerner l'importance et la portée des résultats obtenus avec les différentes substances étudiées dans ce rapport.

3. De l'usage à l'abus : la mise en place des conduites addictives

Psychiatres, psychologues et neurobiologistes s'accordent pour considérer les conduites compulsives comme des troubles du comportement. Pour le neurobiologiste, cela refléterait un défaut dans la mise en place de schémas fonctionnels de réseaux neuronaux permettant à l'animal ou à l'homme de s'adapter à son environnement. Deux grands systèmes d'effecteurs chimiques endogènes interviendraient dans ces comportements d'adaptation : les neurotransmetteurs classiques et tout particulièrement la dopamine, et les neuromodulateurs peptidiques, en particulier les peptides opioïdes « hédoniques » et les peptides « antiopioïdes ». Chaque situation (événement) devant laquelle est placé l'animal ou l'homme provoquerait la stabilisation d'un état émotionnel défini (joie, peur, colère, plaisir, etc.). Toute rupture d'un état stabilisé, produite par exemple lors du remplacement d'une sensation de plaisir par un sentiment d'aversion ou de crainte, conduirait à une situation de stress et d'anxiété (Antelman *et al.*, 1988). Ce nouvel état, ressenti comme conflictuel, entraînerait des changements de réactivité des effecteurs précédemment cités. Bien que réductionniste, cette hypothèse est désormais étayée par des études comportementales cognitives et neurochimiques chez l'animal. Elle a aussi l'intérêt de prendre en compte les situations de troubles émotionnels importants dans leur intensité ou leur répétition subis, par exemple, à différentes étapes du développement (Koob et Le Moal, 1997).

Les comportements compulsifs en général et ceux liés à la « drogue » en particulier représenteraient une parade pour rétablir l'équilibre homéostasique rompu. Le succès pourrait conduire à la répétition (abus) voire à l'addiction. Ainsi différents auteurs (Schenk *et al.*, 1987 ; Highley *et al.*, 1991) ont montré que des stress répétés augmentaient l'auto-administration d'alcool et d'amphétamines. Par ailleurs, des stress provoqués avant la naissance ou juste après celle-ci augmentent le comportement d'auto-administration (Glick *et al.*, 1977 ; Jacobson *et al.*, 1990 ; Blanchard *et al.*, 1992 ; Deminière *et al.*, 1992). De même, il a été montré que la privation de relations sociales entre animaux ou entre jeunes et adultes stimulait l'auto-administration de composés très variés (alcool, héroïne, cocaïne, THC) par rapport aux groupes contrôles (Schenk *et al.*, 1987 ; Highley *et al.*, 1991). Enfin des études épidémiologiques récentes démontrent que le risque toxicomaniaque est dix fois plus élevé chez les femmes ayant subi un viol durant leur adolescence et plus généralement chez les personnes traumatisées durant leur enfance (Swan, 1998).

Cependant, tous les individus ne sont pas égaux devant le risque toxicomaniaque. Ainsi la très grande majorité des usagers occasionnels ne répètent pas leur première expérience et surtout 90 % des usagers de drogues illicites ne deviennent pas dépendants. De ce point de vue, il est important de noter que les états dépressifs, les troubles obsessionnels compulsifs, les personnalités antisociales et l'anxiété sont retrouvés avec une très forte incidence chez les sujets dépendants à l'héroïne, l'alcool et la cocaïne (Flynn *et al.*, 1996). Il existe donc de nombreux facteurs de vulnérabilité et c'est la découverte de ceux-ci qui doit être considérée en priorité dans l'avenir.

LA DOPAMINE COMME SOURCE DES COMPORTEMENTS TOXICO-PHILES

Quelles sont les avancées récentes qui permettent de mieux cerner les mécanismes en jeu dans la prise répétée des différentes « drogues » ainsi que les comportements excessifs, par exemple d'ordre alimentaire ? Comme cela a été dit précédemment, la voie DA mésocorticolimbique est impliquée de manière prépondérante et permanente dans l'effet renforçant (ou hédonique) induit par la consommation de drogues (revues dans Koob, 1992, 1996). Il existe schématiquement deux manières d'activer la voie DA : 1) *directe* par des substances qui agissent en augmentant la libération de DA (amphétamine et autres psychostimulants, alcool, nicotine) ou en inhibant sa recapture (cocaïne, Met-amphétamine, méthylène dioxy-Met-amphétamine « ecstasy ») en particulier au niveau des terminaisons ; 2) *indirecte* par levée d'inhibition du fonctionnement de la voie mésocorticolimbique au niveau des neurones DA de l'ATV (héroïne, opioïdes) conduisant dans tous les cas à une concentration plus importante de DA dans le N. Acc. Les benzodiazépines seraient également capables de libérer de la DA (Spyraki *et al.*, 1988). Nous verrons que la plupart des substances renforçantes, y compris l'alcool et le THC, pourraient également agir par l'intermédiaire d'une augmentation des opioïdes endogènes (Hooks *et al.*, 1992).

En accord avec ces hypothèses sur le rôle hédonique de la dopamine, on a pu observer, chez le rat, un comportement d'auto-administration d'amphétamine (Hœbel *et al.*, 1983) ou de DA elle-même dans le N. Acc. (Dworkin *et al.*, 1986). On peut alors se demander si l'activation du système DA mésolimbique induit nécessairement un comportement d'auto-administration. La réponse est évidemment non, puisque le recrutement de ce système est essentiel à toute traduction d'une émotion en action. Ainsi on peut montrer que lorsqu'on place un rat dans un environnement stimulant qui excite sa curiosité (boîte à trous), il y a immédiatement accroissement de la libération de DA dans le N. Acc. (Ladurelle *et al.*, 1995). L'action est associée au plaisir.

Dans ce cas, est-ce que les drogues activent de manière excessive le système DAergique ? La réponse est, là, plus complexe. Sur le plan neurobiologique, la concentration de DA dans le N. Acc. ne déclenche pas nécessairement un risque d'auto-administration et des signes de dépendance. Ainsi la stimulation du récepteur CCK-B par le peptide cholécystokinine (CCK-8) produit une libération importante de DA et de Met-enképhaline dans le N. Acc. et n'induit aucun effet toxicomanogène chez l'animal (Ladurelle *et al.*, 1997; Daugé *et al.*, 1998). Cependant, l'activation du système DA mésolimbique par l'administration répétée de drogues comme les opiacés ou les psychostimulants a des conséquences à long terme très différentes de celles induites par l'activation de ce système lors de l'exposition répétée à des stimuli naturels comme la nourriture. En fait, les mécanismes adaptatifs mis en jeu au niveau du système DA mésolimbique et de l'axe hypothalamo-hypophysaire semblent être très différents dans les deux cas (Di Chiara, 1982).

Par ailleurs, si l'on admet qu'il y a une relation directe et unique entre stimulation sélective de la voie DAergique et risque d'abus, ce qui n'est probablement pas le cas, il est nécessaire de se poser la question de l'opportunité de l'empêcher! Il faut en effet dire à nouveau que usage ne signifie pas abus et encore moins dépendance. Une image qui pourrait refléter la situation est celle des canoteurs s'approchant d'une chute d'eau gigantesque. La plupart rebroussent chemin. Un certain nombre expérimente la croisière en eau assez calme tout en éprouvant le plaisir du risque « réfléchi ». Ce sont les usagers. Un très petit groupe s'aventure vers les remous dangereux mais en ayant pris soin de réfléchir sur ses aptitudes à s'en échapper, s'il en était besoin. Ce sont les excessifs. Enfin, quelques-uns ne peuvent s'empêcher d'être attirés par le danger extrême. On retrouve cette attirance vers l'autodestruction ou « conduite ordalique » dans beaucoup d'autres conduites à risque. Devant ces comportements, faut-il établir un barrage en amont de la chute? Cela équivaudrait à interdire toute

consommation récréative, y compris d'alcool et de tabac !
Les neuroleptiques qui bloquent la voie dopaminergique
mésolimbique réduisent les effets renforçants des drogues.
Leur utilisation nécessaire mais momentanée dans certaines affections mentales « fige » les patients en minimi-
sant leur motivation et leur réactivité émotionnelle. Cela
montre à quel point le fonctionnement harmonieux du système de récompense est indispensable. Les questions sont
donc plutôt : Existe-t-il des bases neurobiologiques expliquant le passage de l'usage à l'abus ? Quelles sont les raisons
de la résistance des uns, les plus nombreux, et de la vulnérabilité des autres ? Les dépendances ont-elles des bases génétiques ? Quels sont les moyens d'inciter à l'abstinence ?

LE DÉPLACEMENT DE L'ÉQUILIBRE HOMÉOSTASIQUE

La théorie qui semble la mieux étayée actuellement
pour expliquer le passage de l'usage à l'abus découle de la
définition neurobiologique des états émotionnels donnée
plus haut. À ces derniers correspond une stabilisation de
réseaux neuronaux régie par des concentrations définies de
neurotransmetteurs, y compris de DA et de neuropeptides.
L'administration d'une substance psychoactive, en modifiant cet équilibre, associe une sensation plus intense de
plaisir à un changement dans les concentrations synaptiques de ces effecteurs, et crée un nouvel état émotionnel.
Celui-ci devra être atteint lors d'une nouvelle confrontation
avec une situation identique ou similaire. Dans le cas
contraire, une sensation de malaise, puis après plusieurs
expériences, d'anxiété, sera ressentie. L'usage prolongé
d'une drogue et l'établissement de ces nouveaux seuils émotionnels modifient peu à peu les effets subjectifs de la
drogue. Ainsi, au cours du développement de la dépendance, on peut observer une diminution progressive de la
sensation de plaisir produite par l'administration de la subs-

tance, accompagnée d'une augmentation de la sensation de malaise quand la drogue n'est plus présente dans l'organisme. La conséquence de ce phénomène est que les consommateurs excessifs vont être finalement incités à utiliser la drogue plutôt pour palier ces malaises émotionnels que pour obtenir les effets positifs de celle-ci (Solomon et Corbit, 1974 ; Robinson et Berridge, 1993). Plusieurs séries d'expériences démontrent la validité de ces théories. Ainsi l'arrêt de la consommation d'héroïne, de cocaïne ou d'alcool produit une diminution de DA dans le N. Acc. et la sévérité des syndromes de sevrage est atténuée par l'administration locale de DA (Nestler et Aghajanian, 1997).

Un élément très important dans la consommation de drogues concerne les conditions dans lesquelles elle s'effectue. Ainsi plusieurs séries d'expériences ont permis de démontrer que la dépendance était plus forte chez le rat qui s'est auto-administré de manière active une drogue, que chez son congénère qui a reçu la même substance, mais de manière passive (Simon *et al.*, 1997). De même, le rat auquel on administre de manière passive des doses faibles d'héroïne ne développe pas de dépendance, au contraire de celui qui, après apprentissage, règle lui-même sa consommation (Siegel, 1988). Chez l'animal, on constate en effet que la libération de dopamine est associée à une situation hédonique (prise de nourriture par exemple) mais qu'elle précède la récompense si la situation de consommation se renouvelle (Romo et Schultz, 1990).

Chez l'homme, la recherche compulsive de drogue est exacerbée lorsque le consommateur se trouve dans le même environnement que celui où il se trouvait lors d'une administration précédente. Une explication à ce phénomène serait que la mise en place du nouvel équilibre homéostasique créé par la drogue et caractérisé, en particulier, par un changement dans les concentrations synaptiques de dopamine et opioïdes endogènes est à nouveau exigée lors de la répétition de l'expérience (Schultz *et al.*, 1997). Si cet équilibre n'est pas atteint, il y a frustration émotionnelle qui se traduit par un besoin violent et impérieux de drogue (Antelman, 1988).

L'importance de l'environnement dans le déclenchement d'une sensation de malaise n'est du reste pas limitée au cas des toxicomanies. C'est également ce qui est observé chez les sujets atteints de « troubles paniques » lorsqu'ils sont à nouveau confrontés à une situation antérieure où l'anxiété est apparue. L'appréhension du malaise est souvent plus difficile à surmonter que l'extériorisation de celui-ci. C'est sur ces données que sont fondées les thérapies de substitution chimique (méthadone pour l'héroïne par exemple) ainsi que psychothérapeutiques ou cognitives. Cela suggère un rôle important pour les processus mnésiques dans la dépendance aux drogues et nous les envisagerons plus tard.

4. La prééminence du système DA mésocorticolimbique dans la dépendance : confirmations et hypothèses

Il est désormais bien établi que toutes les substances à risque d'abus (opioïdes, cocaïne, psychostimulants, alcool, THC, tabac, etc.) sont capables de stimuler la voie mésocorticolimbique et d'augmenter la concentration extracellulaire de DA dans le N. Acc. (Di Chiara et Imperato, 1988, Hooks *et al.*, 1992). Par contre, comme nous l'avons déjà signalé, il ne semble exister aucune relation directe entre la quantité de DA libérée et le risque de dépendance ou même d'effet hédonique. Ainsi la nicotine ne produit pas, ou peu, d'effets euphorisants mais entraîne une forte dépendance physique et psychique pour un accroissement de 50 % de DA et une augmentation du métabolisme énergétique dans le N. Acc. (Pontiéri *et al.*, 1995), deux paramètres que l'on retrouve quasi identiques lors de l'administration de cocaïne, moins addictive mais beaucoup plus hédonique.

La nicotine se lie au récepteur cholinergique central (nAChR) dont la caractéristique est l'exigence de la sous-unité β 2 puisque sa délétion conduit à une insensibilité à tous les effets de la nicotine (libération de DA, activation des neurones DAergiques, etc.) (Picciotto *et al.*, 1998 ; Merlo-Pitch *et al.*, 1997) démontrant la relation entre l'effet pharmacologique et l'occupation du récepteur par l'agoniste. La situation se complique cependant du fait que la nicotine peut remplacer la cocaïne à faible dose dans des expériences d'auto-administration. Une explication possible serait l'intervention dans l'action de ces deux drogues du système opioïde endogène. En effet, la méthadone se montre très efficace dans les cures de désintoxication à la cocaïne (Kreek, 1992).

L'importance du système DAergique dans la dépendance aux opioïdes a été démontrée de manière claire par utilisation de souris dans lesquelles une délétion du récepteur DA de type D2 a été effectuée (Maldonado *et al.*, 1997). Ces animaux, D2R(-) se caractérisent par des déficits locomoteurs importants (perte quasi totale des activités de redressement) et des difficultés de reproduction. Sur le plan biochimique on note, par ailleurs, une augmentation de 40 % de l'expression de préproenképhaline (Baik *et al.*, 1995).

En dépit de la diminution d'activité motrice, les souris D2R(-) restent sensibles à un environnement motivant et à divers effets de la morphine (analgésie ou hyperlocomotion dans l'environnement naturel). Le traitement chronique par la morphine ne provoque aucun changement dans le syndrome de sevrage induit par la naloxone, ce qui conforte le peu d'implication du système DAergique dans cet effet (Maldonado *et al.*, 1992) alors que de manière très intéressante on n'observe plus chez ces animaux de propriétés renforçantes par la morphine, mesurée par le test de préférence de place. Par contre, la préférence pour un appariement alimentaire récompensant n'est pas modifiée, bien que ce dernier entraîne, comme les opioïdes, une augmentation de la libération de DA dans le N. Acc. (Maldonado *et al.*, 1997).

Ce modèle animal sera intéressant à utiliser pour analyser les effets d'autres substances, cocaïne, psychostimulants, THC, etc. L'augmentation d'expression de préproenképhaline chez les souris DR2(-) pourrait indiquer que l'absence de récepteur D2 a induit en retour une augmentation des peptides opioïdes afin de compenser l'absence d'un des maillons de la voie hédonique. On peut le confirmer en bloquant les récepteurs D2 et en potentialisant le système opioïde endogène, par utilisation d'inhibiteurs de leur dégradation, ce qui reproduit les effets de la délétion D2R(-) (Valverde *et al.*, en préparation).

Il faut souligner que la manipulation de certains gènes impliqués dans l'expression des composants du système DAergique, récepteur D2 ou transporteur de la DA, conduit à des animaux fragilisés alors que la délétion du gène codant pour le récepteur D1 post-synaptique (Xu *et al.*, 1994) ou le récepteur opioïde μ n'affecte pas de manière visible les comportements vitaux des souris génétiquement modifiées (Matthes *et al.*, 1997). Il est tentant de relier ces observations à la très forte neurotoxicité induite par les substances (psychostimulants par exemple) qui agissent directement sur les neurones DAergiques et l'absence de réelle neurotoxicité observée après stimulation chimique des récepteurs opioïdes par de longues périodes (trente ans) de traitement à la méthadone (Kreek, 1996).

Le rôle des autres cibles biologiques de la dopamine a été également étudié à l'aide de souris génétiquement modifiées. Cependant, à l'encontre du récepteur D2 où la drogue utilisée a été la morphine, ce sont les psychostimulants (amphétamine et cocaïne) qui ont été essentiellement utilisés chez les souris mutées.

Pour ce qui est des récepteurs, la délétion du gène du récepteur D1 confirme qu'il est bien impliqué dans l'effet hyperlocomoteur de la cocaïne et des amphétamines (Xu *et al.*, 1994). Par contre, cette délétion ne modifie pas la mise en place du phénomène d'hypersensibilité aux psycho-stimulants et la préférence de place pour la cocaïne (White, 1997) !

Dans le cas du récepteur D3, la délétion du gène augmente les réponses à la cocaïne (activité locomotrice) et facilite le comportement d'auto-administration d'amphétamines. Les souris D3R(-) ont un taux de DA augmenté, ce qui conforterait le rôle d'autorécepteur inhibant la libération attribué à cette protéine, bien que chez la souris normale, tous les tests pour le confirmer à l'aide d'agonistes spécifiques se sont montrés négatifs (White, 1997). Ces résultats plaident néanmoins pour l'utilisation possible d'agonistes D3 dans le traitement de la dépendance à la cocaïne (voir chapitre sur les traitements pharmacologiques des toxicomanies).

Les souris D4R(-), qui possèdent une délétion du gène du récepteur D4, moins actives dans les tests de locomotion, sont insensibles à la clozapine, mais présentent une hypersensibilité à l'éthanol, la cocaïne et la Met-amphétamine (Rubinstein *et al.*, 1997). On peut donc penser que le récepteur D4 se comporte comme un récepteur post-synaptique, capable d'inhiber la transmission dopaminergique, en particulier lors d'une hypersensibilité créée par les drogues. Vis-à-vis de ces substances, l'action des récepteurs D3 et D4 serait opposée.

Il sera très intéressant d'utiliser ces modèles animaux pour étudier d'autres composés, en particulier les opioïdes.

Une remarque importante est que, apparemment, toutes les délétions D1R, D3R et D4R sont bien acceptées par l'animal. On trouve peu de modifications dans l'aptitude à la reproduction et d'altérations comportementales majeures.

Cela est donc très différent de la mutation D2R(-) et surtout des délétions des gènes des transporteurs de la DA.

En effet, les souris avec une délétion du gène du transporteur vésiculaire des monoamines (VMAT-2), dont le rôle est de stocker les catécholamines recaptées, qui seront à nouveau libérées lors de l'exocytose, ne peuvent se développer normalement et meurent à la naissance. Elles présentent un déficit considérable en DA, 5HT et NA (Caron *et al.*, 1997).

Par contre, la délétion du transporteur membranaire de la DA (système de recapture) annule les effets locomoteurs des psychostimulants, ce qui est sans doute en rapport avec l'énorme accroissement de DA extracellulaire (cinq fois plus), sa rétention synaptique prolongée et la diminution d'expression des récepteurs pré- et post-synaptiques (Giras *et al.*, 1997).

L'ensemble de ces résultats montre que l'administration des drogues, en stimulant la voie DA, conduit probablement à des changements adaptatifs des différentes protéines impliquées. Parmi ces cibles, il semble que le récepteur D2 et éventuellement le récepteur D3 joueraient un rôle proéminent dans l'établissement de la sensibilité aux drogues (opioïdes, cocaïne).

Une autre conclusion est que la délétion des gènes impliquant des protéines réglant le fonctionnement du neurone dopaminergique et les équilibres de libération du neurotransmetteur freine le développement normal. On peut rapprocher ceci de la toxicité de molécules comme la cocaïne ou l'ecstasy.

LES PHÉNOMÈNES D'HYPERSENSIBILITÉ DU SYSTÈME DOPAMINERGIQUE

L'administration répétée durant vingt-quatre heures de cocaïne ou d'héroïne chez le rat vigile produit une augmentation de DA dans le N. Acc. mesurée par microdialyse et à chaque injection l'effet diminue (tolérance). On laisse alors l'animal sans traitement et on renouvelle la même expérience dix à quinze jours plus tard. Dans ce cas, on constate une augmentation plus grande de la concentration de DA extracellulaire à chaque administration. Après chaque stimulation on constate le retour à l'équilibre en deux-trois heures, ce qui implique une remarquable adaptation des systèmes de synthèse de DA, de recapture, des autorécepteurs, etc. (Maisonneuve *et al.*, 1994, 1995).

On constate également que les bouffées synaptiques croissantes de DA sont associées à des réponses comportementales également croissantes. Sur le plan biochimique, la concentration des récepteurs post-synaptiques D1 est augmentée dans le N. Acc. (Henry et White, 1991) et les récepteurs opioïdes μ (Underwald *et al.*, 1994b) ainsi que le gène de la prodynorphine surexprimés (Spangler *et al.*, 1993, 1996). Les deux premiers paramètres concourent à l'établissement d'une hypersensibilité du système DAergique, tandis que la dynorphine inhibe le tonus DA mésolimbique et se montre dysphorique. En contrepartie, les opioïdes endogènes stimulent les sites opioïdes μ hyperexprimés et désinhibent fortement la voie DA (Spanagel *et al.*, 1992). La libération dans le N. Acc. du neuromédiateur produit une réponse exagérée par activation des récepteurs D1 post-synaptiques. Un mécanisme semblable a été proposé dans le cas des psychostimulants (Kalivas et Weber, 1988). Dans tous les cas, l'hypersensibilité débuterait au niveau de l'ATV et se transférerait au cours du temps au niveau des terminaisons dopaminergiques (Wolf *et al.*, 1993).

Ce schéma est séduisant. Il rend compte de la permanence de l'activation de la voie DA mésocorticolimbique par toutes les drogues licites ou illicites (Pontieri et al., 1995, 1996). Il suggère un rôle important des opioïdes et, de ce fait, rend compte des effets favorables des opioïdes (agonistes ou antagonistes) dans les traitements de substitution à la cocaïne et à l'alcool et, inversement, il explique l'utilisation fréquente de ces derniers pour réduire les effets négatifs du manque lors des sevrages à l'héroïne (Ginoulakis et de Waele, 1994; Kreek, 1996).

Il n'explique cependant pas les raisons pour lesquelles la libération de DA dans le N. Acc. n'est corrélée ni avec l'intensité de la récompense (orgasmique avec la cocaïne et l'héroïne mais beaucoup plus légère avec l'alcool et le THC, quasi inexistante avec le tabac), ni avec la sévérité de l'addiction (très forte avec l'alcool, le tabac et l'héroïne, forte avec la cocaïne, faible avec le cannabis ou les psychostimulants). La plupart des travaux ont été consacrés au N. Acc. Il se pourrait que l'origine des différences concerne plus directement l'ATV (Vézina et Stewart, 1990). Enfin, l'hypersensibilité DAergique s'associe certainement à d'autres changements neuronaux pour se développer et perdurer. C'est sans doute le cas des voies glutamatergiques et de l'axe hypothalamo-hypophyso-surrénalien (revue dans Kalivas et Stewart, 1991; Rivet *et al.*, 1989; Wolf *et al.*, 1993).

Les systèmes glutamatergiques sont souvent évoqués parmi ceux qui participent aux processus de sensibilisation (Karler *et al.*, 1989). Les neurones DA de l'ATV sont sensibilisés à l'action du glutamate agissant sur le récepteur AMPA lors d'un traitement chronique aux psychostimulants. L'expression de ces récepteurs est augmentée, créant ainsi un état d'hypersensibilité de la voie mésocorticolimbique dont nous avons déjà évoqué l'importance dans l'installation d'une dépendance.

En accord avec ces hypothèses, le transfert par un vecteur viral du gène du récepteur AMPA dans l'ATV sensibilise l'animal aux effets de la morphine (Carleson *et al.*, 1997), le même phénomène se retrouvant au niveau du N. Acc. (Lu *et al.*, 1997). Ce sont ces raisons qui ont conduit à évoquer la possibilité d'utiliser les antagonistes des récepteurs glutamatergiques (NMDA en particulier) pour atténuer les effets de tolérance à l'analgésie morphinique (Elliot *et al.*, 1995) ou la sensibilisation aux drogues (Trujillo et Akil, 1991).

L'utilisation de telles molécules reste cependant problématique à cause de leurs effets renforçants propres.

Les récepteurs NMDA semblent être aussi impliqués dans l'expression de la dépendance physique aux opiacés. Ainsi, l'hyperactivité observée au niveau du locus cœruleus pendant le sevrage opiacé semble être induite, au moins en partie, par une augmentation dans la libération de glutamate dans le locus cœruleus provenant d'une afférence du noyau paragigantocellularis (Akaoka et Aston-Jones, 1991). En accord avec cette hypothèse, les antagonistes NMDA sont capables de diminuer la sévérité du syndrome de sevrage opiacé chez le rat.

5. Les facteurs de vulnérabilité dans l'abus et l'addiction

Tous les individus ne sont pas égaux devant le passage de l'usage à l'abus (Brady *et al.*, 1993). Cette hypothèse est confortée par plusieurs expériences réalisées chez l'animal. Ainsi il a été montré que ce sont les rats les plus « attirés » par la nouveauté qui, après un conditionnement avec des concentrations faibles d'amphétamine s'auto-administrent les plus fortes doses de cette substance (Dellu *et al.*, 1993, 1996). De manière intéressante, ce sont les rats appartenant à cette dernière catégorie qui ont, dans des conditions de stress, les sécrétions de cortisone les plus longues et les taux de DA libérés dans le N. Acc. les plus importants (Piazza *et al.*, 1991). La prédisposition à la recherche de situations nouvelles serait ainsi source de vulnérabilité. En effet, au plaisir de la nouveauté s'associeraient des adaptations biochimiques nécessairement variées, créant un nouveau répertoire émotionnel.

Le recours permanent à la drogue refléterait une difficulté

*voire une impossibilité à mettre en œuvre une conduite ajus-
tée aux situations rencontrées, conflictuelles ou non. Cela
entraînerait une dévalorisation et une anhédonie permanente,
temporairement surmontée par la consommation de drogue.*

LES FACTEURS GÉNÉTIQUES

Il n'est donc pas étonnant que des facteurs génétiques
puissent participer à la vulnérabilité dans le passage de
l'abus à l'addiction. Certaines souches de rongeurs (rats et
souris) présentent des susceptibilités très différentes au
stress et des appétences contrastées pour les « drogues ».
C'est le cas des souches consanguines de rats Lewis et Fischer, les premiers affichant une appétence naturelle nettement supérieure aux seconds pour l'alcool, les opiacés ou la
cocaïne (Crabbe *et al.*, 1994). De même, les souches consanguines de souris C57 B1/6 consomment plus de cocaïne, de
morphine et d'alcool que les souches DBA/2 (Philipps *et al.*,
1991). Une étude génétique, par croisements successifs, a
permis de montrer que des gènes situés sur les chromosomes 6 et 10 pourraient être impliqués dans l'attirance
pour les drogues (Berretini *et al.*, 1994). Dans tous les cas,
on constate une hyperactivité dopaminergique de la voie
mésolimbique chez les animaux prédisposés à la consommation de drogues (Weiss *et al.*, 1993). Les souris avec une
délétion de la protéine Nurr-1 ont un déficit quasi total de
neurones DA et donc de production de ce neurotransmetteur dans le cerveau (Zetterstrom *et al.*, 1997). Elles
devraient s'avérer par conséquent d'un très grand intérêt
pour tester l'effet des drogues.
    Chez l'homme, ce sont les personnalités les plus portées
à la recherche de sensations nouvelles qui seraient également les plus toxicophiles (Kostein *et al.*, 1994). Deux études
indépendantes ont par ailleurs rapporté une association
entre le polymorphisme du gène du récepteur dopaminer-

gique D4 et le trait d'une personnalité excessive de recherche de nouveauté (Benjamin *et al.*, 1996; Ebstein *et al.*, 1996).

De nombreux gènes sont certainement impliqués dans la prédisposition à la prise de drogues comme c'est le cas pour de nombreuses affections. Si la pratique abusive est la conjonction de facteurs héréditaires et environnementaux, la recherche des causes génétiques des conduites toxicomaniaques s'avérera très difficile. Néanmoins, des résultats intéressants ont été obtenus récemment. Plusieurs études faites chez de vrais jumeaux montrent que des facteurs génétiques semblent impliqués dans l'abus d'alcool et d'autres drogues (Pickens *et al.*, 1995; Uhl *et al.*, 1997). Des travaux de génétique moléculaire ont également montré chez l'homme la présence d'un gène codant pour une forme très active d'une enzyme inactivant la dopamine, la COMT (catéchol-o-méthyltransférase) chez les personnes dépendantes (Vanderbergh *et al.*, 1997). Par ailleurs, une délétion de 43 paires de bases dans le promoteur du transporteur du 5HT est retrouvée plus souvent dans des familles d'alcooliques.

Enfin l'étude de jumeaux de sexe mâle (352 paires d'homozygotes et 255 paires d'hétérozygotes), tous consommateurs réguliers de cannabis, a montré que les sensations provoquées par le produit étaient ressenties identiquement par les vrais jumeaux, différemment par les autres (Lyons *et al.*, 1997).

6. Dépendance et glucocorticoïdes

Il est bien connu que les situations de stress provoquent une augmentation de la concentration circulante de glucocorticoïdes (cortisol chez l'homme, corticostérone chez le rat) libéré à partir de la surrénale. Ce processus est réglé par la sécrétion accrue de CRF par les neurones de l'hypothalamus suivie de l'action du CRF sur les neurones de l'hypophyse (sécrétion d'ACTH et de β-endorphine). Une augmentation importante et transitoire de CRF est observée lors de l'accouchement, souvent suivi d'un état dépressif qui s'estompe naturellement dans le temps (dépression post-partum).

Plusieurs études ont permis d'avancer l'hypothèse que le CRF jouerait un rôle dans les processus d'addiction. L'utilisation chronique de l'ensemble des drogues (héroïne, alcool, cocaïne, THC) conduit, comme le stress, à une augmentation de libération de CRF chez le rongeur (Shippenberg et al., 1992 ; Koob, 1996). Les glucocorticoïdes libérés activeraient la voie DA mésolimbique en augmentant la synthèse de DA et en altérant son métabolisme et sa recapture (Piazza et al., 1991, 1992), ce qui est en accord avec l'auto-administration des glucocorticoïdes par le rat et leur aptitude à potentialiser les effets des psychostimulants (Piazza et al., 1992). La suppression des conditions de stress entraînant un affaiblissement de la libération de CRF et par voie de conséquence de glucocorticoïdes, diminue la sensibilisation des réponses comportementales à l'amphétamine et à la morphine. D'après les données obtenues sur des modèles animaux, la concentration extracellulaire du CRF mesuré par microdialyse augmente dans l'amygdale lors du sevrage à l'héroïne, à la cocaïne et à l'alcool, et participe sans doute aux effets anxiogènes observés (Zhou et al., 1996). Un phénomène semblable a été récemment décrit avec le THC, ce qui a conduit à stigmatiser le danger possible d'une extension de la consommation de cannabis aux drogues dures telles que la cocaïne et l'héroïne (Rodriguez de Fonseca et al., 1996). Un antagoniste du CRF atténue effectivement les effets anxiogènes induits par le THC (Rodriguez de Fonseca et al., 1996). Cela sera discuté en détail dans le chapitre consacré au cannabis.

Une hypothèse intéressante pour expliquer les rechutes après sevrage chez l'homme est basée sur l'existence d'un contrôle tonique négatif de l'axe hypothalamo-hypophysaire par les opioïdes endogènes qui a la même répercussion comportementale que le contrôle positif chez les rongeurs. Celui-ci rendrait compte du taux très faible de CFR circulant et de son augmentation ainsi que celle de l'ACTH et de la β-endorphine après administration de naloxone chez le sujet naïf ou chez l'héroïnomane sevré depuis plus d'un an (Kosten *et al.*, 1986). Inversement, l'administration aiguë d'opioïdes à temps de vie court (héroïne, morphine) s'ajoutant aux opioïdes endogènes diminue encore davantage les taux d'ACTH, de β-endorphine et de cortisol (Kreek, 1992).

Chez les sujets dépendants, l'axe hypothalamo-hypophysaire serait désensibilisé, mais deviendrait hypersensible à la suite de l'arrêt de la consommation. Cela pourrait être en partie responsable des rechutes, la reprise d'une consommation d'héroïne servant à normaliser de nouveau ce système d'adaptation au stress (revue dans Kreek, 1996). Il est intéressant de noter que le traitement à la méthadone fait disparaître ce déséquilibre endocrinien.

7. Bases moléculaires de la dépendance

Parmi les nombreuses questions que pose la consommation abusive de drogues, c'est la rétention temporelle très longue de l'attirance pour le produit (plusieurs années dans le cas des opioïdes et du tabac) qui reste la plus importante. La rechute intervient souvent après des années d'abstinence dans des circonstances qui ont présidé de manière répétitive à la consommation. C'est donc probablement la mémorisation de ce rituel et de l'état émotionnel qui l'accompagnait qui conduit à la rechute, mais le mécanisme biochimique demeure inconnu.

On admet que dans les neurones d'abord, puis dans le réseau ensuite, la dépendance a créé des changements biochimiques dont la rémanence est très longue. Les processus les plus étudiés actuellement sont ceux ayant trait à la dépendance opioïde, et c'est dans ce domaine que les résultats les plus intéressants ont été obtenus ces quatre dernières années.

RÉCEPTEURS ET SYSTÈMES DE TRANSDUCTION

Nous envisagerons brièvement les principaux résultats qui seront repris dans les chapitres consacrés aux différentes substances, en particulier celui sur les opioïdes. Les récepteurs opioïdes sont couplés négativement au système adénylate cyclase par l'intermédiaire de la protéine hétérotrimérique Gi alors que le recrutement des protéines Go participe au changement de perméabilité aux ions K+ et Na+ par des équilibres de phosphorylation-déphosphorylation des canaux (revue dans Nestler et Aghajanian, 1997). L'exposition chronique aux agonistes opioïdes mais également à la cocaïne ou à l'alcool produit, par un mécanisme d'adaptation, une surexpression de différentes formes d'adénylyl cyclase (en particulier types I et VIII) dont l'action produit une augmentation d'AMP cyclique (AMPc) intracellulaire et une activation de la protéine kinase A (PKA) dont le fonctionnement est contrôlé par le taux d'AMPc (Matsuoka *et al.*, 1994). La PKA phosphoryle de nombreuses protéines, y compris les canaux, ce qui entraîne un changement de l'état d'excitabilité des neurones. Ces processus adaptatifs rendraient compte en partie des phénomènes de tolérance et de dépendance physique (Nestler et Aghajanian, 1997). En effet, lors du sevrage morphinique, on observe une augmentation du taux d'expression d'adénylyl cyclase dans des régions cérébrales comme le (locus cœruleus) qui contient les neurones noradrénergiques. De

plus, l'accroissement de l'activitié adénylate cyclase et l'augmentation d'activité des neurones adrénergiques sont corré-
lés de manière satisfaisante à l'intensité du syndrome de
manque à la morphine (Matsuoka *et al.*, 1994).

En accord avec ce schéma adaptatif, l'administration
locale d'inhibiteurs de la PKA dans le LC réduit le syndrome
de manque (Maldonado *et al.*, 1995) et dans le N. Acc., la
dépendance psychique (Valverde *et al.*, 1996). L'augmentation d'activité de la PKA conduit à la phosphorylation
de protéines cellulaires et en particulier de facteurs de
transcription tels que la protéine CREB. Après phosphorylation, CREB active la transcription de gènes codant pour différentes protéines (dont l'adénylate cyclase), soit de
manière directe, soit par l'intermédiaire de gènes précoces
(cFos) dont l'expression est contrôlée par CREB. Des anti-
sens, dirigés contre l'ARNm de CREB introduits dans le
locus cœruleus, en bloquant la synthèse de CREB, diminuent le syndrome de sevrage (Lane-Ladd *et al.*, 1997). De
même, la délétion du gène CREB chez la souris réduit de
manière importante les effets du sevrage (Maldonado *et al.*,
1996). Dans ce dernier cas, on observe toujours une hyper-
expression de cFos (ce qui implique une voie de régulation
autre que CREB pour ce facteur). Des augmentations du
système lié à l'AMP cyclique se produisent dans d'autres
régions sous l'effet des drogues (opioïdes, cocaïne, alcool),
en particulier dans le système mésocorticolimbique (récepteurs D1 post-synaptique dans le N. Acc. ? Récepteurs GABA
dans le VTA ?) (Unterwald *et al.*, 1996 ; Schofelmeer *et al.*,
1996 ; Tolliver *et al.*, 1996). Les relations éventuelles avec les
effets renforçants des drogues restent à démontrer.

L'ADDICTION : UN DÉSÉQUILIBRE DES PROCESSUS
DE PHOSPHORYLATION-DÉPHOSPHORYLATION ?

L'administration chronique d'opioïdes conduit à un
hyperfonctionnement des processus de phosphorylation

dépendant du système AMPc et de nombreuses protéines régulatrices intracellulaires sont probablement phosphory-lées par la PKA consécutivement à une hyperproduction d'AMPc. Ces protéines peuvent participer à l'internalisation des récepteurs opioïdes (tolérance) comme c'est le cas des kinases phosphorylant le récepteur adrénergique.

D'autres mécanismes peuvent être altérés et en parti-culier l'expression et/ou les propriétés de couplage au récep-teur des différentes formes de protéines G (Gold *et al.*, 1997) conduisant à des modifications dans la transduction des messages extracellulaires. Ainsi le traitement chronique par les opioïdes ou la cocaïne diminue l'expression des pro-téines G appartenant à la famille Gi/Go impliquées en parti-culier dans le couplage des récepteurs D2 et opioïdes (Striplin et Kalivas, 1993). Par ailleurs, un autre mécanisme de modulation de la transduction des messages implique le découplage des trois sous-unités α, β, γ, des protéines G. Après sa liaison à l'adénylate cyclase, la sous-unité α est « récupérée » par les sous-unités β et γ pour former à nou-veau une protéine hétérotrimérique fonctionnelle. Ce pro-cessus peut être affecté par la liaison des sous-unités β/γ à diverses protéines impliquées dans l'endocytose, le recy-clage des récepteurs, la division et la différenciation cellu-laire, etc. (Inglese *et al.*, 1995). De très nombreuses études sont consacrées actuellement à l'implication croisée des sys-tèmes d'information impliquant les récepteurs couplés aux protéines G et ceux impliquant les récepteurs possédant une activité protéine tyrosine kinase qui sont stimulés par des facteurs de croissance. Leur activation conduit à une cas-cade d'événements intracellulaires impliquant d'autres pro-téines kinases (MAP-kinases) et en retour l'action de phosphatases (Daaka *et al.*, 1997).

Dans ces conditions, c'est l'excès de stimulation de la voie dépendant de l'AMPc par le recrutement permanent des récep-teurs opioïdes et/ou dopaminergiques qui conduirait, par deux mécanismes distincts, à une concentration intra-

cellulaire de protéines phosphorylées dépassant les possibilités de régulation physiologique par les phosphatases cellulaires. Les temps de vie de ces protéines phosphorylées deviendraient de ce fait très longs et pourraient expliquer l'extrême rémanence des effets addictifs de certaines drogues (Roques et Noble, soumis).

Dans cet esprit, un résultat intéressant est la démonstration récente par Kalivas et *al.* (1997) de la présence d'un nouvel ARNm, NAC-1 dans le N. Acc. du rat vingt-quatre heures après l'administration de cocaïne. La séquence de la protéine montre qu'un domaine propre aux facteurs de transcription se trouve dans les cent vingt premiers acides aminés.

Les protéines phosphorylées peuvent agir directement en modifiant l'état fonctionnel du neurone et, par extension, celui des réseaux de neurones auxquels il est connecté. Elles peuvent également agir comme facteurs de transcription et induire ainsi une expression anormale de protéines éventuellement réprimées dans les conditions normales. Par exemple, après des traitements chroniques par les opiacés, les psychostimulants ou la nicotine, de nouvelles formes de cFos sont exprimées et s'accumulent. Ces isoformes, caractérisées par des délétions dans la séquence de cFos, sont dénommées ΔFos. Récemment une accumulation de complexes protéiques formés de cFos ou d'isoformes liés à cJun pour donner naissance à une hétéroprotéine de 35KDa (Ap-1) a été trouvée dans le N. Acc. mais pas dans le cortex préfrontal après traitement par la cocaïne ou la nicotine suggérant l'existence de mécanismes communs en termes de dépendance à ces deux drogues (Chen *et al.*, 1997).

Deux structures jouent également un rôle important dans les processus mnésiques. Il s'agit du cortex préfrontal en relation avec l'hippocampe et l'amygdale (Williams et Goldman-Rakic, 1995). La dopamine module le stockage des informations corticales et il est possible que les perturbations induites dans la voie DA mésocorticolimbique par des stimulations répétées renforcent la mémorisation des situations entourant la consommation de drogue. L'amygdale qui est impliquée très puissamment dans le stockage à long terme des émotions pourrait également participer à la rétention des effets hédoniques et / ou aversifs associés à la dépendance (Cador *et al.*, 1989; Roberts *et al.*, 1996). La libération de CRF qui s'associe aux situations de stress mais également à la consommation de nombreuses drogues pourrait renforcer le stockage des émotions par action au niveau de l'amygdale où les sites de liaison pour ce facteur sont concentrés. Les récepteurs β adrénergiques joueraient un rôle critique dans ces processus (revue dans Iversen, 1998).

L'accumulation de ces données montre le travail qui reste à faire et l'incertitude dans laquelle nous sommes pour interpréter les effets à long terme des drogues. Deux hypothèses, rarement évoquées, nous semblent intéressantes. La première a trait à l'expression des gènes suppresseurs lors du stockage mnésique à long terme (Abel *et al.*, 1998). C'est par analogie avec les gènes suppresseurs de tumeurs codant, par exemple, pour la protéine P 53 et empêchant l'effet transformant d'un oncogène, que ces facteurs « anti-mémoire » ont été découverts. La mémorisation à long terme nécessite un stockage d'informations (consolidation) dans des neurones spécialisés comme ceux de l'hippocampe. Le recrutement de nombreuses protéines kinases, de l'effecteur AMPc et de CREB1 permettrait la consolidation de l'information immédiate (mémoire à court terme). Le choix des informations à consolider pourrait s'effectuer par l'expression ou non de facteurs s'opposant à la consolidation, ΔpCREB2 serait un de ces facteurs. Il aurait de grandes analogies avec CREB1 et réprimerait l'expression de ce dernier. Effectivement des anticorps anti-ΔpCREB2 consolident les processus mnésiques produits par stimulation d'un récepteur sérotoninergique couplé aux protéines G. Le stockage de l'information est également accompagné par des changements de certains constituants intracellulaires comme l'expression d'une protéine enzymatique, l'ubiquitine hydrolase qui induit l'activation permanente de la PKA générant une exaltation des processus d'internalisation par la cellule (Abel et al., 1998). On voit immédiatement les analogies entre les processus biochimiques impliqués dans la mémorisation et ceux participant à la sensibilisation et à la dépendance aux drogues. Il est évidemment nécessaire de tester si ces processus de stockages mnésiques, découverts dans le cas d'organismes très primitifs, existent aussi dans certaines régions cérébrales des mammifères et s'ils sont modifiés lors de l'administration de différentes substances addictives.

8. Mécanismes physiologiques antagonistes

L'autre hypothèse évoquée pour rendre compte des différences de vulnérabilité à la prise de drogues est l'existence d'un dysfonctionnement inné et/ou acquis du système enképhalinergique (Kreek, 1996). C'est par exemple de cette manière qu'est interprétée la réduction par la naloxone de l'autostimulation électrique potentialisée par les psychostimulants (Esposito et al., 1980) et de l'auto-administration d'alcool (Altshuler et al., 1980; Volpicelli et al., 1995). De même la naloxone réduit la libération de dopamine induite par l'amphétamine et déclenche un syndrome de sevrage à la nicotine (Malin et al., 1993). Un autre argument est que les stress de toutes origines, y compris celui causé par un exercice physique intensif (marathon), libèrent des enképhalines dans le N. Accumbens. Ces résultats étaient cependant souvent discutés à cause de la difficulté à mettre en évidence des effets hyperalgésiques par administration de naloxone. Ils sont désormais bien établis grâce à l'utilisation d'inhibiteurs du catabolisme des enképhalines, d'une part (Roques *et al.*, 1993), et de la délétion du gène de la préproenképhaline, d'autre part (König *et al.*, 1996).

Il faut rappeler que les peptides opioïdes endogènes Met-enképhaline (Met-E) et Leu-enképhaline (Leu-E) formés à partir de leur précurseur, la préproenképhaline, interagissent avec les récepteurs opioïdes µ et δ, avec une affinité dix à quinze fois supérieure pour ces derniers alors que c'est le contraire dans le cas de la morphine. On peut prolonger le temps de vie des enképhalines libérées et donc augmenter leur concentration synaptique, par exemple dans le N. Acc. (Daugé *et al.*, 1996) en inhibant leur métabolisme effectué par deux peptidases (Roques *et al.*, 1993). De tels inhibiteurs dits mixtes, comme le RB 101, ont permis de montrer l'importance du système enképhalinergique endogène puisqu'ils possèdent des propriétés analgésiques bien que dépourvus par eux-mêmes d'affinité pour les récepteurs opioïdes (Noble *et al.*, 1993). L'analgésie due à la protection des enképhalines endogènes s'exerce sur tous les tests où la morphine est active sans toutefois atteindre l'intensité obtenue avec l'alcaloïde. Toutes les propriétés de la morphine sont retrouvées avec le RB 101, y compris son rôle antidépresseur (Baamonde *et al.*, 1992). De plus, administrés directement dans le VTA ou par voie systémique, les inhibiteurs mixtes augmentent la libération de DA dans le N. Acc. (Daugé *et al.*, 1992). L'utilisation potentielle en substitution de tels inhibiteurs sera discutée dans le chapitre consacré aux opioïdes.

Une autre expérience très convaincante pour démontrer l'importance des enképhalines endogènes a consisté à déléter le gène de la préproenképhaline (König *et al.*, 1996). On observe chez les souris mutées un abaissement du seuil de la douleur et, résultat très intéressant, une augmentation de l'anxiété et des conduites agressives. On peut également noter que comme dans le cas de la délétion du gène du récepteur µ, les animaux ne présentent pas d'altérations majeures apparentes de leur phénotype et de leurs fonctions physiologiques essentielles. Tous ces résultats confortent l'existence d'un système de récompense physiologique contrôlé par les peptides opioïdes endogènes.

Le rôle essentiel de ce système serait d'adapter les conduites aux conditions extérieures. Ainsi il est intéressant de constater que les inhibiteurs mixtes sont plus efficaces pour contrôler les stimuli nociceptifs pour lesquels la composante émotionnelle est la plus forte (Roques *et al.*, 1993). Le système enképhalinergique (récepteurs, prépro-ENK et peptidases) est du reste présent non seulement dans les systèmes de contrôle de la douleur mais également dans le système limbique et dans le cortex cérébral (Waksman *et al.*, 1986). Dans toutes les conditions de stress il aurait pour rôle de diminuer la sensation douloureuse émotionnelle et l'inhibition liée à l'anxiété permettant ainsi la mise en œuvre d'une conduite adaptée (défense par exemple).

Ce schéma évolutionniste a été complété ces dernières années par l'identification de systèmes de contre-action également contrôlés par des peptides, dont les principaux sont la dynorphine, la CCK-8 et le peptide FRFamide (Allard *et al.*, 1994). En simplifiant, on peut dire que ces peptides ont des effets opposés à ceux des enképhalines. Ainsi la dynorphine, interagissant avec le récepteur opioïde x, diminue la libération de DA dans le N. Acc. alors que c'est l'inverse pour la morphine et les enképhalines. La morphine est un euphorisant, la dynorphine est dysphorique.

La CCK, qui a été moins étudiée, peut être considérée comme un antagoniste physiologique des peptides opioïdes (Faris *et al.*, 1983). Dans le cerveau ce peptide se fixe principalement sur des récepteurs de type B pour contrecarrer l'effet analgésique des opioïdes exogènes (morphine) ou endogènes (enképhalines protégées de la dégradation par le RB 101). De ce fait les antagonistes CCK-B potentialisent de manière très importante (de 100 à 300 %) l'analgésie produite par le RB 101 mais n'ont pas ou peu d'effets propres

(Valverde *et al.*, 1994). Ces antagonistes augmentent également fortement les effets antidépresseurs du RB 101 (Smadja *et al.*, 1995) et amplifient la réduction du syndrome de sevrage à la morphine induit par l'inhibiteur mixte (Maldonado *et al.*, 1995). *De façon remarquable, ces données montrent que le blocage d'un système physiologiquement actif (CCK) exalte considérablement le potentiel d'un autre (enképhalines) alors que, à l'équilibre, les effets de l'un et l'autre restent modestes.*

Par ailleurs, la stimulation des récepteurs CCK-B engendre des effets anxiogènes et produit une augmentation de la vigilance et des processus mnésiques (revue dans Daugé et Roques, 1995). L'ensemble de ces résultats a été interprété dans un contexte de contrôle homéostasique des états émotionnels. Les enképhalines activeraient un système de réduction du stress (douloureux par exemple) et des systèmes impliqués dans l'hédonie. En retour et de manière à adapter l'organisme à toute agression possible, le système CCKergique augmenterait la vigilance et aiderait à mémoriser les événements. Un déséquilibre dans le fonctionnement de ces systèmes produirait une perte d'émotivité dans un cas et une sensation d'anxiété dans l'autre. Cette dualité a été encore peu prise en compte dans les conduites toxicophiles. Elle pourrait expliquer les différences interindividuelles de vulnérabilité. En fonction de son patrimoine génétique, chaque individu confronté à des situations conflictuelles au cours du développement générerait des états spécifiques de la balance entre « renforçants » (opioïdes) et « opposants » (CCK-8, dynorphine FRFamide). Cela conduirait à des potentiels d'adaptation différents et donc à des vulnérabilités variées. Ainsi l'exposition prénatale à la morphine ou à la méthadone exacerberait le système de contre-action CCKergique expliquant la nervosité et l'état de tension du nouveau-né. Cela pourrait également rendre compte de la facilitation à l'auto-administration de drogues constatée à l'âge adulte chez les sujets issus de mères dépendantes (Glick *et al.*, 1977).

La délétion du gène codant pour le récepteur CCK-B a été effectuée et les souris ne présentent pas d'altérations majeures de leurs fonctions vitales (Nagata *et al.*, 1996). Toutefois, ces animaux n'ont pas encore été étudiés d'un point de vue comportemental. Ils offrent la possibilité d'analyser un grand nombre des hypothèses citées plus haut (anxiété, vulnérabilité aux drogues, etc.). Ces études sont désormais en cours.

Conclusions. Recommandations

L'utilisation des modèles de souris dans lesquelles le gène codant pour une cible des drogues (récepteur, transporteur, site de stockage, enzyme, précurseur peptidique, etc.) a été délété et a permis une clarification du rôle de ces molécules dans la dépendance aux drogues. Ainsi il est désormais bien établi que la dépendance aux opioïdes est essentiellement induite par l'activation chronique des récepteurs μ. De même le rôle du système opioïde endogène dans le maintien d'un seuil hédonique « physiologique » a pu être démontré par la délétion du gène de la préproenképhaline et par l'utilisation des inhibiteurs des enzymes de dégradation des enképhalines. Le rôle du système dopaminergique dans la dépendance opioïde a été conforté en particulier par la délétion du gène des récepteurs D2.

Les modèles d'animaux génétiquement modifiés s'avèrent extrêmement utiles pour étudier les problèmes de toxicomanie. Il reste énormément de travaux à effectuer dans ce domaine puisque, en général, avec un animal « modifié » une, voire deux « drogues » ont été utilisées, alors qu'en fait il serait nécessaire d'étudier la réponse de ces animaux dans des tests bien codifiés avec toutes les substances à risque d'abus pour mesurer l'importance de chaque cible délétée dans les effets produits par un produit.

Il est donc indispensable de favoriser des recherches dans ce domaine, faciliter les échanges d'animaux transgéniques et leur élevage. Des collaborations internationales, en particulier dans le cadre européen, doivent être mises en place.

Enfin, il est indispensable que les résultats obtenus avec ces animaux génétiquement modifiés soient confirmés *par utilisation de souches contrôles en « reproduisant » par des moyens pharmacologiques et/ou neurochimiques la délétion de gène. Il est en effet indispensable de tenir compte d'adaption probable des voies de communication chez les animaux génétiquement modifiés et il serait imprudent de transposer directement les résultats obtenus avec ces modèles à des souches non modifiées.*

Il est également nécessaire que ces modèles animaux soient utilisés pour étudier la physiologie des systèmes de neurotransmission et pas seulement les réponses pharmacologiques à des composés exogènes, ce qui est essentiellement le cas actuellement.

Le rôle de la dopamine a été clairement mis en évidence dans l'action hédonique des drogues. Il est cependant évident, grâce aux mesures de dopamine par microdialyse, qu'il n'y a pas de relation directe entre le niveau de libération de DA, par exemple dans le N.Accumbens, et la dépendance à un produit.

Le modèle d'hypersensibilité au système dopaminergique avancé pour expliquer les conduites de recherche compulsive de drogue est intéressant, mais la mise en place de son mécanisme reste obscure. La plupart des travaux ont été consacrés à la mesure de la DA dans le N.Acc. et il est probable que d'autres structures sont impliquées dans la mise en œuvre de cette sensibilisation du système DA (ATV, cortex frontal, etc.). Par ailleurs, le mécanisme moléculaire de l'hypersensibilité demeure inconnu.

Il serait donc très intéressant d'étudier à nouveau sur des modèles de souris génétiquement modifiées (si possible au niveau d'une structure particulière à un temps déterminé) la mise en place ou non des phénomènes d'hypersensibilité aux drogues. Il faut donc aider à la mise en place de ces modèles très sophistiqués dans lesquels devraient être mesurés les effecteurs neuronaux par microdialyse, l'expression des différentes cibles potentiellement impliquées dans la dépendance, leur affinité pour les effecteurs endogènes et exogènes, etc. Il s'agit d'une très grande priorité. Elle nécessite la constitution de réseaux (biochimistes, pharmacologues, neurochimistes, électrophysiologistes, etc.). Elle est urgente.

Parmi les mécanismes impliqués dans la genèse des conduites d'abus, il y a un certain consensus pour mettre en cause le système opioïde et ses contre-systèmes. Cependant, peu d'études sont faites dans ce domaine, en partie à cause de difficultés techniques, désormais bien dominées. Il en est de même de la dérégulation neuroendocrinienne du système d'alerte (axe hypothalamo-hypophyso-surrénalien).

Il serait donc d'un très grand intérêt de coupler des études sur ces systèmes peptidergiques (système opioïde, CRF, ACTH, etc.) dans des modèles animaux normaux et génétiquement modifiés.

La mise en place des conduites addictives a été étudiée grâce à des modèles animaux (stress répétés en particulier lors de la mise en place des réseaux neuronaux chez le fœtus ou le nouveau-né). Les résultats montrent clairement une augmentation du risque de dépendance par ces stimuli répétés. De plus les facteurs génétiques jouent certainement un rôle dans le déclenchement ou non de comportements d'abus à la suite de ces manipulations stressantes.

Il est nécessaire de promouvoir des travaux de génétique sur la vulnérabilité aux drogues. L'Europe est pratiquement absente des recherches dans ce domaine. De même, il est indispensable d'encourager la mise au point de modèles animaux plus sophistiqués que ceux actuellement utilisés pour étudier la vulnérabilité aux drogues. Les techniques mises au point sont très anciennes, elles ne tiennent pas compte des hypothèses sur la mise en place des états d'hypersensibilité.

C'est pourtant grâce à la détermination des éventuelles modifications biochimiques, électrophysiologiques, etc. observées chez les animaux prédisposés à la prise de drogue et « entraînés » à celle-ci par des stress répétés et contrôlés que l'on peut espérer dévoiler les bases neurobiologiques des addictions.

Les bases neurobiologiques de la dépendance commencent à être explorées et il est clair que beaucoup d'hypothèses seront infirmées ou confortées dans un avenir proche. Il est de plus en plus probable que la vulnérabilité à long terme implique des modifications biochimiques s'apparentant à celles mises en jeu dans les processus de mémorisation. Par ailleurs, la vue « simpliste » d'un dysfonctionnement unique des systèmes de transduction impliqués dans la liaison d'une « drogue » à sa cible est à revoir. On s'oriente depuis deux-trois ans vers la mise en jeu de systèmes hétérogènes impliquant la machinerie de signalisation très complexe impliquée dans la division et dans la différenciation cellulaire. De ce point de vue, la cellule chroniquement stimulée par une drogue se modifierait (c'est du reste ce qu'on peut voir morphologiquement dans certains cas) de telle manière qu'elle renouvellerait, voire amplifierait de manière automatique les effets du message extracellulaire initial puis garderait ensuite cette capacité de suradaptation durant des mois, voire des années. Il y a évidemment une analogie dans cette vue heuristique avec les processus de stimulation permanente observés avec des protéines (récepteurs, transducteurs divers) mutées naturellement (oncogènes par exemple) ou par mutagenèse dirigée.

Il est indispensable de favoriser des recherches dans ce domaine crucial pour la compréhension au niveau moléculaire de la dépendance aux drogues. C'est probablement de cette compréhension que pourraient venir des méthodes et outils propres à éliminer ou au moins réduire la recherche compulsive de drogue et la vulnérabilité aux rechutes qui sont les véritables problèmes des toxicomanies.

En conclusion il est donc nécessaire que les recherches sur les toxicomanies soient réellement soutenues en France. On constate de temps à autre un frémissement conduisant à la mise en place d'une action programmée rapidement prise en main par les mêmes « spécialistes » et distribuant de manière souvent contestable des supports financiers qui ne permettent pas la mise en place de véritables programmes à long terme. Il y a de ce fait un « saupoudrage » qui n'est pas de nature à promouvoir un domaine pourtant clé en neuro-biologie.

Il est donc urgent que des mesures sérieuses soient prises par un affichage de priorité du thème « toxicoma-nie » dans un sens large à la fois au CNRS, à l'INSERM et dans les universités, que des postes soient attribués pour conforter les quelques domaines en pointe dans le tissu national et en faire éclore d'autres. Les recommandations finales reprendront ces propositions dans un contexte national et européen.

Références bibliographiques

ABEL T., MARTIN K.C., BARTSCH D., KANDEL E.R. (1998), « Memory sup-pressor genes : Inhibitory constraints on the storage of long-term memory », *Science* 279, 338-341.

AKAOKA A., ASTON-JONES G. (1991), « Opiate withdrawal-induced hyperactivity of locus cœruleus neurons is substantially mediated by augmented excitatory amino acid input », *J. Neurosci.* 11, 3830-3839.

ALLARD M., JORDAN D., RIES C., ZAJAC J.M., KOPP N., SIMONNET G. (1994), « Autoradiographic localization of receptors to FLFQPQRF amide, a mammalian morphine modulating peptide in the human spinal cord and the lower brainstem », *Brain Res.* 49, 127-132.

ALTSHULER H.L., PHILLIPS P.E., FEINDHANDLER D.A. (1980), « Alteration of ethanol self-administration by naltrexone », *Life Sci.* 26, 679-688.

ANTELMAN S.M. (1988), « Stressor-induced sensitization to subsequent stress : Implications for the development and treatment of clinical disorders », *in Sensitization in the Nervous System* (Kalivas P.W., Barnes C.D., éds.), Telford Press, Caldwell, NJ, 227-241.

BAAMONDE A., DAUGÉ V., RUIZ-GAYO M., FULGA I.G., TURCAUD S., FOURNIÉ-ZALUSKI M.C., ROQUES B.P. (1992), « Antidepressant-type effects of endogenous enkephalins protected by systemic RB 101 are mediated by opioid delta and D1 dopamine receptor stimulation », *Eur. J. Pharmacol.* 216, 157-166.

BAIK J.H., PICETTI R., SAIARDI A., THIRIET G., DIERICH A., DEPAULIS A., LE MEUR M., BORELLI E. (1995), « Parkinsonian-like locomotor impairment in mice lacking dopamine D2 receptors », *Nature* 377, 424-428.

BENJAMIN J., GREENBERG B., MURPHY D.L., LIN L., PATTERSON C., HAMER D.H. (1996), « Population and familial association between the D4 dopamine receptor gene and measures of novelty seeking », *Nature Genet.* 12, 81-84.

BERRETINI W.H., FERRARO T.N., ALEXANDER R.C., BUCHBERG A.M., VOGEL W.H. (1994), « Quantitative trait loci mapping of three loci controling morphine preference using inbred mouse strains », *Nature Genet.* 7, 54-58.

BLANCHARD B.A., LEFEVRE R., MANKES R.F., GLICK S.D. (1992), « Hyperactivity and altered amphetamine sensitivity in premature juvenile rats », *Brain Res. Dev. Brain Res.* 69, 139-141.

BOZARTH M.A., WISE R.A. (1981), « Heroin reward is dependent on a dopaminergic substrate », *Life Sci.* 29, 1881-1886.

BRADY K.T., GRICE D.E., DUSTAN L., RANDALL C. (1993), « Gender differences in substance use disorders », *Am. J. Psychiatr.* 150, 1707-1711.

CADOR M., ROBBINS T.W., EVERITT B.J. (1989), « Involvement of the amygdala in stimulus-reward associations : Interaction with the ventral striatum », *Neuroscience* 30, 77-86.

CARLESON JR. W.A., BOUNDY V.A., HAILE C.N., LANE S.B., KALB R.G., NEVE R.L., NESTLER E.J. (1997), « Sensitization to morphine induced by viral-mediated gene transfer », *Science* 277, 812-814.

CARON M.G., JONES S.R., WANG Y.-M., GAINETDINOV R. (1997), « Role of vesicular and plasma membrane neurotransmitter transporters in the control of dopamine homeostasis and behavioral responsiveness », *in 36th Annual Meeting from American College of*

Neuropsychopharmacology, Scientific Abstract, décembre 8-12, p. 75.

CHEN J., KELZ M.B., HOPE B.T., NAKABEPPU Y., NESTLER E.J. (1997), « Chronic Fos-related antigens : Stable variants of deltaFosB induced in brain by chronic treatments », *J. Neurosci.* 17, 4933-4941.

CRABBE J.C., BELKNAP J.K., BUCK K.J. (1994), « Genetic animal models of alcohol and drug design », *Science* 264, 1715-1723.

DAAKA Y., LUTTRELL L.M., LEFKOWITZ R.J. (1997), « Switching of the coupling of the β2-adrenergic receptor to different G proteins by protein kinase A. », *Nature* 390, 88-91.

DAUGÉ V., CUPO A., ROQUES B.P. (1998), « Peripheral stimulation of CCK-B receptors by BC 264 induces a hyperexploration, dependent on the delta-opioid system in the nucleus accumbens of rat », *Neuropsychopharmacol.*, sous presse.

DAUGÉ V., MAUBORGNE A., CESSELIN F., FOURNIÉ-ZALUSKI M.C., ROQUES B.P. (1996), « The dual peptidase inhibitor RB 101 induces a long lasting increase in the extracellular level of Met-enkephalin in the nucleus accumbens of freely moving rats », *J. Neurochem.* 67, 1301-1308.

DAUGÉ V., ROQUES B.P. (1995), « Reward versus anxiety : the opposite pharmacology of opioids and CCK », *Cholecystokinin and Anxiety from Neuron to Behavior, Molecular Biology Intelligence Unit* (Bradwejn J., Vasar E., éds.), Springer Press, Ch. 8, 151-171.

DAUGÉ V., KALIVAS P.W., DUFFY T., ROQUES B.P. (1992), « Effect of inhibiting enkephalin catabolism in the VTA on motor activity and extracellular dopamine », *Brain Res.* 599, 209-214.

DELLU F., MAYO W., PIAZZA P.V., LE MOAL M., SIMON H. (1993), « Individual differences in behavioural responses to novelty in rats. Possible relationship with the sensation seeking trait in man », *Personality Individ. Diff.* 15, 411-418.

DELLU F., PIAZZA P.V., MAYO W., LE MOAL M., SIMON H. (1996), « Novelty seeking in rats. Biobehavioral characteristics and possible relationship with the sensation-seeking trait in man », *Neuropsychopharmacology* 34, 145-154.

DEMINIÈRE J.M., PIAZZA P.V., GUEGAN G., ABROUS N., MACCARI S., LE MOAL M., SIMON H. (1992), « Increased locomotor response to novelty and propensity to intravenous amphetamine self-administration in adult offspring of stressed mothers », *Brain Res.* 586, 135-139.

DI CHIARA G., IMPERATO A. (1988), « Drugs abused by humans preferentially increase synaptic dopamine concentrations in the mesolimbic system of freely moving rats », *Proc. Natl. Acad. Sci. USA* 85, 5274-5278.

DI CHIARA G., MORELLI M., IMPERATO A., PORCEDDU M.L. (1982), « A reevaluation of the role of superior colliculus in turning behaviour », *Brain Res.* 237, 61-77.

DWORKIN S.I., GOEDERS N.E., SMITH J.E. (1986), « The reinforcing and rate effects of intracranial dopamine administration », *in Problems of drug dependence* (Harris L.S., éd.) *NIDA Res. Monograph.*, 242-248.

EBSTEIN R.P., NOVICK O., UMANSKY R., PRIEL B., OSHER Y., BLAINE D., BENNETT E.R., NEMANOV L., KATZ M., BELMAKER R.H. (1996), « Dopamine D4 receptor (D4DR) exon polymorphism associated with the human personality trait of novelty seeking », *Nature Genet.* 12, 78-80.

ELLIOTT K., KEST B., MAN A., KAO B., INTURRISI C.E. (1995), « N-methyl-D-aspartate (NMDA) receptors, mu and kappa opioid tolerance, and perspectives on new analgesic drug development », *Neuropsychopharmacology* 13, 347-356.

ESPOSITO R.U., PERRY W., KORNETSKY C. (1980), « Effects of d-amphetamine and naloxone on brain stimulation reward », *Psychopharmacology* 69, 187-191.

FARIS P.L., KOMISARUK B.R., WATKINS L.R., MAYER D.J. (1983), « Evidence for the neuropeptide cholecystokinin as an antagonist of opiate analgesia », *Science* 219, 310-312.

FLYNN P.M., CRADDOCK S.G., LUCKEY J.W., HUBBARD R.L., DUNTEMAN G.H. (1996), « Comorbidity of antisocial personality and mood disorders among psychoactive substance-dependent treatment clients », *J. Personality disorders* 10, 56-67.

GIANOULAKIS C., DE WAELE J.P. (1994), « Genetics of alcoholim : Role of the endogenous opioid system », *Metabol. Brain Dis.* 9, 105-131.

GIROS B., JABER M., JONES S.R., WIGHTMAN R.M., CARON M.G. (1996), « Hyperlocomotion and indifference to cocaine and amphetamine in mice lacking the dopamine transporter », *Nature*, 379, 606-612.

GLICK S.D., STRUMPF A.J., ZIMMERBERG B. (1977), « Effect of in utero administration of morphine on the subsequent development of self-administration behavior », *Brain Res.* 132, 194-196.

GOLD S.J., NI Y.G., DOHLAMAN H.G., NESTLER E.J. (1977), « Regulators of G-protein signaling (RGS) proteins : region-specific expression of nine subtypes in rat brain », *J. Neurosci.* 17, 8024-8037.

HENRY D.J., WHITE F.J. (1991), « Repeated cocaine administration causes persistent enhancement of D1 dopamine receptor sensitivity within the rat nucleus accumbens », *J. Pharmacol. Exp. Ther.* 258, 882-890.

HIGHLEY J.D., HASERT M.F., SUOMI S.J., LINNOILA M. (1991), « Non-human primate model of alcohol abuse : Effects of early experience, personality and stress on alcohol consumption », *Proc. Natl. Acad. Sci. USA* 88, 7261-7265.

HOEBEL B.G., MONACO A.P., HERNANDEZ L., AULISI E.F., STANLEY B.G., LENARD L. (1983), « Self-injection of amphetamine directly into the brain », *Psychopharmacology* 81, 158-163.

HOOKS M.S., JONES D.N.C., JUSTICE Jr. J.B., HOLTZMAN S.G. (1992), « Naloxone reduces amphetamine-induced stimulation of locomotor activity and in vivo dopamine release in the striatum and nucleus accumbens », *Pharmacol. Biochem. Behav.* 42, 765-770.

INGLESE J., KOCH W.J., TOUHARA K., LEFKOWITZ R.J. (1995), « Gβg interactions with PH domains and Ras-MAPK signaling pathways », *Trends Biochem. Sci.* 20, 151-156.

IVERSEN S.D. (1998), « Pharmacologie de la mémoire », *in Sciences de la Vie*, Colloque international « La Mémoire : du neurone à la cognition », *CR Acad. Sci.* 321, 209-215.

JACOBSON B., NYBERG K., GRÖNBLADH L., EKLUND G., BYGDEMAN M., RYDBERG U. (1990), « Opiate addiction in adult offspring through possible imprinting after obstetric treatment », *Br. Med. J.* 301, 1067-1070.

KALIVAS P.W., MACKLER S.A. (1997), « A novel mRNA regulated by cocaine and capable of affecting cocaine behaviour », *in 36th Annual Meeting from American College of Neuropsychopharmacology Scientific Abstract*, décembre 8-12, p. 214.

KALIVAS P.W., STEWART J. (1991), « Dopamine transmission in the initiation and expression of drug – and stress-induced sensitization of motor activity », *Brain Res. Rev.* 16, 223-244.

KALIVAS P.W., WEBER B. (1988), « Amphetamine injection into the ventral tegmental area sensitizes rats to peripheral amphetamine and cocaine », *J. Pharmacol. Exp. Ther.* 245, 1095-1102.

KARLER R., CALDER L.D., CHAUDRY I.A., TURKANIS S.A. (1989), « Blockade of " reverse tolerance " to cocaine and amphetamine by MK-801 », *Life Sci.* 45, 599-606.

KÖNIG M., ZIMMER A.M., STEINER H., HOLMES P.V., CRAWLEY J.N., BROWNSTEIN M.J., ZIMMER A. (1996), « Pain responses, anxiety and aggression in mice deficient in pre-proenkephalin », *Nature* 383, 535-538.

KOOB G.F. (1992), « Drugs of abuse : Anatomy, pharmacology and function of reward pathways », *Trends Pharmacol. Sci.* 13, 177-184.

KOOB G.F. (1996), « Drug addiction : The yin and yang of hedonic homeostasis », *Neuron* 16, 893-896.

KOOB G.F., LE MOAL M. (1997), « Drug abuse : Hedonic homeostatic dysregulation », *Science* 278, 52-58.

KOSTEIN T.A., BALL S.A., ROUNSAVILLE B.J. (1994), « A sibling study of sensation seeking and opiate addiction », *J. Nerv. Ment. Dis.* 182, 284-289.

KOSTEN T., KREEK M.J., RAGHUNATH J., KLEBER H.D. (1986), « Cortisol levels during chronic naltrexone maintenance treatment in ex-opiate addicts », *Biol. Psychiatr.* 21, 217-220.

KREEK M.J. (1992), « Effects of opiates, opioid antagonists, and cocaine on the endogenous opioid system : Clinical and laboratory studies », *in National Institute on Drug Abuse Monograph*, 44-48.

KREEK M.J. (1996) « Opiates, opioids and addiction », *Mol. Psychiatr.* 1, 232-254.

LADURELLE N., KELLER G., BLOMMAERT A., ROQUES B.P., DAUGÉ V. (1997), « The CCK-B agonist, BC 264, increases dopamine in the nucleus accumbens and facilitates motivation and attention after intraperitoneal injection in rats », *Eur. J. Neurosci.* 9, 1804-1814.

LADURELLE N., ROQUES B.P., DAUGÉ V. (1995), « The transfer of rats from a familiar to a novel environment prolongs the increase of extracellular dopamine efflux induced by CCK8 in the posterior accumbens », *J. Neurosci.* 15, 3118-3127.

LANE-LADD S.B., PINEDA J., BOUNDY V.A., PFEUFFER T., KRUPINSKI J., AGHAJANIAN G.K., NESTLER E.J. (1997), « CREB (cAMP response element-binding protein) in the locus cœruleus : Biochemical, physiological, and behavioural evidence for a role in opiate dependence », *J. Neurosci.* 17, 7890-7901.

LU W., CHEN H., XUE C., WOLF M. (1997), « Repeated amphetamine administration alters the expression of mRNA for AMPA receptor subunits in rat nucleus accumbens and prefrontal cortex », *Synapse* 26, 269-280.

LYONS M.J., TOOMEY R., MEYER J.M., GREEN A.I., EISEN S.A., GOLDBERG J., TRUE W.R., TSUANG M.T. (1997), « How genes influence marijuana use ? The role of subjective effects », *Addiction* 92, 409-417.

MAISONNEUVE I.M., KREEK M.J. (1994), « Acute tolerance to the dopamine response induced by a binge pattern of cocaine administration in male rats : an in vivo microdialysis study », *J. Pharmacol. Exp. Ther.* 268, 916-921.

MAISONNEUVE I.M., HO A., KREEK M.J. (1995), « Chronic administration of a cocaine " binge " alters basal extracellular levels in male rats : an in vivo microdialysis study », *J. Pharmacol. Exp. Ther*. 272, 652-657.

MALDONADO R., SAIARDI A., VALVERDE O., SAMAD T.A., ROQUES B.P., BOR-RELLI E. (1997), « Absence of opiate rewarding effects in mice lacking dopamine D2 receptors », *Nature* 388, 586-589.

MALDONADO R., BLENDY J.A., TZAVARA E., GASS P., ROQUES B.P., HANOUNE J., SCHÜTZ G. (1996), « Reduction of morphine abstinence in mice with a mutation in the gene encoding CREB », *Science* 273, 657-659.

MALDONADO R., VALVERDE O., GARBAY C., ROQUES B.P. (1995a), « Protein kinases in the locus cœruleus and periaqueductal gray matter are involved in the expression of opiate withdrawal », *Naunym-Schmiedeberg's Arch Pharmacol*. 352, 565-575.

MALDONADO R., VALVERDE O., DUCOS B., BLOMMAERT A., FOURNIÉ-ZALUSKI M.C., ROQUES B.P. (1995b), « Inhibition of morphine withdrawal syndrome by the association of RB 101, a complete inhibitor of enkephalin catabolism, and the CCK-B antagonist PD-134, 308 », *Br. J. Pharmacol*. 114, 1031-1039.

MALDONADO R., STINUS L., GOLD L.H., KOOB G.F. (1992), « Role of different brain structures in the expression of the physical morphine withdrawal syndrome », *J. Pharmacol. Exp. Ther*. 261, 669-677.

MALIN D.H., LAKE J.R., CARTER V.A., CUNNINGHAM J.S., WILSON O.B. (1993), « Naloxone precipitates nicotine abstinence syndrome in the rat », *Psychopharmacology* 112, 339-342.

MATSUOKA I., MALDONADO R., DEFER N., NOEL F., HANOUNE J., ROQUES B.P. (1994), « Chronic morphine administration causes region specific increase of brain type VIII adenylyl cyclase mRNA », *Eur. J. Pharmacol*. 268, 215-221.

MATTHES H.W.D., MALDONADO R., SOMONIN F., VALVERDE O., SLOWE S., KITCHEN I., BEFORT K., DIERICH A., LE MEUR M., DOLLÉ P., TZAVARA E., HANOUNE J., ROQUES B.P., KIEFFER B.L. (1996), « Loss of morphine-induced analgesia, reward effect and withdrawal symptoms in mice lacking the μ-opioid receptor gene », *Nature* 383, 819-823.

MCGREGOR I.S., ISSAKIDIS C.N., PRIOR G. (1996), « Aversive effects of the synthetic cannabinoid CP 55,940 in rats », *Pharmacol. Biochem. Behav*. 53, 657-664.

MERLO PICH E., PAGLIUSI S.R., TESSARI M., TALABOT-AYER D., HOOFT VAN HUIJSDUIJNEN R., CHIAMULERA C. (1977), « Common neural substrates for the addictive properties of nicotine and cocaine », *Science* 275, 83-86.

NAGATA A., ITO M., IWATA N., TAKANO H., MINOVA O., CHIHARA K., MATSUI T., NODA T. (1996), « G protein-coupled cholecystokinin-B/

gastrin receptors are responsible for physiological cell growth of the stomach mucosa in vivo », *Proc. Natl. Acad. Sci. USA* 93, 11825-11830.

NESTLER E.J., AGHAJANIAN G.K. (1997) « Molecular and cellular basis of addiction », *Science* 278, 58-63.

NOBLE F., SOLEILHAC J.M., SOROCA-LUCAS E., TURCAUD S., FOURNIÉ-ZALUSKI M.C., ROQUES B.P. (1992), « Inhibition of the enkephalin metabolizing enzymes by the first systemically active mixed inhibitor prodrug RB 101 induces potent analgesic responses in mice and rats », *J. Pharmacol. Exp. Ther.* 261, 181-190.

OLDS J. (1958), « Self stimulation of the brain », *Science* 127, 315-324.

PHILLIPS T.J., BELKNAP J.K., CRABBE J.C. (1991), « Use of recombinant inbred strains to assess vulnerability to drug abuse at the genetic level », *J. Addict. Dis.* 19, 73-87.

PIAZZA P.V., DEROCHE V., ROUGÉ-PONT F., DEMINIÈRE J.M., MACCARI S., LE MOAL M., SIMON H. (1992), « Individual differences in the sensitivity to corticosterone's reinforcing effects and in corticosterone-induced dopamine release may be a biological basis for sensitization-seeking », *Soc. Neurosci. Abstr.* 18, 1076.

PIAZZA P.V., MACCARI S., DEMINIÈRE J.M., LE MOAL M., MORMÈDE P., SIMON H. (1991), « Corticosterone levels determine individual vulnerability to amphetamine self-administration », *Proc. Natl. Acad. Sci. USA* 88, 2088-2092.

PICCIOTTO M.R., ZOLI M., RIMONDINI R., LÉNA C., MARUBIO L.M., PICH E.M., FUXE K., CHANGEUX J.-P. (1998), « Acetylcholine receptors containing the β2 subunit are involved in the reinforcing properties of nicotine », *Nature* 391, 173-177.

PICKENS R.W., SVIKIS D.S., MCGUE M., LABUDA M.C. (1995), « Common genetic mechanisms in alcohol, drug and mental disorder comorbidity », *Drug Alcoh. Depend.* 39, 129-138.

PONTIERI F.E., TANDA G., DI CHIARA G. (1995), « Intravenous cocaine, morphine, and amphetamine preferentially increase extracellular dopamine in the " shell " as compared with the " core " of the rat nucleus accumbens », *Proc. Natl. Acad. Sci. USA* 92, 12304-12308.

PONTIERI F.E., TANDA G., ORZI F., DI CHIARA G. (1996), « Effects of nicotine on the nucleus accumbens and similarity to those of addictive drugs », *Nature* 382, 255-257.

RIVET J.M., STINUS L., LE MOAL M., MORMÈDE P. (1989), « Behavioral sensitization to amphetamine is dependent on corticosteroid receptor activation », *Brain Res. Rev.* 498, 149-153.

ROBERTS A.J., COLE M., KOOB G.F. (1996), « Intra-amygdala muscimol

decreases operant ethanol self-administration in dependent rats »,
Alcohol. Clin. Exp. Res. 20, 1289-1298.

ROBINSON T.E., BERRIDGE K.C. (1993), « The neural basis of drug craving : an incentive-sensitization theory of addiction », *Brain Res. Rev.* 18, 247-291.

RODRIGUEZ DE FONSECA F., RUBIO P., MENZAGHI F., MERLO-PICH E., RIVIER J., KOOB G.F., NAVARRO M. (1996), « Corticotropin-releasing factor (CRF) antagonist [D-Phe^{12}, Nle^{21,38}, C^{x}MeLeu^{37}] CRF attenuates the acute actions of the highly potent cannabinoid receptor agonist HU-210 on defensive-withdrawal behavior in rats », *J. Pharmacol. Exp. Ther.* 276, 56-64.

RODRIGUEZ DE FONSECA F., CARRERA M.R.A., NAVARRO M., KOOB G.F., WEISS F. (1997), « Activation of corticotropin-releasing factor in the limbic system during cannabinoid withdrawal », *Science* 276, 2050-2054.

ROMO R., SCHULTZ W. (1990), « Dopamine neurons of the monkey midbrain contingencies of responses to active touch self-initial arm movements », *J. Neurophysiol.* 63, 592-606.

ROQUES B.P., NOBLE F., DAUGÉ V., FOURNIÉ-ZALUSKI M.C., BEAUMONT A. (1993), « Neutral endopeptidase 24.11. Structure, inhibition, and experimental and clinical pharmacology », *Pharmacol. Rev.* 45, 87-146.

RUBINSTEIN M., PHILLIPS T., FALZONE T.L., DZIEWCZAPOLSKI G., BUNZOW J.R., LOW M.J., GRANDY D.K. (1997), « Supersensitivity to psychoactive drugs and increased dopamine turnover in dopamine D4 receptor-deficient mice », *in 36th Annual Meeting from American College of Neuropsychopharmacology*, Scientific Abstract, décembre 8-12, p. 75.

SCHENK S., LACELLE G., GORMAN K., AMIT Z. (1987), « Cocaine self-administration in rats influenced by environmental conditions : Implications for the etiology of drug abuse », *Neurosci. Lett.* 81, 227-231.

SCHOFFELMEER A.N.M., YAO Y.H., GIOANNINI T.L., HILLER J.M., OFRI D., ROQUES B.P., SIMON E.J. (1990), « Cross-linking of human [125I] β-endorphin to opioid receptors in rat striatal membranes : biochemical evidence for the existence of a μ/δ-opioid receptor complex », *J. Pharmacol. Exp. Ther.* 253, 419-426.

SCHULTZ W., DAYAN P., MONTAGNE R. (1997), « A neural substrate of prediction and reward », *Science* 275, 1593-1599.

SHIPPENBERG T.S., HERZ A., SPANAGEL R., BALS-KUBIK R., STEIN C. (1992), « Conditioning of opioid reinforcement : Neuroanatomical and neurochemical substrates », *in* « The Neurobiology of Drug and Alcohol Addiction », *Ann. New York Acad. Sci.* 654, 347-356.

SIEGEL S. (1988), « Drug anticipation and drug tolerance », *in The psychopharmacology of addiction*, Lader M.H. (éd.), Oxford University Press, Oxford, 73-96.

SIMON H. (1997), « Pharmacodépendance. Quel modèle animal ? Pour quoi faire ? », *in Dépendance et conduites de consommation* (PADIEU R., BEAUGÉ F., CHOQUET M., MOLIMARD R., PARQUET P., STINUS L., éds.), Question en santé publique, Intercommissions INSERM, Éditions INSERM, Ch. 9, 119-143.

SMADJA C., MALDONADO R., TURCAUD S., FOURNIÉ-ZALUSKI M.C., ROQUES B.P. (1995), « Opposite role of CCK-A and CCK-B receptors in the modulation of endogenous enkephalins antidepressant-like effects », *Psychopharmacology* 128, 400-408.

SOLOMON R.L., CORBIT J.D. (1974), « An opponent-process theory of motivation. I. Temporal dynamics of affect », *Psychol. Rev.* 81, 119-145.

SPANAGEL R., HERZ A., SHIPPENBERG T.S. (1992), « Opposing tonically active endogenous opioid systems modulate the mesolimbic dopaminergic pathway », *Proc. Natl. Acad. Sci. USA* 89, 2046-2050.

SPANGLER R., HO A., ZHOU Y., MAGGOS C., YUFEROV V., KREEK M.J. (1996), « Regulation of kappa opioid receptor mRNA in the rat brain by " binge " pattern cocaine administration and correlation with preprodynorphin mRNA », *Mol. Brain Res.* 38, 71-76.

SPANGLER R., UNTERWALD E.M., KREEK M.J. (1993), « " Binge " cocaine administration induces a sustained increase of prodynorphine mRNA in rat caudate-putamen », *Mol. Brain Res.* 19, 323-327.

SPYRAKI C., FIBIGER H.C. (1988), « A role for the mesolimbic dopamine system in the reinforcing properties of diazepam », *Psychopharmacology* 94, 133-137.

STRIPLIN C.D., KALIVAS P.W. (1993), « Robustness of G protein changes in cocaine sensitization shown with immunoblotting », *Synapse* 14, 10-15.

SWAN N. (1998), « Exploring the role of child in later drug abuse », *Nida notes*, 13, 1-6.

TANDA G., PONTIERI F.E., DI CHIARA G. (1997), « Cannabinoid and heroin activation of mesolimbic dopamine transmission by a common μ1 opioid receptor mechanism », *Science* 276, 2048-2050.

TOLLIVER B., HO L., REID M., BERGER S. (1996), « Evidence for involvement of ventral tegmental area cyclic AMP systems in behavioral sensitization to psychostimulants », *J. Pharmacol. Exp. Ther.* 278, 411-420.

TRUJILLO K.A., AKIL H. (1991), « Inhibition of morphine tolerance and dependence by the NMDA receptor antagonist MK-801 », *Science* 251, 85-87.

UHL G.R., GOLD L.H., RISCH N. (1997), « Genetic analyses of complex behavioural disorders », *Proc. Natl. Acad. Sci. USA* 94, 2785-2786.

UNTERWALD E.M., RUBENFELD J.M., KREEK M.J. (1994), « Repeated cocaine administration upregulates kappa and mu, but not delta, opioid receptors », *NeuroReport* 5, 1613-1616.

VALVERDE O., MALDONADO R., FOURNIÉ-ZALUSKI M.C., ROQUES B.P. (1994), « Cholecystokinin B antagonists strongly potentiate antinociception mediated by endogenous enkephalins », *J. Pharmacol. Exp. Ther.* 270, 77-88.

VALVERDE O., TZAVARA E., HANOUNE J., ROQUES B.P., MALDONADO R. (1996), « Protein kinases in the rat nucleus accumbens are involved in the aversive component of opiate withdrawal », *Eur. J. Neurosci.* 8, 2671-2678.

VANDERBERGH D., RODRIGUEZ L.R., MILLER I.T., UHL G.R., LACHMAN H.M. (1997), « High-activity catechol-o-methyltransferase allele is more prevalent in polysubstance abusers », *Am. J. Med. Genet.* 74, 439-442.

VEZINA P., STEWART J. (1990), « Amphetamine administered to the ventral tegmental area but not in the nucleus accumbens sensitizes rats to systemic morphine : Lack of conditioned effects », *Brain Res. Rev.* 516, 99-106.

VOLPICELLI J.R., WATSON N.T., KING A.C., SHERMAN C.E., O'BRIEN C.P. (1995), « Effect of naltrexone on alcohol " high " in alcoholics », *Am. J. Psychiatr.* 152, 613-615.

WAKSMAN G., HAMEL E., FOURNIÉ-ZALUSKI M.C., ROQUES B.P. (1986), « Comparative distribution of the neutral endopeptidase " enkephalinase " and mu and delta opioid receptors in rat brain by autoradiography », *Proc. Natl. Acad. Sci. USA* 83, 1523-1527.

WEISS F., LORANG M.T., BLOOM F.E., KOOB G.F. (1993), « Oral alcohol self-administration stimulates dopamine release in the rat nucleus accumbens : Genetics and motivational determinants », *J. Pharmacol. Exp. Ther.* 267, 250-258.

WHITE F.J. (1997), « Recent advances in understanding dopamine D1 and D3 receptor function provided by knockout mice », *in 36th Annual Meeting from American College of Neuropsychopharmacology*, Scientific Abstract, décembre 8-12, p. 74.

WILLIAMS G.V., GOLDMAN-RAKIC P.S. (1995), « Modulation of memory fields by dopamine D1 receptors in prefrontal cortex », *Nature* 376, 572-575.

WOLF M.E., WHITE F.J., NASSAR R., BROODERSON R.J., KHANSA M.R. (1993), « Differential development of autoreceptor subsensitivity and enhanced dopamine release during amphetamine sensitization », *J. Pharmacol. Exp. Ther.* 264, 249-255.

XU M., HU X.T., COOPER D.C., MORATALLA R., GRAYBIEL A.M., WHITE F.J., TONEGAWA S. (1994), « Elimination of cocaine-induced hyperactivity and dopamine-mediated neurophysiological effects in dopamine D1 receptor mutant mice », *Cell* 79, 945-955.

ZETTERSTROM R.H., SOLOMIN L., JANSSON L., HOFFER B.J., OLSON L., PERLMANN T. (1997), « Dopamine neuron agenesis in Nurr1-deficient mice », *Science* 276, 248-250.

ZHOU Y., SPANGLER R., LAFORGE K.S., MAGGOS C.E., HO A., KREEK M.J. (1996), « Corticotropin-releasing factor and type 1 corticotropin-releasing factor receptor messenger RNAs in rat brain and pituitary during " binge "-pattern cocaine administration and chronic withdrawal », *J. Pharmacol. Exp. Ther.* 279, 351-358.

CHAPITRE 3

NEUROTOXICITÉ CENTRALE :
L'EXEMPLE DES PSYCHOSTIMULANTS

La neurotoxicité peut être définie comme une atteinte réversible ou irréversible de la structure et/ou des fonctions du système nerveux central (et/ou périphérique) par des agents physiques, chimiques ou biologiques. Les effets neurotoxiques peuvent être caractérisés à plusieurs niveaux : anatomique, neurochimique, physiologique et comportemental. Les analyses du comportement sont souvent considérées comme capables de déceler des altérations minimes et précoces du SNC et sont donc classiquement utilisées. Elles ont, de plus, l'avantage d'être non invasives.

1. Données neuroanatomiques et neurochimiques

Des preuves indiscutables de la neurotoxicité sont apportées par des études morphologiques souvent couplées à des données neurochimiques (revue dans Erinoff, 1993). Les trois critères morphologiques retenus sont :
1) La perte mesurable de cellules (neurones ou cellules gliales) dans le SNC examinée *post mortem*. Cela n'est cependant facile à démontrer que dans des structures possédant une organisation anatomique très bien définie (hippocampe, cortex, cervelet, etc.). Des méthodes de

comptage fiable ont été mises au point (Moller *et al.*, 1989).

2) Un autre critère est la mesure, également par microscopie, de dépôts d'argent métallique dans les corps neuronaux et les terminaisons (axones et dendrites) qui signent la présence d'une dégénérescence neuronale (Switzer, 1991). Cette méthode, qui a la réputation d'être difficile à mettre en œuvre, fait qu'elle n'est pas souvent utilisée bien qu'elle soit une méthode de choix pour suivre *post mortem* les pertes cellulaires provoquées par différents toxiques ou par des maladies neurodégénératives (Taylor, 1991).

Ces altérations (par exemple dégénérescence axonale) peuvent en effet être visualisées chez l'homme bien après l'événement qui les a provoquées. Ces techniques d'observation directe *post mortem* se sont considérablement enrichies ces vingt dernières années par utilisation de marqueurs biochimiques spécifiques révélés par immunohistochimie (peptides, enzyme de biosynthèse et neuromédiateurs, enzyme du métabolisme, récepteurs, transporteurs, protéines de stockage, protéines du choc thermique, protéines des gènes précoces, etc.) et analysés à l'échelle de la microscopie optique ou électronique. Des traceurs radiomarqués sont également couramment utilisés (autoradiographie).

D'autres techniques basées sur les progrès en biologie moléculaire sont également utilisables (hybridation *in situ*). L'intérêt de toutes ces méthodes est qu'elles sont sélectives d'un type de neurones particulier et de son organisation spatiale (corps neuronal, axone, terminaison...). L'inconvénient est que la manipulation *post mortem* (en particulier chez l'homme) doit être réalisée très rapidement et dans des conditions qui réduisent le plus possible les altérations du tissu cérébral.

3) La présence dans le cerveau d'une hypertrophie des cellules gliales est considérée comme le résultat d'une neurotoxicité. Ces changements peuvent être quantifiés par immunohistochimie de la protéine GFAP (glial fibrillary

acid protein) (O'Callaghan et Jensen, 1992). À ces méthodes neuroanatomiques, il faut ajouter les techniques d'exploration des altérations possibles du système nerveux central par mesure des potentiels évoqués (visuels et auditifs). Ces techniques sont utilisées pour explorer les effets de substances telles que les benzodiazépines chez l'homme (Hudnell et Boyes, 1991). Enfin, il faut ajouter l'utilisation de plus en plus fréquente de la neuro-imagerie permettant notamment de mesurer des modifications de la taille des structures cérébrales, du débit sanguin ou du métabolisme cérébral, ainsi que les éventuelles modifications dans la densité des protéines cibles d'un neurotransmetteur particulier. Ces méthodes seront examinées dans un chapitre particulier.

2. Neurotoxicité des substances amphétaminiques

Chez l'homme les dérivés de l'amphétamine provoquent une augmentation des aptitudes à entreprendre et ceci, aussi bien pour ce qui concerne les tâches intellectuelles en facilitant la concentration, que les activités physiques en dissimulant la sensation de fatigue, ce qui explique qu'elles soient utilisées à la fois chez les travailleurs intellectuels et chez les sportifs. Elles ont un effet anorexigène à la base de leur utilisation thérapeutique. De plus, les amphétaminiques produisent une sensation de bien-être et de confiance en soi qui explique leur consommation abusive chez l'homme et leur auto-administration chez l'animal dans les différents modèles expérimentaux. Toutefois des différences dans leur mécanisme d'action, impliquant à la fois les voies dopaminergiques et sérotoninergiques ou principalement cette dernière dans le cas de l'ecstasy (MDMA), rendent compte des appétences particulières pour l'une ou l'autre de ces substances.

Les psychostimulants dans leur ensemble et l'ecstasy en particulier provoquent une excitation mentale en même temps qu'une désinhibition. C'est la raison pour laquelle l'ecstasy a été utilisée avec succès durant une longue période par les psychothérapeutes (Grob et Poland, 1997). À doses répétées importantes, des sensations de confusion avec ou sans hallucinations, des tendances paranoïdes, des attaques de panique et une augmentation de l'agressivité sont fréquemment évoquées lors de la consommation de MDMA (revue dans McCann *et al.*, 1996). Certains de ces signes persistent très longtemps après l'arrêt de la consommation et peuvent résister au traitement par l'halopéridol (Windstock, 1991). Ces effets et leur morbidité seront détaillés dans le chapitre consacré à l'ecstasy. Cette substance, agissant spécifiquement sur les neurones sérotoninergiques se rattache aux hallucinogènes (LSD, mescaline, etc.) qui servent souvent d'additifs au MDMA. Sur le plan de la neurotoxicité, les amphétaminiques sont très caractéristiques puisqu'ils donnent des modifications visibles chez l'animal (en particulier le rat, le cobaye et le singe) tant sur le plan neuroanatomique que sur le plan neurochimique (voir critères ci-dessus).

Enfin, récemment, des examens cliniques couplés dans certains cas à des techniques de neuro-imagerie ont permis de démontrer directement les modifications du fonctionnement du système nerveux central chez l'homme en relation avec la description des effets ressentis. Toutefois chez l'animal, la traduction de ces perturbations sur le plan comportemental reste faible (Ricaurte *et al.*, 1993 et références citées).

AMPHÉTAMINE, MET-AMPHÉTAMINE (MA)
ET MÉTHYLÈNEDIOXY-MÉTHYL-AMPHÉTAMINE (MDMA)

Administrés de manière répétée, l'amphétamine et ses dérivés conduisent à des déficits très importants dans les différents composants des systèmes dopaminergique et sérotoninergique (Ricaurte *et al.*, 1985 ; revue dans Gibb *et al.*, 1997). Ainsi la métamphétamine, MA (« speed ») produit des diminutions de 30 à 70 % dans l'activité de la tyrosine hydroxylase (TH) (enzyme limitante de la biosynthèse de la DA) et dans la concentration de dopamine dans le striatum de rat (Villemagne *et al.*, 1998 et références citées). Ces déficits persistent chez le rat (Lew, 1996) et surtout le singe (plusieurs années) après l'arrêt de la dernière administration (Woolverton *et al.*, 1989, Ricaurte *et al.*, 1992 ; Ricaurte et McCann, 1992). Comme attendu la coadministration de MA avec des antagonistes DA (halopéridol par exemple) ou des inhibiteurs de la TH (α méthyl-tyrosine, MT) prévient les déficits observés et inversement, le précurseur de la DA (L-dopa) les potentialise (voir tableau en fin de chapitre).

La MA est également toxique vis-à-vis du système 5HT (5-hydroxy-tryptophane ou sérotonine) puisque le même type d'altération est observé : diminution de la 5HT et ses métabolites, réduction de l'activité de la tryptophane hydroxylase (TPH), enzyme limitante dans la synthèse de 5HT. Les déficits engendrés par la MA interviennent plus rapidement et sont plus importants dans la voie 5HT que dans la voie DA (Bakrit *et al.*, 1981). Un résultat d'une grande importance a été la démonstration que les altérations dues à la MA au niveau du système 5HT exigeaient la présence de DA. Ils sont accrus par administration de L-dopa. Par contre la destruction sélective de la voie DA nigro-striée par la 6-OHDA conduit à une diminution très importante de l'inhibition de TPH dans le striatum. Les altérations biochimiques engendrées par la MA sont bloquées par des inhibiteurs du transporteur membranaire de 5HT et des antagonistes 5HT. L'effet délétère des amphétaminiques à hautes doses sur les systèmes DA et 5HT ne semble pas retentir sur d'autres systèmes (par exemple glutamatergique ou cholinergique), ce qui ne veut pas dire pour autant qu'il n'y ait pas d'atteintes dans leur fonctionnement.

Alors que la MA et son analogue MDA produisent des altérations des voies DA et 5HT, c'est sélectivement cette dernière qui est affectée par la MDMA (ecstasy). Cette molécule provoque *in fine* la réduction des taux intra- et extraneuronaux de 5HT, la diminution d'activité de la TPH (Romano et Harvey, 1994) sans modification de celle de la TH (Stone *et al.*, 1988). Par ailleurs, la MDMA augmente la libération de DA, mesurée par microdialyse dans le N. Acc. du rat (Nush et Brodkin, 1991 ; White *et al.*, 1994). Elle est potentialisée par des agonistes 5HT2 (Gudelsky *et al.*, 1994) et inhibée par les antagonistes 5HT2 (Schmidt *et al.*, 1994). Donc la 5HT libérée de manière transitoire par la MDMA renforcerait l'action de cette drogue sur le système DA (Obradovic *et al.*, 1996). On pourrait de cette manière expliquer l'amplification des effets de la MDMA par l'absorption d'hallucinogènes (LSD, etc.) qui, pour la plupart, sont des agonistes 5HT2. L'association de MDMA et d'hallucinogènes est couramment utilisée dans les « raves parties » pour amplifier « l'extase ». Il est possible que le profil pharmacoclinique (psychodisleptique) de l'ecstasy et ses effets secondaires soient en relation avec ces actions.

Comme pour la MA, les effets de la MDMA sont reliés à la présence de DA. Ainsi les déficits induits sur la TPH, la 5HT et ses métabolites sont minimisés par administration d'un inhibiteur de la TH. La dopamine et la MDMA (ou ses métabolites neurotoxiques) empruntent très probablement le transporteur de la 5HT pour entrer dans les neurones sérotoninergiques comme le montre la protection par des inhibiteurs de recapture de la 5HT de l'effet neurotoxique de la MDMA (Stone, 1988). Une désamination excessive de DA par la monoaminoxydase-B (MAO-B) présente dans les terminaisons 5HT pourrait générer un excès de H_2O_2 conduisant à la production de radicaux libres OH• détruisant la terminaison en se fixant irréversiblement sur un groupe SH de la TPH (Sprague et Nichols, 1995 ; Stone *et al.*, 1989). De même, bien que la MDMA produise une augmentation importante et prolongée de la libération de DA (Yamamoto, 1988), les effets à long terme de la drogue affectent seulement la voie 5HT. L'administration d'une dose unique de MDMA produit une augmentation transitoire de libération de 5HT suivie d'une diminution importante et lentement réversible (encore plus lentement chez le singe que chez le rat) des marqueurs de la transmission sérotoninergique (5HT, 5-HIAA, 5HT, transporteur, TRH) (Gibb et al., 1997 et références citées).

Un nouveau dérivé de l'amphétamine, la metcathinone (ephedrone ou « cat ») vient d'apparaître aux USA. Comme la MDMA, la metcathinone provoque des altérations des terminaisons DA et 5HT très sévères chez le rat. La renversion de ces effets n'a pas encore été étudiée. C'est la N-méthylation de la cathinone, constituant du Khat très utilisé en Arabie et dans l'Est africain qui donne à la metcathinone sa toxicité pour les neurones 5HT. Sa double action sur les fibres DA et 5HT est un facteur de dangerosité supplémentaire comparativement à celle de la MDMA (Sparago et al., 1996).

3. Mécanismes moléculaires de la neurotoxicité des amphétaminiques

En dépit de très nombreux travaux, le mécanisme moléculaire de la toxicité des amphétaminiques reste à déterminer. On conçoit l'importance d'un tel objectif. La MA administrée directement dans le cerveau (intracérébroventriculaire ou intraparenchymateuse) ne conduit pas aux altérations dans les systèmes DA et/ou 5HT rapportées plus haut (Molliver et al., 1986 ; Schmidt et Taylor, 1987). En accord avec ce résultat, l'incubation de coupes de cerveau avec la MA ne produit pas d'effet sur les activités de la TH et de la TPH (Matsuda *et al.*, 1989). Par contre l'administration systémique de MA réduit de 30 % l'activité TPH dans le striatum de rat (Gibb *et al.*, 1997). Les mêmes résultats sont observés avec la MDMA.

NEUROTOXICITÉ DES MÉTABOLITES DES AMPHÉTAMINIQUES

Cela a conduit à soupçonner que la neurotoxicité des amphétaminiques était due à leurs métabolites. De très nombreux dérivés de la MDMA formés *in vivo* ont été isolés. Parmi ceux-ci, le THA, résultant de l'ouverture du pont méthylène dioxy, d'une déméthylation et d'une hydroxylation en 2 du cycle s'est montré très toxique après administration intracérébro-ventriculaire, diminuant l'activité de la TPH dans le striatum et surtout l'hippocampe (80 % de diminution). C'est essentiellement au niveau des terminaisons et non des corps neuronaux que cette modification s'observe (Elayan *et al.*, 1992). La 2,4,5-trihydroxyméthamphétamine est également très toxique après administration intracérébro-ventriculaire, démontrant que l'hydroxylation en 2 du noyau benzénique est responsable de ces effets neurotoxiques (Gibb *et al.*, 1997). Cependant, tous ces métabolites hydroxylés franchissent très difficilement la barrière hémato-méningée (Miller *et al.*, 1997).

Toutefois il est important de noter que le cytoplasme des terminaisons des neurones DA et 5HT se prêtent aux phénomènes d'oxydations. En effet, les neurones contiennent des quantités relativement importantes d'acide ascorbique, de glutathion, de cystéine ainsi que du peroxyde d'hydrogène H_2O_2, provenant de nombreux processus métaboliques intra-cytoplasmique, de l'oxygène moléculaire et enfin des traces d'espèces moléculaires possédant le fer à l'état Fe^{2+}. À partir de ces substances, les amphétamines peuvent générer des radicaux OH• capables de transformer la DA et la 5HT en dérivés neurotoxiques.

Les processus d'oxydation comme cause de neurotoxicité des amphétamines

L'ensemble de ces résultats suggérait que la toxicité de la MA ou de la MDMA provenait de métabolites capables de pénétrer dans le SNC (Miller *et al.*, 1996 et références citées). La MA et la MDMA sont transformées dans le foie par déméthylénation (P450) puis N-déméthylation pour conduire à l'α-méthyldopamine (αMeDA), qui, injectée dans le cerveau n'a pas d'action toxique. Par contre, l'αMeDA (Midha *et al.*, 1978) est facilement oxydée par l'anion super-oxyde $O_2^{\bullet-}$ en quinones qui peuvent additionner des fonctions thiols provenant de protéines ou de constituants cellulaires comme le glutathion, GSH. Dans le cas de l'αMeDA la substitution conduit à la 5-(glutathion-S-yl)-αMeDA. Administré par voie intracérébro-ventriculaire chez le rat, cet adduit génère des effets comportementaux et des modifications neurochimiques similaires à ceux de la MDA ou de la MDMA, administrées par voie systémique (Miller *et al.*, 1996). Par contre, après administration systé-mique et pénétration dans le cerveau, les effets de l'adduit disparaissent rapidement. Des expériences très récentes semblent démontrer que l'addition d'une deuxième molé-cule de GSH conduit à une molécule 2,5-(bis-glutathion-S-yl)-αMeDA qui possède la même toxicité à long terme que la MA et la MDMA (Miller *et al.*, 1997; Wrona *et al.*, 1997).

Le double adduit GSH serait rapidement transformé en adduit cystéinique 2,5-(bis-cysteinyl-s-yl)-αMeDA, du fait de la grande concentration en cystéine présente dans le cer-veau. Ce dernier, que l'on trouve également dans le cerveau humain, est très neurotoxique (Fornstedt, 1986, 1989). Ces métabolites entreraient dans les neurones probablement en utilisant les mêmes transporteurs que ceux de la DA ou de la 5HT. Ils pourraient poursuivre un cycle d'oxydation par uti-lisation de l'anion superoxyde pour générer des espèces cycliques capables de se lier de manière covalente à des protéines essentielles à la transmission catécholaminergique (TH, TPH, transporteur, autres protéines ?).

Des systèmes enzymatiques tels que la superoxyde dismutase sont impliqués dans ce cycle d'auto-oxydation. Un rôle du glutamate, dans l'action neurotoxique des amphétamines, a également été proposé. L'activation des récepteurs NMDA placés dans l'environnement immédiat des terminaisons DA ou 5HT pourrait s'effectuer par l'intermédiaire des métabolites formés à partir des amphétamines. Ceux-ci agiraient comme des agonistes inverses au niveau du récepteur GABA et augmenteraient la concentration de glutamate produisant des effets délétères sur les neurones par excitotoxicité (Lafon-Cazal et al., 1993).

Rôle de la CuZn superoxyde dismutase

La délétion du gène codant pour la CuZn superoxyde dismutase (CuZnSOD) protège l'animal des effets neurotoxiques induits par la MDMA sur les terminaisons 5HT (Cadet et al., 1995 ; Hirata et al., 1996). Le rôle principal de cette enzyme est de piéger l'anion superoxyde $O_2^{\bullet}$ dont la réaction avec H_2O_2 conduit à la formation de radicaux OH• réputés extrêmement toxiques. L'importance des espèces radicalaires dans la toxicité de la MDMA est étayée par la réduction de ses effets neurotoxiques par des marqueurs de spin tels que la n-terbutyl-α-phénylnitrone (PBN) (Colado et Green, 1995). La production de superoxydes et autres radicaux semble être la cause principale de la neurotoxicité de la MDMA. De fait, un travail récent (Yeh, 1997) montre de manière convaincante que l'administration conjointe d'acide acétylsalicylique (aspirine) qui, en principe, piège les radicaux libres OH•, et de MDMA, loin de minimiser les effets de cette dernière, les potentialise : la déplétion de 5HT et de ses métabolites est accrue, l'hyperthermie plus importante et la neurotoxicité augmentée.

De très nombreuses substances interagissant avec une ou plusieurs des cibles protéiques des voies DAergiques et sérotoninergiques, sont capables de protéger le cerveau de rat de l'action neurotoxique de la MDMA (Malberg *et al.*, 1996 et références citées). Leur point commun est, semble-t-il, de produire une hypothermie chez l'animal (Dafters, 1994) et une corrélation positive a été trouvée entre le pouvoir protecteur et la capacité à diminuer la température (Farfel et Seiden, 1995). L'administration de MDMA à des températures inférieures 10° C diminue la température de l'animal de 2°C et réduit la toxicité du produit et l'inverse est observé pour des températures supérieures à 25°C. La MDMA pourrait donc altérer le système de thermorégulation et il est important d'observer que des températures corporelles supérieures à 43°C ont été observées dans les issues fatales par overdose de MDMA (Henry, 1992). C'est la raison pour laquelle on utilise le dandrolène, un composé hypothermisant qui diminue la température corporelle des patients présentant des troubles graves à la suite d'ingestion de doses très élevées de MDMA (Watson *et al.*, 1993). Chez le rat, la kétamine ou l'α-méthyl tyrosine coadministrée avec la MDMA diminue la température de l'animal et le protège de la neurotoxicité de la drogue (Malberg *et al.*, 1996). Inversement, des conditions stressantes augmentent la température du rat et potentialisent la toxicité de la MDMA (Miller *et al.*, 1994). *Le mécanisme de l'hyperthermie induite par la MDMA demeure inconnu mais il serait extrêmement important de l'étudier en détail. Les processus d'auto-oxydation sont-ils responsables de l'augmentation de température induite par la MDMA ? Par gradient transmembranaire de protons ? La réduction de la neurotoxicité par diminution du fonctionnement dopaminergique est-elle reliée à la réduction d'activité comportementale ?*

En conclusion, il apparaît que ce sont les métabolites de la MDMA et en particulier les adduits avec le glutathion formés dans le foie et plus encore ceux provenant du remplacement de GSH par la Cys dans le cerveau qui sont neurotoxiques. Vraisemblablement, ces produits ne représentent pas les espèces finales, mais suite à des étapes de cyclisation, ils établiraient *in fine* des liaisons covalentes avec des protéines essentielles de la transmission 5HT (transporteur? protéines de stockage? enzymes du métabolisme? enzyme de biosynthèse?). Très récemment, Mann *et al.*, (1997) ont montré que des souris rendues déficientes en protéine mdr 1a (multidrug-resistant) étaient plus résistantes à l'action de la MDMA, suggérant que cette protéine facilitait l'entrée dans le cerveau de MDMA. De même la neurotoxicité de la MA est fortement atténuée par délétion du gène codant pour la protéine p53 qui joue un rôle important dans la mort cellulaire (Hirata, 1997). Il reste encore beaucoup de points à élucider pour appréhender complètement le mécanisme de la neurotoxicité des amphétamines. Il s'agit d'un enjeu considérable dans une perspective de prévention si ce n'est de renversion des effets neurotoxiques de ces substances.

Lésions neuroanatomiques produites par la Met-amphétamine (MA) et la dioxyméthylène Met-amphétamine (MDMA)

Aussi bien chez le rat que chez le singe, tous les critères de neurotoxicité présentés dans un chapitre précédent sont satisfaits dans le cas des amphétamines (Willson *et al.*, 1993). On trouve, en effet, après traitements répétés à des doses il est vrai souvent élevées, une diminution du nombre de cellules dans certaines régions cérébrales, une dégénérescence neuronale visualisée par la technique au dépôt d'argent et une gliose importante révélée par l'anticorps GFAP (Commins *et al.*, 1987 ; O'Hearn *et al.*, 1988). Ce sont essentiellement les terminaisons des neurones 5HT qui sont altérées par les amphétamines. Les neurones 5HT du raphé se projettent dans pratiquement toutes les régions cérébrales. Les axones sont morphologiquement distincts et ce sont les plus fins, comportant un nombre très important de varicosités qui sont les plus sensibles aux effets des amphétamines. Les altérations induites par ces substances suivent

une progression bien précise se terminant par une dégénérescence axonale avec altération du cytosquelette
(O'Hearn *et al.*, 1988). Ce processus est plus ou moins
rapidement réversible selon les espèces (très lent chez les
primates) (Lew *et al.*, 1996). Il s'effectue par des bour-
geonnements (*sprouting*) et une lente et progressive ré-
innervation qui suit un patron similaire à celui emprunté
lors de l'ontogenèse. Il n'a pas été établi si cette ré-
innervation était fonctionnelle (Wilson *et al.*, 1993 et références citées). On peut observer également des destructions
irréversibles des corps neuronaux, ce qui différencie la
MDMA de la MA qui détruit uniquement les terminaisons.
Les voies sérotoninergiques jouent un rôle dans les processus mnésiques. Chez le rat ces voies peuvent être lésées très
fortement par administration intracérébro-ventriculaire de
5,6-diOH-tryptamine. Dans ce cas, cinq mois après le traitement, l'innervation 5HT du cortex cérébral est considérablement réduite ainsi que les taux de 5HT (70 %). Ceci conduit
à des perturbations nettes dans des tests d'alternance (Maze
en T). Dans le cas de la MDMA, on constate, une semaine
après son administration, des effets semblables à ceux produits par la 5,6-diOH tryptamine. Toutefois après cinq
mois, les effets neurotoxiques mesurés par déplétion de la
5HT se sont minimisés (-25 % de déplétion en 5HT) et aucun
effet sur la mémoire n'est observé (Ricaurte *et al.*, 1993).
Ceci est en accord avec les altérations mnésiques relativement faibles observées chez les consommateurs réguliers de
MDMA (Krystal *et al.*, 1992).

Chez l'homme, une indication supplémentaire de la
neurotoxicité de la MDMA provient d'une étude contrôlée
(vingt-quatre consommateurs fréquents de MDMA par rapport à des individus témoins du même âge et de même sexe)
démontrant une baisse dans le LCR des métabolites de la
sérotonine, en particulier le 5-HIAA (McCann *et al.*, 1994).
La diminution de ces métabolites également démontrée
chez le singe est un signe des altérations des voies séroto-

ninergiques (Ricaurte *et al.*, 1988). De ce point de vue, il faut remarquer que le dysfonctionnement des voies sérotoniner-giques est généralement mis en cause dans des affections psychiatriques très variées (dépression, suicide, compor-tements compulsifs obsessionnels, anxiété, agressivité, migraine et certaines maladies neurodégénératives).

Les effets psychiques de la MDMA ne semblent pas modifiés par l'administration d'inhibiteurs sélectifs de la recapture de 5HT tels que la fluoxetine (McCann et Ricaurte, 1993), en revanche, les effets neurotoxiques appa-raissent bloqués (Schmidt *et al.*, 1987). Ceci laisse entendre que les effets psychiques de la MDMA pourraient être disso-ciés de ses effets neurotoxiques. La même observation concernant la dissociation des effets a été faite récemment chez le rat (McCann *et al.*, 1995, 1997) avec la fenfluramine utilisée comme anorexigène. Il reste à démontrer qu'il en est de même chez l'homme.

Neurotoxicité comportementale des amphétamines

Peu de modifications comportementales apparaissent chez le rat et le singe après administration d'amphétamines ou d'inhibiteurs de la recapture de sérotonine (MA, MDMA, fluoxetine, etc.) et cela en dépit d'altérations très impor-tantes des voies DA et 5HT (Ricaurte *et al.*, 1988, 1993).

Plusieurs raisons peuvent l'expliquer. La première est que les systèmes non lésés sont suffisants pour compenser les déficits. Ainsi on observe une diminution très impor-tante des taux de DA et 5HT après administration de ces substances, mais il s'agit de taux globaux, incluant les pools intra- et extra-cellulaires. Ces derniers peuvent être nor-maux et en tout cas suffisants pour produire une activation des récepteurs post-synaptiques. Ceux-ci (ainsi que le système de transduction associé) peuvent adapter leur expression à la variation du niveau synaptique du neuromé-diateur. Le taux basal de 5HT, mesuré par microdialyse, est normal dans le cortex de rats traités par la MDMA de manière répétée et la libération induite par la stimulation électrique, non modifiée (Gartside *et al.*, 1996). La seconde raison est que les tests comportementaux utilisés chez le rat ou le singe ne sont pas suffisamment sophistiqués pour rendre compte d'altérations même importantes des systèmes catécholaminergiques dont la plasticité semble particulièrement grande. Ils ne peuvent objectiver les sensations décrites par l'homme (impression de détente, de plénitude, euphorie, augmentation de la sociabilité, facilitation des échanges, accroissement du désir, etc.) lors de la consommation de MDMA. Plusieurs tests pourraient être utilisés conjointement pour explorer les effets des amphétamines chez l'homme : 1) analyse du liquide céphalorachidien (LCR); 2) mesure des taux de prolactine dont on sait qu'ils sont contrôlés négativement par la dopamine (donc élevés si les taux en DA baissent). Ce dosage pourrait s'effectuer avant et après administration du précurseur L. dopa pour évaluer les éventuelles altérations du système de synthèse, sécrétion, recapture, etc. Ce même type de contrôle pourrait être effectué pour la 5HT (surtout dans le cas de la MDMA) avec l'ACTH et le cortisol et avec ou sans administration du précurseur L-Trp; 3) des mesures quantitatives par PET Scan de la concentration des différentes cibles de la DA et de la 5HT sont sans doute un des moyens les plus efficaces pour vérifier leurs altérations éventuelles; 4) des explorations cliniques à l'aide de tests cognitifs ou comportementaux pourraient permettre d'objectiver des modifications cérébrales générées par les amphétaminiques et difficilement mesurables autrement.

La plupart des expériences avec la MDMA ayant été réalisées chez l'animal, de nombreux arguments apparaissent contradictoires lorsque l'on évoque sa neurotoxicité. Ainsi, comme le notent McCann *et al.*, (1996), les changements comportementaux étudiés chez le rat et le singe sur des tests variés sont faibles au regard des destructions observées par les différentes techniques neuroanatomiques (Ricaurte *et al.*, 1988). Mais comme cela a déjà été souligné, ce sont seulement des destructions massives du tissu nerveux qui engendrent chez l'homme des troubles cliniques sévères observés dans les maladies neurodégénératives (Parkinson, Alzheimer, etc.). Le fait que l'on observe des altérations sur de très longues périodes (supérieures à dix-huit mois) dans le cerveau de singe (Ricaurte *et al.*, 1988 ; Insel *et al.*, 1989), après traitement avec la MDMA doit être pris comme une indication que des altérations de ce type pourraient être induites chez l'homme. La plasticité neuronale et son efficacité dans la compensation des effets neurotoxiques sont tellement remarquables que des effets délétères en termes de santé peuvent mettre des années avant d'apparaître. *Rien ne permet dans ces conditions de rejeter la possibilité de voir apparaître des maladies neurodégénératives chez les consommateurs réguliers d'ecstasy, les quantités éventuellement dangereuses n'étant pour l'instant pas évaluables.*

Très récemment une étude complète des effets de l'administration de méthamphétamine, MA, chez le singe à des doses calculées comme équivalentes à celles utilisées par l'homme a été effectuée *in vivo* par PET Scan et par analyses *post mortem* du cerveau. Chez les babouins traités, il existe une diminution importante de la densité du transporteur de la DA visualisée *in vivo* par un ligand marqué au ^{11}C et *post mortem* par un ligand tritié. De même une réduction importante en DA, 5HT et leurs métabolites est observée dans différentes structures du cerveau des babouins (Villemagne *et al.*, 1998). Il était probable que des altérations semblables seraient trouvées avec la MDMA. C'est effectivement le cas comme cela vient d'être démontré par le même groupe par PET Scan (chez le babouin traité quatre jours à raison de 5 mg/kg par voie sous-cutanée, deux fois par vingt-quatre heures et examiné treize mois après (Scheffel *et al.*, 1998).

L'argument souvent utilisé pour minimiser les effets des amphétamines est que peu d'études neuroanatomiques pratiquées sur cerveau humain *post mortem* montrent clai-

rement la présence de lésions chez les individus qui ont utilisé ces substances. Cependant la MDMA est d'utilisation
récente et pour des raisons évidentes d'éthique et des difficultés techniques, de telles études ont été difficiles à mener.
On doit souhaiter qu'elles le soient en associant neuroanatomie fonctionnelle *in vivo* (imagerie), tests neuropsychologiques, comportementaux, etc. Les difficultés rencontrées
pour objectiver les lésions dues à la MDMA par exemple
pourraient être expliquées par la remarquable plasticité du
tissu neuronal. Ainsi des résultats récents (Dai *et al.*, 1998)
démontrent que chez l'homme des neurones prélevés trois
heures après la mort manifestent à nouveau dans des conditions de culture convenables des signes de fonctionnement
(métabolisme énergétique, transport axonal). De même le
tissu cérébral de marmouset semble présenter une plasticité
remarquable et inattendue comme le montrent des expériences avec le Brd4, marqueur de division cellulaire qui
s'incorpore dans les neurones de l'hippocampe (Gould *et al.*,
1998). Cette incorporation est réduite par le stress, ce qui
pourrait expliquer la réduction du volume de l'hippocampe
constatée par IRM chez les dépressifs répétitifs et les
malades souffrant de troubles post-traumatiques. Enfin la
vulnérabilité individuelle est également un facteur dont il
faut tenir compte comme le montrent les psychoses résistantes aux neuroleptiques observées après prise d'ecstasy.
La neurotoxicité de la MDMA peut être aggravée par de
nombreux facteurs : hallucinogènes, médicaments (voir
aspirine) ou composés jouant sur le métabolisme hépatique,
température élevée, atmosphère hypoxygénée, consommation d'alcool, etc. La prudence qui doit se manifester à
l'égard de ces composés doit aussi prendre en compte les
effets neurotoxiques à long terme induits par la cocaïne qui
est également un composé agissant au niveau des terminaisons catécholaminergiques (DA et 5HT).

Deux autres substances présentent des neurotoxicités
bien établies. Il s'agit de l'alcool et de la cocaïne. Ceci sera

traité dans les chapitres correspondant à ces produits. Il en sera de même pour les médicaments détournés de leur usage.

Les quelques données évoquant une neurotoxicité des opioïdes seront discutées dans le chapitre consacré à ces composés.

Les risques de neurotoxicité pour le fœtus et l'enfant font l'objet d'un chapitre particulier.

Conclusions

Les mécanismes moléculaires de la neurotoxicité de la MDMA sont encore inconnus. Toutefois, les résultats obtenus chez le singe incitent à la prudence.

Rien ne prouve que les altérations provoquées par ce produit dans le SNC soient également présentes chez l'homme bien que les résultats des études de neuro-imagerie favorisent cette hypothèse.

Les effets aigus de la MDMA ressemblent à ceux des amphétaminiques (voir chapitre sur l'ecstasy). Les complications cliniques sont essentiellement dues à des effets cardiovasculaires en relation avec des susceptibilités individuelles et les conditions d'utilisation du produit. Les décès observés pour des consommateurs occasionnels sont rarement associés directement à l'ecstasy mais plus à une polyconsommation. Cependant, l'hypertension fugace et les phénomènes inflammatoires vasculaires dus au produit peuvent devenir des facteurs de risque importants lorsqu'ils s'associent avec une activité physique très intense et une déshydratation chez les sujets prédisposés aux accidents vasculaires cérébraux.

La neurotoxicité pourrait être plus grave chez le consommateur régulier. On note en effet dans ce cas des troubles psychiatriques graves, pas systématiquement liés à des prédispositions génétiques ou acquises.

Les effets d'anxiété, d'agressivité, les pertes de mémoire, les états dépressifs, etc., rapportés par de nombreux consommateurs sont des signes d'une possible atteinte, au moins temporaire, du système sérotoninergique.

Enfin rien ne permet actuellement de rejeter (ni d'accréditer) l'hypothèse que les administrations répétées de MDMA induisent des altérations irréversibles dont le caractère pathologique ne se révélerait que dans plusieurs années.

Recommandations

• Il serait urgent d'étudier le métabolisme de la MDMA chez l'homme de manière à vérifier que les métabolites formés (identiques ou différents de ceux trouvés chez le singe) sont neurotoxiques chez les primates. C'est, en effet, très certainement des différences de métabolisme qui justifient la plus grande neurotoxicité à long terme observée chez le singe par rapport aux rongeurs.

Plusieurs méthodes peuvent être utilisées (hépatocytes humains en culture, caractérisation des métabolites dans le plasma, etc.). Des études expérimentales, à l'aide de molécules marquées, seraient d'un grand secours (voir problèmes législatifs discutés dans les conclusions générales).

• Il est également nécessaire que des travaux (chimie, biochimie, neuroanatomie) soient menés pour appréhender exactement le mécanisme de la neurotoxicité de la MDMA (fixation covalente sur des protéines ? destruction des transporteurs du 5HT ? agrégation, etc.).

L'utilisation de ligands et protéines marquées, le recours aux techniques de spectrométrie de masse, biologie moléculaire avec protéines mutées, fluorescentes, etc., devraient faciliter un tel programme extrêmement important. Il serait souhaitable de le mener à bien chez le primate.

• Des travaux d'anatomie pathologique devraient être entrepris lorsque cela est possible, sur le cerveau humain *post mortem* (accidents mortels) pour tenter de mettre en évidence directement les altérations causées par la MDMA.

• Il est souhaitable que des études cliniques soient mises en œuvre sur des mono-consommateurs avec contrôle plasmatique de la MDMA et de ses métabolites, mesure des métabolites des voies DA et 5HT, tests psychologiques, neurosensoriels, etc. Le cadre législatif doit être adapté à de telles études.

• Il serait important que des études quantitatives par PET Scan soient effectuées pour déterminer sur plusieurs années chez des mono-consommateurs (occasionnels et réguliers) l'éventuelle variation dans la densité des marqueurs, en particulier présynaptiques, de la transmission sérotoninergique et dopaminergique.

• Des travaux pourraient être menés pour vérifier la protection des effets de la MDMA par différents composés utilisables en clinique humaine et donc le plus possible dépourvus d'effets propres. Là encore les études sur le primate sont préférables.

• Des études épidémiologiques pourraient être mises en place pour étudier l'évolution de la santé des consommateurs de MDMA, dans la mesure où ils sont souvent mono-consommateurs et ne pratiquent que durant un temps court. Les risques de déclenchement de maladies neurodégénératives pourraient être cernés à cette occasion.

• Il est urgent que des indications précises soient données pour minimiser autant que faire se peut les accidents dus aux conditions (raves) d'utilisation de la MDMA.

– Stopper l'activité physique en cas d'augmentation importante de température.

– Boire suffisamment d'eau et surtout le moins possible d'alcool (métabolisation accélérée possible de la MDMA, facilitation du passage de la BHE, etc.).

– Éviter la prise d'aspirine et surtout d'IMAO avant les « raves ».

– Ne pas utiliser d'autres drogues, en particulier les hallucinogènes.

• Quelques accidents de circulation ont été attribués à la MDMA, dont le rôle reste à établir car des polyconsommations ont été notées dans presque tous les cas. Néanmoins, il est prudent d'éviter la conduite d'un véhicule dans les deux-trois heures qui suivent la consommation d'ecstasy.

• La toxicité générale et la neurotoxicité de la MDMA sont potentialisées par des additifs (hallucinogènes en particulier). Il est urgent que soient mis en place des « contrôles de qualité » effectués actuellement « sur place » dans un but humanitaire de respect de la santé publique par diverses associations (Médecins du monde par exemple), mais dans des conditions illégales et techniquement difficiles. La responsabilité médicale se trouve dans ce cas engagée au-delà de ce qui lui revient.

• *En dépit de la suspicion justifiée par les études sur les primates de neurotoxicité à long terme qui entoure la MDMA, il n'est pas souhaitable de surenchérir sur les risques « tragiques » de sa consommation occasionnelle. Il est par contre urgent que des campagnes d'information claires soient mises en place pour montrer « simplement et scientifiquement » les risques encourus par les consommateurs excessifs et réguliers. Le sentiment d'immortalité est un privilège de la jeunesse et le risque mortel « retardé », éventuellement causé par une atteinte irréversible du cerveau, n'est pas de nature à la sensibiliser. Par contre, la consommation d'ecstasy se conjugue assez mal avec la recherche d'authenticité, de liberté et de convivialité qui préside à l'organisation des « raves ». C'est cette notion contradictoire d'artifice qui devrait être mise en avant comme moyen de dissuasion. (Il semble, du reste, que l'ecstasy soit utilisée dans les pratiques de « soumission » – source G. Lagier.)*

• Le profil pharmacologique de la MDMA est intéressant sur le plan thérapeutique (Grob, 1998). La mise au point de molécules possédant un tel profil mais évidemment dénuées des effets toxiques de l'ecstasy pourrait s'avérer intéressante. Les études menées sur la MDMA pourraient faciliter dans le futur une telle éventualité.

DA

5 HT

MDMA

MDA

αMeDA

MA

THA

THM

$R_1 = H$, $R_2 = -SCH_2 - CH - CONH - CH_2 - COOH$
$NH - COCH_2 - CH_2 - CH - COOH$
NH_2

5 - (glutathion - S - yl) - α MeDA

$R_1 = R_2 = -SCH_2 - CH - CONH - CH_2 - COOH$
$NH - COCH_2 - CH_2 - CH - COOH$
NH_2

2,5 - (bis - glutathion - S - yl) - α MeDA

$R_1 = R_2 = -SCH_2 - CH - COOH$
NH_2

2,5 - (bis - cysteinyl - S - yl) - α MeDA

Références bibliographiques

Bakhit C., Morgan M.E., Peat M.A., Gibb J.W. (1981), « Long-term effects of methamphetamine on synthesis and metabolism of 5-hydroxy-tryptamine in various regions of the rat brain », *Neuropharmacology* 20, 1135-1140.

Cadet J.L., Ladenheim B., Hirata H., Rothamn R.B., Ali S., Carlson E., Epstein C., Moran T.H. (1995), « Superoxide radicals mediate the biochemical effects of methylenedioxymethamphetamine (MDMA) : Evidence using CuZn-superoxide dismutase transgenic mice », *Synapse* 21, 169-174.

Colado M.I., Green A.R. (1995), « The spin trap reagent α-phenyl-N-tert-butyl nitrone prevents " Ecstasy " – induced neuronegeneration of 5-hydroxytryptamine neurons », *Eur. J. Pharmacol.* 280, 343-346.

Commins D.L., Vosmer G., Virus R.M., Woolverton W., Schuster E.R., Seiden L.S. (1987), « Biochemical and histological evidence that methylenedioxymethamphetamine (MDMA) is toxic to neurons in the rat brain », *J. Pharmacol. Exp. Ther.* 241, 338-345.

Dafters R.L. (1994), « Effect of ambient temperature on hyperthermia and hyperkinesis induced by 3,4-methylenedioxymethamphetamine (MDMA or " ecstasy ") in rats », *Psychopharmacology* 114, 505-508.

Dai J., Swaab D.F., Buijs R.M. (1998), « Recovery of axonal transport in " dead neurons " », *Lancet* 351, 499-500.

Erinoff L. (1993), « Assessing neurotoxicity of drugs of abuse », *NIDA Res. Monogr.* 136.

Elayan I., Gibb J.W., Hanson G.R., Foltz R.L., Lim H.K., Johnson M. (1992), « Long term alteration in the central monoaminergic systems of the rat by 2,4,5-trihydroxyamphetamine or 2-hydroxy-4,5-methylenedioxymetamphetamine or 2-hydroxy-4,5-methylenedioxyamphetamine », *Eur. J. Pharmacol.* 221, 281-288.

Farfel G.M., Seiden L.S. (1995), « Role of hypothermia in the mechanism of protection against serotoninergic toxicity. I. Experiments using 3,4-methylenedioxymethamphetamine, dizocilpine, CGS 19755 and NBQX », *J. Pharmacol. Exp. Ther.* 272, 860-867.

FORNSTEDT B., ROSENGREN E., CARLSSON A. (1986), « Occurrence and distribution of 5-S-cysteinyl derivatives of dopamine, DOPA and DOPAC in the brains of eight mammalian species », *Neuropharmacology* 25, 451-454.

FORNSTEDT B., BRUN A., ROSENGREN E., CARLSSON A. (1989), « The apparent autoxidation rate of catechols in dopamine-rich regions of human brains increases with the degree of depigmentation of substantia nigra », *J. Neural. Trans.* 1, 279-295.

GARTSIDE S.E., McQUADE R., SHARP T. (1996), « Effects of repeated administration of 3,4-methylenedioxymethamphetamine on 5-hydroxytryptamine neuronal activity and release in the rat brain in vivo », *J. Pharmacol. Exp. Ther.* 279, 277-283.

GIBB J.W., JOHNSON M., ELAYAN I., LIM H.K., MATSUDA L., HANSON G.R. (1997), « Neurotoxicity of amphetamines and their metabolites », *NIDA Res. Monogr.* 175, 128-145.

GROB C.S., POLAND R.E. (1998), « 24 NMDA », *in Substance Abuse : A Comprehensive Textbook*, 3ᵉ éd., LOWINSON J.H., RUIZ P., MILLMAN R.B., LANGROD J.G. (éds), Williams Wilkins, Baltimore, 1997, 269-275.

GOULD E., TANAPAT P., McEWEN B.S., FLÜGGE G. and FUCHS E. (1998), « Proliferation of granule cell. precursors in the dentate gyrus of adult monkeys is diminished by stress », *Proc. Natl. Acad. Sci. USA*, 95, 3168-3171.

GUDELSKY G.A., YAMAMOTO B.K., NASH J.F. (1994), « Potentiation of 3,4-methylenedioxymethamphetamine-induced dopamine relase and serotonin neurotoxicity by 5-HT2 receptor agonists », *Eur. J. Pharmacol.* 264, 325-330.

HENRY J.A. (1992), « Toxicity and deaths from 3,4-methylenedioxymethamphetamine (" ecstasy ") », *Lancet* 340, 384-387.

HIRATA H., LADENHEIM B., CARLSON E., EPSTEIN C., CADET J.L. (1996), « Autoradiographic evidence for methamphetamine-induced striatal dopaminergic loss in mouse brain : Attenuation in CuZn-superoxide dismutase transgenic mice », *Brain Res.* 714, 95-103.

HIRATA H. and CADET J.L. (1997) « p. 53. Knockout mice ave protected against the long-term effects of methamphetamine or dopaminergic terminals and cells bodies », *J. Neurochem,* 69, 780-790.

HUDNELL H.K., BOYES W.K. (1991), « The comparability of rat and human visual-evoked potentials », *Neurosci. Biobehav. Rev.* 15, 159-164.

INSEL T., BATTAGLIA G., JOHANNESSEN, J. JOHANNESSEN J.N., MARRA S.,

DE SOUZA, E.B. (1989), « 3,4-methylenedioxymethamphetamine (" ecstasy ") selectively destroys brain serotonin terminals in rhesus monkeys », *J. Pharmacol. Exp. Ther.* 249, 713-720.

KRYSTAL J.H., PRICE L.H., OPSAHL C., RICAURTE G.A., HENINGER G.R. (1992), « Chronic 3,4-methylenedioxymethamphetamine (MDMA) use : effects on mood and neuropsychological function ? », *Am. J. Drug Alcohol Abuse* 18, 331-341.

LAFON-CAZAL M., PIÉTRI S., CUCCASI M., BOCKAERT J. (1993), « NMDA-dependent superoxyde production and neurotoxicity », *Nature* 364, 535-537.

LEW R., SABOL K.E., CHOU C., VOSMER G.L., ROCHARDS J., SEIDEN L.S. (1996), « Methylenedioxymethamphetamine-induced serotonin deficits are followed by partial recovery over a 52-week period. Part II : Radioligand binding and autoradiography studies », *J. Pharmacol. Exp. Ther.* 276, 855-865.

MALBERG J.E., SABOT K.E., SEIDEN L.S. (1996), « Co-administration of MDMA with drugs that protect against MDMA neurotoxicity produces different effects on body temperature in the rat », *J. Pharmacol. Exp. Ther.* 278, 258-267.

MANN H., LADENHEIM B., HIRATA H., MORAN T.H., CADET J.L. (1997), « Differential toxic effects of methamphetamine (METH) and methylenedioxymethamphetamine (MDMA) in multidrug-resistant (mdr1a) knockout mice », *Brain Res.* 769, 340-346.

MATSUDA L.A., HANSON G.R., GIBB J.W. (1989), « Neurochemical effects of amphetamine metabolites on central dopaminergic and serotonergic systems », *J. Pharmacol. Exp. Ther.* 251, 901-908.

MCCANN U.D., RICAURTE G.A. (1993), « Subjective and neurotoxic effects of (±3,4)-methylenedioxymethamphetamine (MDMA, "ecstasy") are separable : Clinical evidence », *J. Clin. Psychopharmacol.* 13, 214-217.

MCCANN U.D., RIDENOUR A., SHAHAM Y., RICAURTE G.A. (1994), « Serotonin neurotoxicity after (±) 3,4-methylenedioxymethamphetamine (MDMA, "ecstasy") : A controlled study in humans », *Neuropsychopharmacology* 10, 1239-1338.

MCCANN U.D., SLATE S.O., RICAURTE G.A. (1996), « Adverse reactions with 3,4-methylenedioxymethamphetamine (MDMA, "ecstasy") », *Drug Safety* 15, 107-115.

MCCANN U.D., Yuan J., RICAURTE G.A. (1995), « Fenfluramine's appetite suppression and serotonin neurotoxicity are separable », *Eur. J. Pharmacol.* 283, R5-R7.

MCCANN U.D., YUAN J., HATZIDIMITRIOU G., RICAURTE G.A. (1997), « Selective serotonin reuptake inhibitors dissociate fenfluramine's anorectic and neurotoxic effects : Importance of dose, species and drug », *J. Pharmacol. Exp. Ther.* 281, 1487-1498.

MIDHA K.K., HUBBARD J.W., BAILEY K., COOPER J.K. (1978), « α-methyldopamine, a key intermediate in the metabolic disposition of 3,4-methylenedioxymethamphetamine *in vivo* in dog and monkey », *Drug Metab. Dispos.* 6, 623-630.

MILLER D.B., O'CALLAGHAN J.P. (1994), « Environment-, drug- and stress-induced alterations in body temperature affect the neurotoxicity of substituted amphetamines in the C57/BL/6J mouse », *J. Pharmacol. Exp. Ther.* 270, 752-760.

MILLER R.T., LAU S.S., MONKS T.J. (1997), « 2,5-bis-(glutathio-S-yl)-α-methyldopamine, a putative metabolite of (±)-3,4-methylenedioxymethamphetamine, decreases brain serotonin concentrations », *Eur. J. Pharmacol.* 323, 173-180.

MILLER R.T., LAU S.S., MONKS T.J. (1996), « Effects of intracerebroventricular administration of 5-(glutathion-S-yl)-α-methyldopamine on brain dopamine, serotonin, and norepinephrine concentrations in Male Sprague-Dawley rats », *Chem. Res. Toxicol.* 9, 457-465.

MOLLER A., STRANGE P., GUNDERSEN H.J.G. (1989), « Efficient estimation of cell volume and number using the nucleator and the dissector », *J. Microsc.* 159, 61-71.

MOLLIVER M.E., O'HEARN E., BATTAGLIA G., DE SOUZA E.B. (1986), « Direct intracerebral administration of MDA and MDMA does not produce serotonin neurotoxicity », *Soc. Neurosci. Abstr.* 12, 1234.

NASH J.F., BRODKIN J. (1991), « Microdialysis studies on 3,4-methylenedioxymethamphetamine induced dopamine release : Effect of dopamine uptake inhibitors », *J. Pharmacol. Exp. Ther.* 259, 820-831.

O'CALLAGHAN J.P., JENSEN K.F. (1992), « Enhanced expression of glial fibrially acidic protein and the cupric silver degeneration reaction can be used as sensitive and early indicators of neurotoxicity », *Neurotoxicity* 13, 113-122.

O'HEARN E., BATTAGLIA G., DE SOUZA E.B., KUHAR M.J., MOLLIVER M.E. (1988), « Methylenedioxyamphetamine (MDA) and methylenedioxymethamphetamine (MDMA) cause selective ablation of serotonergic axon terminals in forebrain : immunocytochemical evidence for neurotoxicity », *J. Neurosci* 8, 2788-2794.

OBRADOVIC T., IMEL K.M., WHITE S.R. (1996), « Methylenedioxymethamphetamine-induced inhibition of neuronal firing in the nucleus accumbens is mediated by both serotonin and dopamine », *Neuroscience* 74, 469-481.

RICAURTE G.A., McCANN U.D. (1992), « Neurotoxic amphetamine analogues : Effects in monkeys and implications for humans », *Ann. N.Y. Acad. Sci.* 648, 371-382.

RICAURTE G.A., BRYAN G., STRAUSS L., SEIDEN L., SCHUSTER C. (1985), « Hallucinogenic amphetamine selectively destroys brain serotonin nerve terminals », *Science* 229, 986-988.

RICAURTE G.A., FORNO L.S., WILSON M.A., DELANNEY L.E., IRWIN I., MOLLIVER M.E., LAUGSTON J.W. (1988), « (+)3,4-methylenedioxymethamphetamine (MDMA) selectively damaged central serotonergic neurons in non human primates », *JAMA* 260, 51-55.

RICAURTE G.A., MARTELLO A.L., KATZ J.L., MARTELLO M.B. (1992), « Lasting effects of 3,4-methylenedioxymethamphetamine (MDMA) on central serotonergic neurons in nonhuman primates : Neurochemical observations », *J. Pharmacol. Exp. Ther.* 261, 616-622.

RICAURTE G.A., MARTTKOWSKA A.L., WENK G.L., HATZIDIMITROU G., WLOS J., OLTON D.S. (1993), « 3,4-methylenedioxymethamphetamine, serotonin and memory », *J. Pharmacol. Exp. Ther.* 266, 1097-1105.

ROMANO A.G., DU W., HARVEY J.A. (1994), « Methylenedioxyamphetamine : A selective effect on cortical content and turnover of 5HT », *Pharmacol. Biochem. Behav.* 49, 599-607.

SCHEFFEL U., SZABO Z., MATHEWS W.B., FINLEY P.A., DANNALS R.F., RAVERT H.T., SZABO K., YAN J., RICAURTE G.A. (1998), « *In vivo* detection of short- and long-term MDMA neurotoxicity. A positron emission tomography study in the living baboon brain », *Synapse* 29, 183-192.

SCHMIDT D.J., TAYLOR V.L. (1987), « Depression of rat brain tryptophan hydroxylase activity following the acute administration of methylenedioxymethamphetamine », *Biochem. Pharmacol.* 36, 4012-4095.

SCHMIDT C.J., LEVIN J.A., LOVENBERG W. (1987), « *In vitro* and *in vivo* neurochemical effects of methylenedioxymethamphetamine on striatal monoamine systems in the rat brain », *Biochem. Pharmacol.* 36, 747-755.

SCHMIDT C.J., SULLIVAN C.K., FADAYEL G.M. (1994), « Blockade of striatal 5-hydroxytryptamine2 receptors reduces the increase in extracellular concentrations of dopamine produced by the amphetamine analogue 3,4-methylenedioxymethamphetamine », *J. Neurochem.* 62, 1382-1389.

SPARAGO M., WLOS J., YUAN J., HATZIDIMITRIOU G., TOLLIVER J., DAL CASON T.A., KATZ J., RICAURTE G. (1996), « Neurotoxic and pharmacologic studies on enantiomers of the N-methylated analog of cathinone (methcathinone) : A new drug of abuse », *J. Pharmacol. Exp. Ther.* 279, 1043-1052.

SPRAGUE J.E., NICHOLS D.E. (1995), « The monoamine oxidase-B inhibitor L-deprenyl protects against 3,4-methylenedioxymethamphetamine-induced lipid peroxidation and long-term serotonergic deficits », *J. Pharmacol. Exp. Ther.* 273, 667-673.

STONE D.M., JOHNSON M., HANSON G.R., GIBB J.W. (1988), « Role of endogenous dopamine in the central serotonergic deficits induced by 3,4-methylenedioxymethamphetamine », *J. Pharmacol. Exp. Ther.* 247, 79-87.

STONE D.M., JOHNSON M., HANSON G.R., GIBB J.W. (1989), « Acute inactivation of tryptophan hydroxylase by amphetamine analogs involves the oxidation of sulfhydryl sites », *Eur. J. Pharmacol.* 172, 93-97.

SWITZER R.C. III (1991), « Strategies for assessing neurotoxicity », *Neurosci. Biobehav. Rev.* 15, 89-93.

TAYLOR R. (1991), « A lot of " excitement " about neurodegeneration », *Science* 252, 1380-1381.

VILLEMAGNE V., YUAN J., WONG D.F., DANNALS R.F., HATZIDIMITRIOU G., MATHEWS W.B., RAVERT H.T., MUSACHIO J., McCANN U.D., Ricaurte G.A. (1998), « Brain dopamine neurotoxicity in baboons treated with doses of methamphetamine comparable to those recreationally abused by humans : Evidence from [^{11}C]WIN-35,428 positron emission tomography studies and direct *in vitro* determinations », *J. Neurosci.* 18, 419-427.

WATSON J.D., FERGUSON C., HINDS C.J., SKINNER R., COAKLEY J.H. (1993), « Exertional heat stroke induced by amphetamine analogues », *Anaesthesia* 4, 1057-1060.

WHITE S.R., DUFFY P., KALIVAS P.W. (1994), « Methylenedioxymethamphetamine depresses glutamate-evoked neuronal firing and increases extracellular levels of dopamine and serotonin in the nucleus accumbens *in vitro* », *Neuroscience* 62, 41-50.

WILSON M.A., MAMOUNAS L.A., FASMAN K.H., AXT K.J., MOLLIVER M.E. (1993), « Reactions of 5HT neurons to drugs of abuse : Neurotoxicity and plasticity », *NIDA Res. Monogr.* 136, 155-187.

WINSTOCK A.R. (1991), « Chronic paranoid psychosis after minuse of MDMA », *Br. Med. J.* 302, 1150-1151.

WOOLVERTON W.L., RICAURTE G.A., FORNO L.S., SEIDEN L.S. (1989), « Long-term effects of chronic methamphetamine administration in rhesus monkeys », *Brain Res.* 486, 73-78.

WRONA M.Z., YANG Z., ZHANG F., DRYHURST G. (1997), « Potential new insights into the molecular mechanisms of methamphetamine-induced neurodegeneration », *NIDA Res. Monogr.* 175, 146-174.

YAMAMOTO B.K., SPANOS L.J. (1988), « The acute effects of methylene-dioxymethamphetamine on dopamine release in the awake behaving rat », *Eur. J. Pharmacol.* 148, 195-203.

YEH S.Y. (1997), « Effects of salicylate on 3,4-methylenedioxyme-thamphetamine (MDMA)-induced neurotoxicity in rats », *Pharmacol. Biochem. Behav.* 58, 701-708.

CHAPITRE 4

USAGE DE SUBSTANCES PSYCHOACTIVES ET TROUBLES PSYCHIQUES

1. Complexité des addictions et comorbidité

LES ADDICTIONS AU SENS LARGE

Même en se cantonnant au champ de la psychiatrie, du comportement, ou de la psychopathologie, la notion de dangerosité différentielle des substances psychoactives se révèle vite très complexe : il sera difficile de classer sur un axe unique des dangers d'ordre très divers, correspondant à différents angles d'abord d'une problématique multivariée. De façon générale, tout abord des addictions doit commencer par prendre acte des diverses dimensions du phénomène, résumées pour les toxicomanies par C. Olievenstein comme « la rencontre entre une personnalité, un produit, et un moment socioculturel ». Aucun de ces éléments ne doit être éludé pour une appréhension globale du phénomène, et il est évident qu'aucun spécialiste ne peut totalement maîtriser les disciplines concernées par une aussi vaste problématique. L'extension actuelle du terme « addiction » à des conduites diverses, souligne plus encore cette difficulté. Le regroupement en un vaste ensemble d'entités diverses sous ce terme générique est en effet de moins en moins discuté (Goodman, 1990 ; Peele et Brodsky, 1975). Il existe en effet des arguments très forts en faveur de l'adoption de la notion d'addictions au sens large, où se regroupent les toxicomanies, l'alcoolisme, le tabagisme, le jeu pathologique, voire les troubles des conduites alimentaires, les conduites sexuelles ou les relations amoureuses « aliénantes ».

– Tout d'abord la parenté entre les divers troubles qui s'y trouvent regroupés, et qui sont définis par la répétition d'une conduite supposée par le sujet prévisible, maîtrisable, s'opposant à l'incertitude des rapports de désir, ou simplement existentiels, interhumains.

– Ensuite, l'importance des « recoupements » (*overlaps*) entre les diverses addictions (nous avons vu la fréquence de l'alcoolisme, du tabagisme, des toxicomanies, voire des troubles de conduites alimentaires, chez les joueurs pathologiques).

– Aussi, la fréquence régulièrement notée de passages d'une addiction à une autre, un toxicomane pouvant par exemple devenir alcoolique, puis joueur, puis acheteur compulsif...

– Enfin, les propositions thérapeutiques. Particulièrement importante est ici l'existence des groupes d'entraide, basés sur les « traitements en douze étapes », de type Alcooliques anonymes. Ce sont en effet exactement les mêmes principes de traitements de conversion et de rédemption morale qui sont proposés aux alcooliques, aux toxicomanes, aux joueurs, et acceptés par nombre d'entre eux.

Dans le cas des « addictions comportementales » ou des « toxicomanies sans drogues », nous avons toutefois à faire une place à ce qui est l'équivalent de la drogue dans la toxicomanie. Ceci à deux niveaux : l'effet, l'éprouvé particulier qui est au centre de la conduite addictive (lié à des modifications neurobiologiques, même en l'absence de « drogue » extérieure), et d'autre part le sens, la place du « produit » dans l'histoire du sujet. Ainsi convient-il de garder à l'esprit le fait que les sciences de la vie n'éclaireront qu'un angle de la problématique de la dangerosité des substances, qui concerne aussi les sciences humaines et sociales.

LA COMORBIDITÉ PSYCHIATRIQUE

La notion, très répandue en Amérique du Nord, de comorbidité vient sans doute du constat que, même si l'on emploie en première intention une classification basée sur les substances, dans le cadre d'une idéologie de traitement de maladies, les problèmes « résiduels », non résolus par l'abstinence ou la substitution, bref ceux qui dépassent la simple dépendance, resurgissent. Le toxicomane devient alors aussi alcoolique, schizophrène, déprimé, etc. Dans l'opération, la toxicomanie se retrouve en quelque sorte clivée des autres problématiques, maladie à part, non repliée comme un symptôme sur un sujet, découpé de façon à la fois médicale et comportementale.

Les tenants de la comorbidité abordent les liens entre troubles de la personnalité et dépendance selon trois schémas différents :

– Troubles induits ou aggravés par l'usage.
– Troubles précédant, et déterminant l'usage.
– Troubles coexistant à l'usage, sans lien de causalité entre les deux ordres de phénomènes (autre qu'une possible causalité commune).

Selon les nombreuses études (Provost et Mercier, 1993) en la matière, il apparaît que la toxicomanie « pure » est plus l'exception que la règle. La dépression, les troubles anxieux, les troubles de conduite de type antisocial, les troubles psychotiques, sont beaucoup plus fréquents chez les toxicomanes que dans le reste de la population. De plus les addictions sont souvent multiples (drogues, alcool, tabac, jeu pathologique...). Mais le plus souvent, il n'est pas possible d'imputer purement et simplement ces troubles à l'effet d'une substance : par exemple, la prise de substance, voire la dépendance, peuvent à la fois avoir été tentative d'automédication d'une dépression, et secondairement aggraver les troubles initiaux. En prônant l'emploi de l'IGT/

ASI (Bergeron, 1992), nos collègues américains ou cana-
diens ont pensé tenir compte de la complexité de la toxi-
comanie, comme de l'inadéquation des tests ou échelles
préexistants : les sept axes de l'IGT devaient explorer les
divers aspects du problème, tout en tenant compte de la
diversité des cas. Les sept axes sont :
 – Drogues.
 – Alcool.
 – État médical.
 – Relations familiales/sociales.
 – État psychologique.
 – Emploi/ressources.
 – Situation légale.

Cette intrication des problématiques va se retrouver
tant dans l'interface usage de substances/troubles mentaux,
que dans celle de l'usage avec la délinquance (voir en
annexe : toxicomanie et délinquance).

Le DSM IV, manuel diagnostique et statistique des
troubles mentaux (American Psychiatric Association) présente un tableau complet des troubles psychiques liés à l'utilisation de substances psychoactives. Ce manuel, à visée de
standardisation des diagnostics, aux fins d'études épidémiologiques, est basé sur les données scientifiques qui font
consensus dans la psychiatrie nord-américaine. Dans sa
quatrième édition (1995, trad. 1996), sont indiquées les
éventuelles différences avec la CIM 10 (Classification internationale des maladies, 1992, trad. 1993). Les usages de
drogues, licites ou non, et leurs conséquences, sont
variables selon les milieux et les cultures. Le DSM tente de
prendre en compte ces données, en indiquant les variations
selon âge, sexe, culture. Mais il se réfère au monde nord-
américain, et les données épidémiologiques qui y sont présentées doivent évidemment être modulées par les données
dont nous pouvons disposer en France (voir publications de
l'Office français des drogues et des toxicomanies [OFDT]).

TROUBLES LIÉS À UNE SUBSTANCE

Le DSM divise ces troubles en deux grandes catégories. Les troubles liés à l'utilisation d'une substance : dépendance et abus ; et les troubles induits par une substance (*onze items : intoxication, sevrage, delirium par intoxication, delirium de sevrage, démence, trouble amnésique, troubles psychotiques, troubles de l'humeur, troubles anxieux, dysfonctions sexuelles, troubles du sommeil*). Onze groupes de substances sont individualisés, dont, un peu curieusement, la phéncyclidine (et non l'ecstasy, par exemple). Le tableau synthétique à la fin du chapitre montre l'intérêt et les limites de cette approche :

Il apparaît immédiatement que deux catégories de substances sont susceptibles d'induire tous les troubles recensés : ce sont l'alcool et les sédatifs (hypnotiques ou anxiolytiques).

À l'opposé, la nicotine n'entraîne que dépendance et sevrage, sans complications psychiatriques.

Mais ce tableau ne se suffit pas en lui-même : ainsi, la seule différence qui y apparaît entre le cannabis et la phéncyclidine serait, pour cette dernière substance, la présence de troubles de l'humeur. Or il s'agit de psychotropes très différents, et les données présentées doivent donc être approfondies.

DÉPENDANCE À UNE SUBSTANCE, ABUS D'UNE SUBSTANCE

L'abus de substance ne constitue pas réellement une entité morbide : c'est la prise en acte du fait que des usages problématiques existent, sans que les critères de dépendance soient réunis. L'une des complications de l'abus est le passage à la dépendance.

L'existence même de la notion d'usage abusif implique

l'existence de modes d'usage peu ou non problématiques. Le fait que l'abus concerne l'ensemble des substances psycho-actives, et non seulement les médicaments ou les drogues légales (alcool), montre que les psychiatres admettent l'existence, pour les substances illicites, d'usages récréatifs, occasionnels, modérés ou réguliers, qui ne sont pas pathologiques. Notons que le terme « dépendance » retenu ne correspond pas simplement à la tolérance, ou à l'existence d'un syndrome de sevrage. Désignant un « usage compulsif », il est plus l'équivalent de notre classique « toxicomanie », ou du terme actuel d'« addiction » au sens large. Contrairement aux critères d'abus (voir plus loin), les critères de la dépendance tiennent en effet compte d'un élément primordial : le sentiment de perte de contrôle, l'aliénation subjective, qui donnent au sujet la conviction d'être aux prises avec un processus qui échappe à sa volonté. Les items 3 et 4 sont une manière d'objectiver ce facteur essentiel dans une approche clinique intersubjective. De même, 5, 6, et aussi 7 montrent que cette dépendance devient envahissement, au détriment des investissements affectifs ou sociaux. La « drogue » n'est pas seulement devenue un besoin, mais le centre de l'existence du sujet. Peuvent donc se retrouver, quant à la dépendance, tous les débats qui agitent depuis des années les divers intervenants en matière de toxicomanies.

Les études, selon les disciplines concernées, vont porter sur les versants psychologiques ou sociaux des addictions, ou sur les mécanismes neurobiologiques des dépendances. L'accent mis de plus en plus sur les « addictions comportementales » ou les « toxicomanies sans drogue », n'invalide pas les avancées des recherches neurobiologiques. Si la toxicomanie ne peut simplement être conçue comme « maladie du cerveau », les addictions – même sans drogue – comportent une dimension de déséquilibre au niveau du SNC, dérégulation des systèmes de « récompense »... La question pour nous particulièrement importante est donc celle du caractère plus ou moins addictif de certaines substances.

La dépendance ainsi définie est en effet, en soi, un facteur majeur de dangerosité :

– D'une part, le fait que la conduite addictive envahisse l'univers du sujet va entraîner des conséquences néfastes pour sa santé : l'usage répété va augmenter les probabilités d'apparition de la plupart des autres troubles liés, eux, aux effets des substances. Indirectement, la diminution du souci pour son corps et sa santé est facteur de risque (comme le souligne l'item 7 du DSM), même si, bien sûr, les stratégies de réduction des risques démontrent qu'une dépendance sévère peut laisser place à une discrimination des niveaux de risques chez les personnes concernées.

– D'autre part, le retentissement social est aussi important, les obligations sociales passant en quelque sorte derrière l'enfermement dans la conduite addictive.

Les questions de la violence et de la délinquance sont particulièrement complexes (voir annexe), mais globalement le lien avec la dépendance est admis.

– La caféine est le seul produit cité qui ne donnerait pas lieu à dépendance.

– La nicotine donne lieu à dépendance, mais les dangers sont ici d'un autre ordre que psychiatrique.

– L'alcool donne fréquemment lieu à dépendance ou à abus, même si les complications graves du sevrage (delirium, convulsions type grand mal) sont relativement rares (5 % des dépendants).

– Les sédatifs donnent lieu à dépendance, tolérance, etc. Leur association à l'alcool est fréquente.

– Les opiacés sont l'exemple de substances très addictives, avec tolérance, dépendance physique rapide... Notons toutefois que cette dépendance physique n'est pas le facteur primordial de dangerosité : d'une part, les sujets « simplement » dépendants (après traitement de la douleur par exemple) « décrochent » facilement. D'autre part, il est admis qu'un traitement au long cours par des agonistes opiacés (substitution) donne de bons résultats, tout en maintenant la dépendance physique...

– Les amphétamines, la cocaïne, donnent lieu à des formes particulières de dépendance, dans lesquelles le « craving » (pulsion à reprendre la drogue) est particulièrement net.

– Le DSM admet la dépendance au cannabis, mais il faut noter que les études épidémiologiques tendent systématiquement à montrer qu'il s'agit d'une drogue nettement moins « toxicomanogène » que les autres groupes : en France, par exemple, il existe une très forte discordance entre les chiffres provenant des services de police, et ceux des centres de soins spécialisés pour toxicomanes :

• 55 % des toxicomanes ayant recours au système de soins spécialisé prennent principalement de l'héroïne, 19 % du cannabis.

• 62 % des interpellations concernent des usagers de cannabis, 33 % des usagers d'héroïne (OFDT, 1996).

INTOXICATION À UNE SUBSTANCE

Les critères généraux du DSM sont :

– Développement d'un syndrome réversible, spécifique d'une substance, dû à l'ingestion récente de (ou à l'exposition à) cette substance. Des substances différentes peuvent produire des syndromes similaires ou identiques.

– Changements comportementaux ou psychologiques, inadaptés, cliniquement significatifs, dus aux effets de la substance sur le système nerveux central (par exemple : agressivité, labilité de l'humeur, altérations cognitives, altération du jugement, altération du fonctionnement social ou professionnel) qui se développent pendant ou peu après l'utilisation de la substance.

– Les symptômes ne sont pas dus à une affection médicale générale, et ne sont pas mieux expliqués par un autre trouble mental.

Une perturbation de la conscience, avec troubles de l'attention, désorientation, troubles de mémoire, évoluant sur quelques heures ou quelques jours constitue le delirium dû à l'intoxication. Par définition, toutes les substances doivent donner lieu à intoxication (il suffit de produire un effet), mais la nicotine et la caféine ne sont pas considérées comme « intoxicantes » La question est celle de la gravité des conséquences de l'intoxication. L'alcool est encore pointé comme très dangereux, l'ivresse perturbant les performances (conduite, etc.), et étant source d'agressivité et de violence.

Notons que les sédatifs ont été pointés comme conduisant à des ivresses aiguës très dangereuses, avec amnésie antérograde. Les amphétamines, la cocaïne, sont aussi source potentielle de violence. C'est à ce niveau de l'intoxicaton aiguë que les hallucinogènes ont une spécificité, le « voyage » se distinguant de l'ivresse alcoolique (les dangers tiennent beaucoup au contexte). L'ivresse cannabique est moins source de passage à l'acte que l'ivresse alcoolique. À hautes doses, et par ingestion, le cannabis se rapproche des hallucinogènes. L'intoxication opiacée n'est pas, généralement, à l'origine de complications psychiatriques.

2. **Sevrage**

L'alcool et les sédatifs sont, pour cet item aussi, à l'origine des troubles les plus dangereux (les crises convulsives de type grand mal et le *delirium de sevrage* ne concernent d'ailleurs que ces deux groupes). Le syndrome de sevrage des opiacés est bien connu, et surtout marqué par les signes physiques. Le sevrage des excitants (cocaïne, amphétamines) est plus « psychologique », avec troubles du sommeil, ralentissement... Parfois, un syndrome de sevrage aigu *(crash)* comporte des symptômes franchement dépressifs, et des risques suicidaires. Le DSM ne retient pas la notion de sevrage pour le cannabis, ni pour les hallucinogènes.

DÉMENCE, TROUBLES AMNÉSIQUES

Il s'agit de troubles permanents, liés à l'emploi au long cours de certaines substances : l'alcool, les sédatifs, les solvants volatils. (On notera que le « syndrome amotivationnel » du cannabis n'entre pas dans le cadre de troubles irréversibles.)

TROUBLES PSYCHOTIQUES

Ils sont bien connus – et parfois graves – dans le cas des pharmacopsychoses amphétaminiques et cocaïniques. Les « flash-backs » d'hallucinogènes entrent dans cette catégorie. Seuls l'alcool et les sédatifs sont censés pouvoir entraîner des troubles psychotiques lors du sevrage. (Contrairement à la cocaïne et aux amphétamines, les troubles psychotiques, pour l'alcool et les sédatifs, sont liés à un usage important et ancien.) Pour le cannabis, il est noté une possibilité de trouble d'ordre psychotique avec idées de persécution. (La « parano » sous cannabis, état labile et cessant à l'arrêt de l'intoxication est en effet une possibilité, qui entraîne en général l'arrêt de l'usage.)

TROUBLES DE L'HUMEUR, TROUBLES ANXIEUX, DYSFONCTIONS SEXUELLES, TROUBLES DU SOMMEIL

Les troubles de l'humeur sont au premier plan dans l'intoxication par – et le sevrage de – la cocaïne et des amphétamines. Les troubles anxieux devraient concerner l'ensemble des psychotropes (lors du sevrage pour les opiacés, et la nicotine, ce qui n'est pas admis par le DSM).

Notons que le cannabis n'est pas considéré à l'origine de troubles de l'humeur, de dysfonctions sexuelles, de troubles du sommeil.

Les données telles que présentées par le DSM sont globalement en accord avec la classification de l'OMS, qui recourt, elle, aux termes de dépendance psychique, dépendance physique, tolérance. Le problème est qu'alcool, sédatifs, opiacés, cocaïne et amphétamines devraient être – ensemble – dans les catégories supérieures de dangerosité, non le tabac (dont les dangers ne sont pas d'ordre psychiatrique), ni le cannabis, dont les risques recensés sont globalement moindres que pour les autres groupes.

3. **Toxicomanies et délinquance : contre les visions simplistes**

Les spécialistes des toxicomanies, cliniciens, juristes, criminologues, sont souvent irrités par le caractère simpliste des discours médiatiques, mais aussi politiques, quant aux liens entre délinquance et usage de drogues. Au sensationnalisme des médias, qui se repaissent d'affaires de drogue-parties, ou d'arrestations de drogués, s'ajoute la démagogie de politiques, tentant de récupérer l'angoisse du public devant la drogue et la violence. Mais les discussions entre certains spécialistes n'échappent pas toujours à des visions réductrices, et prennent parfois pour vérité acquise scientifiquement, des mythologies ou des représentations sociales. Dans les querelles entre prohibitionnistes et tenants de la légalisation des drogues, les lieux communs sont ainsi autant utilisés que des arguments scientifiques :

pour les premiers, l'un des arguments serait le caractère
« en soi » criminogène de l'usage de drogues, selon une
vision simple : la drogue, quelle qu'elle soit, entraînerait une
perte de contrôle, une facilitation du passage à l'acte. La
meilleure stratégie de prévention de la délinquance est alors
l'interdit pur et simple des substances en cause, et leur éra-
dication : pensons par exemple aux discours actuels sur le
crack, qui engendrerait à la fois dépendance instantanée, et
violence incontrôlable... (comme avant lui l'héroïne, la
cocaïne, le PCP). Pour les seconds, l'argument s'inverse :
malades, les toxicomanes seraient simplement conduits à la
délinquance par la nécessité impérieuse de se procurer leur
drogue, rendue par le contexte prohibitionniste d'un coût
démesuré. Le seul problème est alors la dépendance, et tout
le mal, violence ou délinquance, est le résultat de l'interdit :
la solution est la mise à disposition des usagers de produits
à un prix accessible... Nous signalons ici, parmi la nom-
breuse littérature traitant de ces domaines, deux ouvrages
qui permettent d'échapper aux images d'Épinal :

TOXICOMANIE ET DÉLINQUANCE (du bon usage de l'utilisation
de produit illicite), par Marie-Danielle Barré, avec la collaboration de B. Froment et B. Aubusson de Cavarlay.

Ce texte est le résultat d'une recherche commanditée
par le ministère français de la Justice, sur des fonds de la
Délégation générale à la lutte contre la drogue et la toxicomanie. Il s'agissait, pour les auteurs, de tenter d'évaluer la
possibilité de quantifier le lien entre toxicomanie, ou usage
de drogues illicites, et la délinquance. L'étude a consisté en
l'analyse de documents policiers, recueillis auprès des services de la préfecture de police de Paris, et concernant les
faits reprochés et les antécédents d'environ mille cent individus, pour l'année 1990. Ces documents concernent donc
des « consommateurs de produits illicites », selon la termi-

nologie judiciaire, et non forcément des sujets dépendants ou toxicomanes. Les documents concernent par ailleurs les affaires élucidées, soit 15 % des délits recensés (majoritairement, vols et recels). Afin de cerner les liens entre usage et délinquance, les auteurs axent leur réflexion sur la notion de « bi-implication » : procédure concernant, d'une part, le délit d'usage de substance illicite, d'autre part, toute autre forme de délit. Ils notent que, bien que cette distinction ne soit pas faite par la lettre de la loi française, les dossiers permettent de séparer l'usage de cannabis de celui d'autres substances, très majoritairement l'héroïne. Ils font par ailleurs la distinction, dans les délits autres que celui d'usage, entre les « ILS » (infraction à la législation sur les stupéfiants, particulièrement trafic) et les autres délits. Soixante-dix tableaux détaillent les données issues de ces dossiers de police. Retenons surtout des éléments propres à démontrer la complexité du problème :

– sur mille personnes concernées par les procédures policières, 39 % sont aussi usagers de drogues illicites, et 27 % sont « bi-impliquées » ;

– plus encore, seuls 13 % sont usagers de « drogue dure » (cannabis exclu).

Des chiffres qui permettent donc de relativiser des propos couramment admis, comme le fait que la moitié des délinquants seraient toxicomanes. Et qui mettent aussi en question l'importance de la « délinquance acquisitive », qui devrait logiquement concerner en premier lieu les usagers de la drogue la plus chère, c'est-à-dire l'héroïne...

DROGUE ET CRIMINALITÉ, UNE RELATION COMPLEXE, par Serge Brochu.

Docteur en psychologie et professeur de criminologie à l'université de Montréal, l'auteur a déjà publié de nombreux travaux sur ce sujet, et s'inscrit dans une vision de la toxicomanie comme phénomène complexe et multivarié, plus

« style de vie » au sens de Dollard Cormier, ou « carrière »
au sens de H. Becker, que maladie, ou bien sûr délinquance.
Se basant ici sur les données et les réflexions fournies par
l'étude fouillée d'une très abondante littérature internationale, et particulièrement nord-américaine, il tente une
synthèse des questions posée tant au niveau de la description des populations en cause, que des modèles explicatifs,
et du cadre historique, juridique, de la prohibition et de
l'intervention en toxicomanies.

Dans une première partie, après avoir souligné l'importance réelle de la consommation de drogues chez les jeunes
contrevenants, il montre comme il serait réducteur de se
contenter d'affirmer que « les criminels sont tous des drogués » (mais aussi comme il existe une relation possible
entre criminalité, ou prostitution, et usage de drogues), ou
que « les drogués sont tous des criminels » (mais sans nier
l'existence d'une délinquance acquisitive chez les sujets
dépendants).

Il aborde ensuite les facteurs de risque d'adoption d'un
mode de vie déviant, risque tant de délinquance que d'usage
de substances illicites, avant de décrire les « carrières » de
consommateur d'héroïne ou de crack.

La deuxième partie aborde les liens entre usage de
drogues et criminalité lucrative, domaine où il convient de
faire la part des « crimes sans victimes » que sont la vente de
drogues, voire la prostitution. *Puis la question du lien entre
usage et violence, la désinhibition, la facilitation du passage à
l'acte étant souvent mises en avant, par exemple pour le PCP
ou la cocaïne, mais, dans le cadre d'études sérieuses, particulièrement pour l'alcool.*

Surtout, il passe en revue les différents modèles concep-
tuels explicatifs : modèle psychopharmacologique, où
l'usage entraîne intoxication, et violence ; modèle écono-
mico-compulsif (où l'usage entraîne la dépendance, puis le
besoin d'argent) ; modèle « systémique », selon lequel
milieu en soi, le monde de la vente comme de l'achat de

drogue, favorise la violence ; modèle « tripartite », intégrant les trois modèles précédents ; modèle « causal inverse », où l'implication criminelle mène à l'abus de drogues. Enfin, deux modèles tenant compte de l'absence de causalité simple entre usage et délinquance : le modèle psychopathologique (troubles de personnalité entraînant à la fois possibilité de délinquance et de prise de drogues), ou psychosocial (des facteurs psychosociaux entraînent un « syndrome de déviance » qui précède toxicomanie et délinquance). L'auteur propose ensuite ce qu'il présente comme un « modèle intégratif », basé sur le constat qu'aucun des autres modèles n'est totalement erroné, sans pour autant être suffisant. Ce modèle essaie donc de synthétiser l'ensemble des autres, en les ordonnant selon un axe de facteurs de risques, et un axe d'évolution du style de vie déviant, en fonction de facteurs d'évolution.

L'étude de la littérature, tant scientifique et internationale que basée sur les actions de police et de justice en France, ne fait donc que souligner la complexité des liens entre délinquance et usage de substances psychoactives.

Considérer la délinquance, la violence, l'agressivité, comme un élément de « dangerosité » provenant de l'effet des substances elles-mêmes reviendrait à privilégier un abord très partiel du problème, en s'inscrivant de façon réductrice dans un modèle « psychopharmacologique ». Et, une fois de plus, dans ce cadre, c'est l'alcool qui apparaîtrait comme la substance la plus dangereuse.

Notons toutefois que les expériences d'A. Marlatt sur les effets placebo de l'alcool tendent à démontrer que même pour cette substance, très étudiée, la désinhibition et l'augmentation de l'agressivité ne résultent pas uniquement d'un effet mécaniquement pharmacologique : les attentes de l'utilisateur, l'apprentissage, la culture, les croyances du groupe jouent un rôle primordial dans le contenu subjectif et les conséquences comportementales de l'ivresse...

4. Critères de dépendance à une substance (DSM IV)

Mode d'utilisation inadapté d'une substance conduisant à une altération du fonctionnement ou une souffrance, cliniquement significative, caractérisé par la présence de trois (ou plus) des manifestations suivantes, à un moment quelconque d'une période continue de douze mois :

– Tolérance, définie par l'un des symptômes suivants : a) besoin de quantités notablement plus fortes de la substance pour obtenir une intoxication ou l'effet désiré ; b) effet notablement diminué en cas d'utilisation continue d'une même quantité de la substance.

– Sevrage caractérisé par l'une ou l'autre des manifestations suivantes : a) syndrome de sevrage caractéristique de la substance ; b) prise de la même substance (ou une substance très proche) pour soulager ou éviter les symptômes de sevrage.

– La substance est souvent prise en quantité plus importante ou pendant une période plus prolongée que prévu.

– Il y a un désir persistant, ou des efforts infructueux, pour diminuer ou contrôler l'utilisation de la substance.

– Beaucoup de temps est passé à des activités nécessaires pour obtenir la substance (par exemple, consultation de nombreux médecins ou déplacement sur de longues distances), à utiliser le produit (par exemple, fumer sans discontinuer), ou à récupérer de ses effets.

– Des activités sociales, professionnelles ou de loisirs importantes sont abandonnées ou réduites à cause de l'utilisation de la substance.

– L'utilisation de la substance est poursuivie bien que

la personne sache avoir un problème psychologique ou physique persistant ou récurrent susceptible d'avoir été causé ou exacerbé par la substance (par exemple, poursuite de la prise de cocaïne bien que la personne admette une dépression liée à la cocaïne, ou poursuite de la prise de boissons alcoolisées bien que le sujet reconnaisse l'aggravation d'un ulcère du fait de la consommation d'alcool).

Spécifier si :

Avec dépendance physique : présence d'une tolérance ou d'un sevrage.

Sans dépendance physique : absence de tolérance ou de sevrage.

Le DSM IV codifie l'évolution de la dépendance selon les critères suivants :

Rémission précoce complète.

Rémission précoce partielle.

Rémission prolongée complète.

Rémission prolongée partielle.

Traitement par agonistes.

En environnement protégé.

Légère/Moyenne/Grave.

5. Critères d'abus d'une substance (DSM IV)

Mode d'utilisation inadéquat d'une substance conduisant à une altération du fonctionnement ou à une souffrance cliniquement significative, caractérisé par la présence d'au moins une des manifestations suivantes au cours d'une période de douze mois :

– Utilisation répétée d'une substance conduisant à l'incapacité de remplir des obligations majeures, au travail, à l'école, ou à la maison (par exemple, absences répétées ou mauvaises performances au travail du fait de l'utilisation de la substance, absences, exclusion temporaire ou définitive de l'école, négligence des enfants ou des taches ménagères).

– Utilisation répétée d'une substance dans des situations où cela peut être physiquement dangereux (par exemple, lors de la conduite d'une voiture ou en faisant fonctionner une machine alors qu'on est sous l'influence d'une substance).

– Problèmes judiciaires répétés liés à l'utilisation d'une substance (par exemple, arrestation pour comportement anormal en rapport avec l'utilisation de la substance).

– Utilisation de la substance malgré des problèmes interpersonnels ou sociaux, persistants ou récurrents, causés ou exacerbés par les effets de la substance (par exemple, disputes avec le conjoint à propos des conséquences de l'intoxication, bagarres).

DIAGNOSTICS ASSOCIÉS AUX CLASSES DE SUBSTANCES

	Dépendance	Abus	Intoxication	Sevrage	Delirium par intoxication	Delirium du sevrage	Démence	Troubles amnésiques	Troubles psychotiques	Troubles de l'humeur	Troubles anxieux	Dysfonctions sexuelles	Troubles du sommeil
Alcool	X	X	X	X	I	S	P	P	I/S	I/S	I/S	I	I/S
Amphétamines	X	X	X	X	I				I	I/S	I	I	I/S
Caféine			X								I		I
Cannabis	X	X	X		I				I		I		
Cocaïne	X	X	X	X	I				I	I/S	I/S	I	I/S
Hallucinogènes	X	X	X		I				I*	I	I		
Nicotine	X			X									
Opiacés	X	X	X	X	I				I	I		I	I/S
Phéncyclidine	X	X	X	X	I				I	I	I		
Sédatifs hypnotiques ou anxiolytiques	X	X	X	X	I	S	P	P	I/S	I/S	S	I	I/S
Solvants volatils	X	X	X				P		I	I	I		
Plusieurs substances	X												
Autres	X	X	X	X	I	S	P	P	I/S	I/S	I/S	I	I/S

* y compris le trouble persistant des perceptions dû aux hallucinogènes (flash-backs).

N.B. X, I, S, I/S ou P indiquent que le signe figure dans le DSM-IV. De plus, I indique que le syndrome peut être lié à l'intoxication ; S indique que le syndrome peut apparaître pendant l'intoxication ; I/S regroupe les syndromes précédents et P indique que le trouble est persistant.

Références bibliographiques

GOODMAN A. (1980), « Addiction : definition and implications », *British Journal of Addiction* 85.

PEELE S., BRODSKY A., *Love and Addiction*, New York, Taplinger, 1975.

PROVOST G., MERCIER C. (1993), « Comorbidité des troubles psychiatriques chez des alcooliques et des toxicomanes. Classification de la littérature spécialisée », *Cahiers du RISQ*, Montréal.

BERGERON J. (1992), *Adaptation de l'Addiction Severity Index*, Université de Montréal.

American Psychiatric Association, *Manuel diagnostique et statistique des troubles mentaux (DSM)*, 4e éd., version internationale, Washington, DC, 1995. Trad. franç. J.D. Guelfi *et al.*, Paris, Masson, 1996.

Office français des drogues et des toxicomanies, *Drogues et toxicomanies, indicateurs et tendances*, Paris, 1996. *Drogues et toxicomanies : répertoire des sources statistiques*, Paris, 1997. *Étude du fichier FNAILS des interpellations pour usage de stupéfiants au niveau de l'individu*. ENSAE Junior études, Paris, 1997. *Rapport annuel sur l'état du phénomène de la drogue dans l'Union européenne*, Lisbonne, 1995.

BARRÉ M.-D., FROMENT B., AUBUSSON DE CAVARLAY B. (1994), *Toxicomanie et délinquance. Du bon usage de l'utilisation de produit illicite*, Centre de recherches sociologiques sur le droit et les institutions pénales (CRSDIP), Paris, novembre 1994.

BROCHU S. (1995), *Drogue et criminalité. Une relation complexe*, Montréal, Presses de l'Université de Montréal, coll. « Perspectives criminologiques ».

CHAPITRE 5

IMAGERIE MÉDICALE
ET EFFET DES DROGUES CHEZ L'HOMME

1. État de la question

Les techniques de neuro-imagerie médicale permettent de mettre directement en évidence, en temps réel, les conséquences de l'administration d'une substance psychotrope dans le cerveau humain. Ces techniques, souvent non invasives, peuvent potentiellement permettre de caractériser les régions cérébrales impliquées dans l'action des drogues addictives, à différentes étapes qui peuvent être le « craving » (l'envie irrésistible de consommer), le « high » produit quelques secondes après l'administration, ou encore les effets euphorisants ou les sensations de manque.

Parmi les méthodes de choix pour explorer et cartographier l'activité cérébrale, on retiendra la tomographie par émission de positron (TEP, ou *positron emission tomography*, PET), la tomographie par émission de simples photons (TESP, ou *single photon emission computed tomography*, SPECT) et l'imagerie par résonance magnétique fonctionnelle (IRMf, ou *functional magnetic resonance imaging*, fMRI). La TEP nécessite des moyens relativement lourds, car elle utilise des radio-isotopes se désintégrant par radioactivité β^+, à demi-vie très courte (C_{11}, N_{13}, O_{15} ou F_{18} par exemple) et devant donc être synthétisés juste avant leur utilisation. Par contre, la TESP utilise des radio-isotopes plus stables, et l'IRM fonctionnelle utilise la résonance magnétique de l'hémoglobine (dont les propriétés diffèrent selon la liaison ou non à l'oxygène), ce qui rend ces deux techniques plus facilement utilisables.

En ce qui concerne les effets de la cocaïne, deux études récentes montrent de manière exemplaire le type d'étude qui peut être conduit. En utilisant les techniques de TEP, dans un premier temps avec du [^{11}C]d-thréo-méthylphény-date (Volkow et al., 1996), et plus récemment avec de la [^{11}C]cocaïne (Volkow et al., 1997a), il a été démontré pour la première fois directement chez l'homme une relation entre la liaison des drogues sur le transporteur de la dopamine et les effets psychiques. Ainsi, pour des doses de 0,3-0,6 mg.kg^{-1} de cocaïne, au moins 50 % des sites du transporteur de la dopamine doivent être occupés pour que le sujet ressente un effet de « high » dû à la drogue. Il semblerait également que des cocaïnomanes aient, suite à l'injection d'une substance analogue de la cocaïne (méthylphénydate), à la fois une réponse émoussée dans le striatum et amplifiée dans le thalamus, en comparaison avec des individus non dépendants (Volkow et al., 1997b). Toujours en TEP, mais cette fois en mesurant l'utilisation du glucose (« activation cérébrale »), Grant et al. (1996) ont mis en évidence différentes régions cérébrales activées par des indices (« cues ») cocaïnergiques chez des individus dépendants. Toutes ces régions (cortex préfrontal, cervelet, amygdale) sont impliquées dans les mécanismes de mémoire et d'apprentissage. Finalement, par IRM fonctionnelle, les régions cérébrales impliquées dans le « rush » et le « craving » ont pu être mises en évidence, et dissociées. Il s'agirait principalement de l'aire tegmentale ventrale pour le rush, et du noyau accumbens et de l'amygdale pour le craving, bien que ces deux structures soient également impliquées dans le rush (Breiter et al., 1997).

2. Indications

Les structures existent en France pour pouvoir mettre en place des recherches en imagerie médicale chez l'homme, centrées sur les problématiques de toxicomanie. En ce qui concerne les études en TEP et TESP, il existe des programmes de recherche conduits par le CEA (Orsay et SHFJ) et l'IFR 47 qui est centrée à Caen, fédérée autour d'unités CNRS, universitaires et de l'U 320 de l'INSERM. Ces programmes ont d'ores et déjà permis de développer des ligands pour les récepteurs et transporteurs de la dopamine. *Par contre, la recherche en toxicomanie ne semble pas être inscrite dans les priorités scientifiques en psychiatrie* de ces différents groupes. Une incitation forte doit être donnée au niveau de la politique de recherche, au moins en ce qui concerne les axes stratégiques de l'IFR 47.

En ce qui concerne les mesures en IRM fonctionnelles, les structures existent en France dans différents CHU, mais il faudrait, là encore, nourrir la recherche en toxicomanie. Cela pourrait se faire, d'une part en *envoyant des psychiatres (quatre-six bourses d'études sur deux ans) se former dans ces techniques* appliquées à la psychiatrie en général, et à la toxicomanie en particulier. Cette formation pourrait se faire par exemple dans le centre de recherche du NIDA dédié entièrement aux techniques d'imagerie (Brookhaven, New York, États-Unis). D'autre part, il faudrait faciliter les possibilités d'inclusion de patients toxicomanes dans des protocoles cliniques sur des instruments déjà existants, et lancer des appels d'offres extrêmement ciblés sur ces technologies.

Références bibliographiques

BREITER H.C., GOLLUB R.L., WEISSKOFF R.M., KENNEDY D.N., MAKRIS N., BERKE J.D., GOODMAN J.M., KANTOR H.L., GASTFRIEND D.R., RIORDEN J.P., MATTHEW R.T., ROSEN B.R., HYMAN S.E. (1997), « Acute effects of cocaine on human brain activity and emotion », *Neuron*, 19, 591-611.

GRANT S., LONDON E.D., NEWLIN D.B., VILLEMAGNE V.L., LIU X., CONTO-REGGI C., PHILLIPS R.L., KIMES A.S., MARGOLIN A. (1996), « Activation of memory circuits during cue-elicited cocaine craving », *Proc. Natl. Acad. Sci. (USA)*, 93, 12040-12045.

VOLKOW N.D., WANG G.J., FOWLER J.S., LOGAN J., GATLEY S.J., HITZEMANN R., CHEN A.D., DEWEY S.L., PAPPAS N. (1997b), « Decreased striatal dopaminergic responsiveness in detoxified cocaine-dependent subjects », *Nature*, 386, 830-833.

VOLKOW N.D., WANG G.J., FOWLER J.S., GATLEY S.J., DING Y.S., LOGAN J., DEWEY S.L., HITZEMANN R., LIEBERMAN J. (1996), « Relationship between psychostimulant-induced high and dopamine transporter occupancy », *Proc. Natl. Acad. Sci. (USA)*, 93, 10388-10392.

VOLKOW N.D., WANG G.J., FISHMAN M.W., FOLTIN R.W., FOWLER J.S., ABUMRAD N.N., VITKUN S., LOGAN J., GATLEY S.J., PAPPAS N., HITZEMANN R., SHEA C.E. (1997a), « Relationship between subjective effects of cocaine and dopamine transporter occupancy », *Nature*, 386, 827-830.

CHAPITRE 6

L'ALCOOL

L'alcool est l'un des plus anciens produits psychoactifs et c'est, après le café, le deuxième produit consommé dans le monde. Sa consommation pathologique et la dépendance associées entraînent de multiples complications neuropsychiatriques et somatiques avec des conséquences socioéconomiques très lourdes (Altman *et al*, 1996).

Comme la plupart des produits conduisant à un comportement de consommation abusive et une dépendance psychique, l'alcool provoque un accroissement de la libération de DA. Cet effet de l'alcool est lié au renforcement du contrôle exercé par les afférences GABAergiques arrivant dans l'aire tegmentale ventrale (ATV) et plus généralement dans le mésencéphale ventral. Le renforcement de cette transmission par l'alcool provoque une inhibition de l'activité des neurones GABA intra ATV qui contrôlent l'activité des neurones DA mésolimbiques. Comme c'est le cas pour beaucoup d'autres drogues, l'activation répétée des neurones DA entraîne une addiction notamment chez des sujets ayant une vulnérabilité particulière aux effets de renforcement positif des produits addictifs. Ces individus vont passer progressivement d'une simple consommation « récréative » à un besoin compulsif de consommer qui finira par gouverner leur comportement et pourra les amener à des actes violents et/ou délictueux. Il existerait dans cette tendance à une hyperconsommation d'alcool une prédisposition individuelle (liée à l'équipement génétique de chaque individu) et une influence de facteurs environnementaux tels que des situations de stress ou des situations anxiogènes ou de simple rappel d'un environnement associé à la prise d'alcool.

À côté d'une altération de la transmission DA, l'alcool provoque de nombreuses autres modifications (dans la signalisation intracellulaire entre autres) qui sous-tendent des phénomènes de dépendance (Stolerman, 1992). Il existe aussi des modifications d'expression de récepteurs et de canaux ioniques qui pourraient être à l'origine des effets délétères induits par la prise chronique d'éthanol et l'arrêt brutal de consommation chez l'individu intoxiqué.

1. Effets neurotoxiques de l'alcool chez l'homme

L'ensemble des pays européens souffre des séquelles liées à une consommation élevée d'alcool. Les effets délétères de l'alcool sur le cerveau sont connus depuis plus d'un siècle (Wernicke, 1881 ; Korsakoff, 1887). On peut maintenant les analyser chez l'homme à des niveaux anatomiques par les techniques d'imagerie et chez l'animal par des approches anatomiques, morphologiques et des approches de biologie moléculaire (aspects neurochimiques).

NEUROPATHOLOGIE CHEZ L'HOMME (REVUE DANS MANN)

Syndrome alcoolique du fœtus (Lemoine *et al.*, 1968).

Ce syndrome observé chez les enfants dont les mères sont de très fortes consommatrices d'alcool se caractérise par :

– un retard de croissance (taille de la tête plus petite),

– un déficit intellectuel et un déficit de la coordination motrice,

– des anomalies morphologiques de la face ainsi que des membres et du cœur.

Ces anomalies sont imputables à une interférence de l'alcool avec des facteurs de croissance et à une mort cellulaire accrue sous l'influence de divers facteurs dont la production de radicaux libres qui est augmentée par l'alcool.

L'ENCÉPHALOPATHIE DE WERNICKE

Provoquée par une déficience en thiamine qui résulte d'une mauvaise alimentation, d'une absorption gastro-intestinale réduite et d'un stockage hépatique diminué. Tous les alcooliques présentant cette déficience en thiamine ne présentent cependant pas ce syndrome (ce qui pourrait être dû à des modifications héréditaires ou acquises d'un enzyme dont l'activité est dépendante de la thiamine : transketolase). L'encéphalopathie de Wernicke se caractérise par des dégénérescences (glioses et hémorragies) dans des structures entourant le troisième ventricule et l'aqueduc de Sylvius ce qui provoque des anomalies des mouvements oculaires, de l'ataxie, une confusion mentale et des déficits mnésiques.

SYNDROME DE KORSAKOFF

Environ 80 % des patients récupérant de l'encéphalopathie de Wernicke développent le syndrome amnésique de Korsakoff. Ce syndrome peut aussi apparaître sans épisode d'encéphalopathie de Wernicke. Le syndrome de Korsakoff se caractérise par un déficit de la mémoire antérograde et rétrograde, une certaine apathie. Des lésions sont décelées dans diverses régions cérébrales dont le noyau médio-dorsal du thalamus. Les effets de la déficience en thiamine provoqués par la consommation chronique d'alcool sont partiellement réversibles, mais les lésions qui accompagnent l'intoxication alcoolique sont bien évidemment irréversibles.

DÉGÉNÉRESCENCE CÉRÉBELLEUSE

La dégénérescence des cellules de Purkinje du cortex cérébelleux se rencontre chez de nombreux alcooliques (40-50 % des alcooliques chroniques). Des pertes de 10 à 35 % des cellules de Purkinje ont été observées ainsi que des réductions de la taille de la couche moléculaire et granulaire du vermis (Torvik *et al.*, 1986). L'ataxie induite par ces dégénérescences affecte très sévèrement la démarche. Les dysfonctionnements liés à l'atteinte cérébelleuse peuvent s'améliorer avec l'abstinence totale en alcool (Diener *et al.*, 1984).

AUTRES ATTEINTES

• *L'encéphalopathie hépatique.* Celle-ci se développe chez les alcooliques avec une atteinte du foie. Elle se caractérise par une atteinte de la sensibilité, un syndrome frontal, une hyperréflexie, une réponse plantaire avec extension et des crises épileptiques occasionnelles. Chez certains patients, ces manifestations progressent, allant jusqu'au coma et à la mort ; chez d'autres, il y a récupération et réapparition épisodique de ces symptômes. Les atteintes cérébrales sont multiples. Au début de cette encéphalopathie, on observe surtout un accroissement de la taille de certaines structures comme les ganglions de la base, le thalamus, le noyau rouge, le pont, le cervelet, dû à une augmentation du nombre des astrocytes. Cette encéphalopathie peut progresser et des dégénérescences cérébrales sont alors constatées. La démyélinisation ou la nécrose du corps calleux et de la substance blanche des structures sous-corticales est observée dans de très rares cas. C'est cependant en France que la prévalence est la plus élevée (Hauw *et al.*, 1988).

• *La démyélinisation pontique centrale* affectant la substance blanche à la base du pont est aussi rencontrée chez les alcooliques. Des lésions des hémisphères cérébraux sont aussi observées. Le plus généralement l'atteinte est dans la substance blanche mais des atteintes du cortex cérébral ont été mises en évidence particulièrement dans la région frontale. Des pertes neuronales ont été rapportées (principalement les grandes cellules pyramidales) et surtout des réductions de la taille des dendrites des cellules pyramidales, ce qui peut entraîner des conséquences fonctionnelles importantes.

Les techniques d'imagerie – études par tomographie par émission de positons et surtout d'imagerie par résonance magnétique – ont montré des altérations corticales et sous-corticales chez des patients alcoolo-dépendants et ceci même en absence d'un déficit en thiamine. Les espaces occupés par le LCR augmentent non seulement en sous-cortical (ventricules latéraux et troisième ventricule), mais aussi au niveau cortical (avec un accroissement des sulcus et des espaces sous-arachnoïdiens). Cette augmentation des espaces occupés par le LCR s'accompagne d'une réduction du volume de la matière grise et blanche. La réversibilité de ces effets après abstinence en alcool est discutée, certaines études montrent une réduction d'environ 15 % des espaces occupés par le LCR après abstinence (ce qui pourrait correspondre à une réhydratation des tissus), d'autres ne retrouvent pas ces effets (ce qui pourrait dépendre du temps écoulé entre l'arrêt de prise d'alcool et l'analyse par IRM).

2. Études chez l'animal

Les études faites chez le rat rapportent des pertes neuronales dans l'hippocampe ventral. Les cellules pyramidales
de l'hippocampe semblent plus vulnérables que les cellules
des grains du gyrus denté qui sont néanmoins atteintes
aussi. Un point important est que la perte des cellules pyramidales se produit surtout pendant la période d'abstinence
à l'alcool plutôt que pendant l'exposition à l'alcool (peut-être
par accroissement de l'excitotoxicité lié au glutamate
(Cadete-Leite *et al.*, 1989 a,b). Dans le cervelet, les pertes en
neurones dépendent du temps d'exposition à l'alcool. Après
une administration pendant six mois, les cellules des grains
et les cellules étoilées dégénèrent. La perte en cellules de
Purkinje et en cellules à corbeille n'apparaît que pour des
durées plus longues (douze à dix-huit mois) d'exposition à
l'alcool (Tavares and Paula-Barbosa, 1982, 1983).

3. Mécanismes cellulaires
et moléculaires liés à l'alcoolisme

Il existe deux réponses principales dues à l'intoxication
par l'alcool, l'intoxication sévère et les effets immédiats de
l'alcool, et les changements adaptatifs qui se développent
suite à la prise chronique d'alcool. L'alcool est soluble dans
l'eau et les lipides, et se distribue donc dans le cytoplasme et
les membranes de l'ensemble des cellules de l'organisme.
Les cibles de l'éthanol dans les cellules neuronales sont surtout les protéines membranaires (récepteurs, transporteurs,
canaux ioniques...).

EFFETS DE L'ÉTHANOL SUR LES RÉCEPTEURS DU GLUTAMATE

Les récepteurs du glutamate sont largement distribués dans le cerveau. Ils sont très importants dans les processus d'apprentissage et de mémoire, et leur rôle dans diverses formes de plasticité synaptique a été bien démontré.

L'éthanol inhibe l'activation des différents sous-types de récepteurs du glutamate : les récepteurs ionotropiques NMDA (via une interaction au niveau du site modulé par la glycine), mais aussi les récepteurs kaïnate et AMPA ainsi que certains récepteurs métabotropiques du glutamate (Lovinger *et al.*, 1989; Buller *et al.*, 1996). L'inhibition de l'activation des récepteurs du glutamate et notamment des récepteurs NMDA de l'hippocampe est certainement à prendre en compte dans les épisodes d'amnésie totale surve-nant lors d'une très forte intoxication alcoolique. L'exposi-tion chronique à l'alcool entraîne l'hypoactivation des récepteurs NMDA induite par l'éthanol ce qui a pour consé-quence une « up-regulation » des récepteurs (augmentation de leur nombre). Cet accroissement de la densité des récep-teurs NMDA est un facteur favorisant la neurotoxicité de l'éthanol (dégénérescence des neurones) pendant la prise d'éthanol mais aussi à l'arrêt de la consommation. Ce pro-cessus prend toute son importance à l'arrêt de la prise d'alcool puisqu'il provoque une susceptibilité accrue des neurones aux effets excitotoxiques du glutamate. Il peut être aussi responsable de l'agitation et des crises d'épilepsie accompagnant l'arrêt de la prise d'alcool.

EFFETS DE L'ÉTHANOL SUR LES RÉCEPTEURS GABA$_A$

Le GABA est le neuromédiateur inhibiteur majeur du cerveau. L'activation des récepteurs GABA de type GABA$_A$ est potentialisée par l'éthanol. L'éthanol peut agir comme un modulateur des récepteurs GABA$_A$ au même titre que les benzodiazépines. Mais l'éthanol interagit aussi sur des sites particuliers des segments transmembranaires (segments TM$_2$ et TM$_3$) et facilite ainsi l'ouverture du canal Cl⁻ associé au récepteur GABA$_A$. La réponse à l'éthanol est variable selon les régions cérébrales. Ces effets peuvent être à la fois dus à la composition en sous-unités du récepteur GABA$_A$ et à son état de phosphorylation par la PKA ou la PKC (chez la souris, le mutant dépourvu de l'enzyme PKCγ présente une réduction de sensibilité à l'éthanol). Il est à noter qu'il existe une tolérance croisée entre l'éthanol et les benzodiazépines ainsi que les barbituriques. Les effets de l'alcool sont renforcés par les benzodiazépines, ce qui provoque une confusion mentale puis une profonde sédation. La prise chronique d'alcool entraîne des modifications d'expression des sous-unités α et γ des récepteurs GABA$_A$ qui modifient leur sensibilité aux benzodiazépines (Harris *et al.*, 1995, 1996 ; Lin *et al.*, 1994 ; Wafford *et al.*, 1991).

RÉCEPTEURS DE LA SÉROTONINE

Le récepteur 5HT3 est un récepteur ionotropique comme les récepteur NMDA, nicotinique et GABA$_A$ avec lequel interagit l'éthanol. L'alcool accroît les effets de la sérotonine sur ce récepteur. Les antagonistes des récepteurs 5HT3 (ondansétron, tropisétron...) bloquent la capacité de discrimination entre l'eau et l'alcool (chez le pigeon) et réduisent la prise d'alcool chez le rat conditionné à consommer ou ayant une appétence pour l'alcool. Des dégénérescences des neurones et des fibres 5HT ont été décrites chez le rat qui a une appétence pour l'alcool et chez l'alcoolique chronique. La 5HT pourrait jouer un rôle dans l'intoxication à l'éthanol et dans les conduites de recherche d'alcool (Jankowska et Kostowski, 1995 ; Kostowski *et al.*, 1993 ; Tomkins *et al.*, 1995).

RÉCEPTEURS NICOTINIQUES

L'effet aigu de l'éthanol sur les récepteurs nicotiniques se manifeste par un accroissement d'effet de la nicotine agissant sur les récepteurs nicotiniques, cette sensibilité pouvant soit ne pas exister soit s'inverser pour de faibles concentrations en éthanol. Par ailleurs, l'effet de l'éthanol est différent selon les sous-unités entrant dans la structure du récepteur nicotinique (Covernton and Connolly, 1997). Les renforcements de l'effet de la nicotine par l'éthanol sur certains récepteurs nicotiniques pourraient contribuer aux appétences simultanées pour ces deux composés.

L'administration chronique d'alcool diminue la densité des récepteurs nicotiniques mesurée sur des cellules en culture soumises à un traitement avec un milieu enrichi en éthanol. L'éthanol peut s'opposer à l'augmentation de la densité des récepteurs nicotiniques qui est induite par un traitement chronique avec de la nicotine. L'effet de l'éthanol en administration chronique sur l'expression des ARNm entrant dans la structure du récepteur nicotinique n'est pas uniforme : il peut diminuer l'expression de certaines sous-unités ($\alpha 3$) ou au contraire augmenter l'expression de certaines autres ($\alpha 4$ et $\alpha 6$) (Gourbounova et al., 1998). Les changements d'expression des récepteurs nicotiniques induits par l'alcool peuvent aussi être impliqués dans le développement de l'addiction à ces deux drogues : tabac et alcool.

CANAUX DÉPENDANTS DU VOLTAGE : CANAUX CA^{++}

L'entrée massive de Ca^{++} dans la cellule peut entraîner l'activation de voies de signalisation qui déclenchent la mort du neurone. En aigu, l'éthanol inhibe le fonctionnement de différents types de canaux : L,N et T. En revanche en prise répétée *in vivo* chez l'animal ou en application prolongée sur des neurones en culture, l'éthanol augmente la densité des canaux Ca^{++} dépendants du voltage. Après arrêt de l'administration de l'éthanol, les canaux Ca^{++} retournent à leur niveau de base. L'accroissement des canaux Ca^{++}, après alcool chronique est ici encore un facteur favorisant l'hyper-activité neuronale impliquée dans l'apparition de crises convulsives à l'arrêt de la prise d'alcool. L'accroissement de l'activité des canaux Ca^{++} suite à l'arrêt de la prise d'alcool entraîne des augmentations de libération de neuromédia-teurs dont certains comme le glutamate, en activant les récepteurs NMDA, peut être responsable d'une dégé-nérescence neuronale. Les bloquants des canaux Ca^{++} réduisent les effets de l'arrêt de prise d'alcool (tremble-ments, convulsions...) et réduisent la consommation d'alcool (Messing *et al.*, 1986; Whittington *et al.*, 1995).

4. Les effets de l'éthanol sur les voies de transduction cAMP dépendante

L'effet aigu de l'éthanol est surtout une potentialisa-tion de la production d'AMPc via l'activation de récepteurs couplés à des protéines Gs. Au contraire, l'effet chronique de l'éthanol correspond à une diminution de la production d'AMPc. Cette diminution pourrait être un processus impliqué dans la dépendance à l'alcool, une reprise de consommation assurant une compensation partielle des diminutions très importantes en AMPc entraînées par l'arrêt de consommation. Ces effets sont la conséquence d'une diminution d'expression de la protéine Gsα, d'une désensibilisation des récepteurs couplés à Gs et, dans cer-tains cas, d'un accroissement des taux de la protéine Gi (protéine se liant à l'adénylate cyclase et l'inhibant) entraînés par la prise chronique d'alcool (Mochly-Rosen *et al.*, 1988 ; Rabin, 1993 ; Wand and Levine, 1991). Parmi les composés qui empêchent la dépendance psychique (besoin absolu de consommer de l'alcool) et la rechute, l'acamprosate et la naltrexone sont des produits efficaces pour prolonger les périodes d'abstinence et diminuer les rechutes chez les patients alcooliques non déprimés. Les signes comportementaux chez l'animal (hyperactivité et hyperréactivité, reprise d'alcool de façon exagérée à la suite d'une privation en alcool) et biochimiques (expression de gènes immédiats précoces c-fos) du sevrage diminuent lors du traitement avec l'acamprosate. Ce composé ne semble pas agir sur les récepteurs GABAergiques mais surtout avec les récepteurs glutamatergiques de type NMDA ainsi qu'avec les canaux Ca^{2+} sensibles au voltage. La naltrexone agit en bloquant les récepteurs des peptides opioïdes. Ce blocage pourrait intervenir dans le noyau accumbens où l'injection locale de naltrexone abolit la prise volontaire d'alcool. Ces résultats soulignent entre autres l'importance des récepteurs opioïdes dans le renforcement dû à l'alcool et vraisemblablement à d'autres substances d'abus.

Références bibliographiques

ALTMAN J., EVERITT B.J., GLAUTIER S., MARKOU A., NUTT D., ORETTI R., PHILLIPS G.D., ROBBINS T.W. (1996), « The biological, social and clinical bases of drug addiction : commentary and debate », *Psychopharmacology*, 125, 285-345.

BULLER A.L., LARSON H.C., MORRISSET R.A. and MONAGHAN D.T. (1996) « Glycine modulates ethanol inhibition of N-Methyl D-aspartate receptors expressed in xenopus oocytes », *Mol. Pharmacol.*, 48, 721-723.

CADETE-LEITE A. TAVARES M.A., ALVES M.C., UYLINGS H.B.M. and PAULA-BARBOSA M.M. (1989) « Metric analysis of hippocampal granule cell dendritic trees after alcohol withdrawal in rat », *Alcohol. Clin. Exp. Res.*, 13, 837-840.

CADETE-LEITE A., TAVARES M.A., PACHECO M.M., VOLK B. and PAULA-BARBOSA M.M. (1989) « Hippocampal mossy fiber-CA3 synapse after chronic alcohol consumption and withdrawal », *Alcohol*, 6, 303-310.

COVERNTON P.J., CONNOLLY J.G. (1997) « Differential modulation of rat neuronal nicotinic receptor subtypes by acute application of ethanol », *Br. J. Pharmacol.*, 122, 1661-1668.

DIENER H.C., DICHGANS J., BACHER M. and GUSCHLBAUER B. (1984) « Improvement of ataxia in alcoholic cerebellar atrophy through alcohol abstinence », *J. Neurol.*, 231, 258-262.

GORBOUNOVA O., SVENSSON A.L., JONSSON P., MOUSAVI M., MIAO H., HELLSTROM-LINDAHL E., NORBERG A. (1998). « Chronic ethanol treatment decreases 3H epibatidine and 3H nicotine binding and differentially regulates mRNA levels of nicotinic acetylcholine receptor subunits expressed in M10 and SH-SY5Y neuroblastoma cells », *J. Neurochem.*, 70, 1134-1142.

HARRIS R.A., McQUILKIN S.J., PAYLOR R., ABELIOVICH A., TONEGAWA S. and WEHNER J.M. (1995) « Mutant mice lacking the γ isoform of protein kinase C show decreased behavioral actions of ethanol and altered function of °– aminobutyrate type A receptors », *Proc. Natl. Acad. Sci. USA*, 92, 3658-3662.

HARRIS R.A., PROCTOR W.R., McQUILKIN S.J., KLAIN R.L., MASCIA M.P., WHATLEY V., WHITTING P.J. and DUNWIDDIE T.V. (1996) « Ethanol increases GABA$_A$ responses in cells stably transfected with receptor subunits », *Alcohol Clin. Exp. Res.*, 19, 226-232.

HAUW J.J., DE BAECQUE C., HAUSSER-HAUW C. and SERDARU M. (1988) « Chromatolysis in alcoholic encephalopathies. Pellagra-like changes in 22 cases », *Brain*, 111, 843-857.

HYMAN S.E. and NESTLER E.J. (1996) « Initiation and adaptation : a paradigm for understanding psychotropic drug action », *Am. J. Psychiatry.*, 153, 151-162.

JANKOWSKA E. and W. KOSTOWSKI (1995) « The effect of tropisetron injected into the nucleus accumbens septi on ethanol consumption in rats », *Alcohol*, 12, 195-198.

KORSAKOFF S.S. (1887) « Disturbance of psychic function in alcoholic paralysis and its relation to the disturbance of the psychic sphere in multiple neuritis of non-alcoholic origin », *Vestn. Klin. Sudebnoi Psychiatr. Neuropathol.*, 4, 2.

KOSTOWSKI W., W. DYR and P. KZR (1993) « The abilities of 5-HT3 receptor antagonist ICS 205-930 to inhibit alcohol preference and withdrawal seizures in rats », *Alcohol*, 10, 369-373.

LEMOINE P., HAROUSSEAU H., BORLEYRU J.P. and MENNET J.C. (1968) « Les enfants de parents alcooliques : anomalies observées à propos de 127 cas », *Ouest Medical*, 21, 476-482.

LIN A. M.Y., R.K. FREUND B.J. HOFFER and AL E. (1994) « Ethanol-induced depressions of cerebellar Purkinje neurons are potentiated by β-adrenergic mechanisms in rat brain », *J. Pharmacol. Exp. Ther.*, 271, 1175-1180.

LOVINGER D.M., WHITE G. and WEIGHT F.F. (1989) « Ethanol inhibits NMDA-activated ion current in hippocampal neurons », *Science*, 23, 1721-1724.

MANN K., (1994) « The pharmacological treatment of alcohol dependence : needs and possibilities », *Alcohol Alcohol Suppl 1* : 55-58

MANN K., MUNDLE G., STRAYLE M. and WAKAT P. (1995)« Neuroimaging in alcoholism : CT and MRI results and clinical correlates », *J. Neural. Transm. Gen. Sect.* 99 : 145-155

MESSING R.O., CARPENTER C.L., DIAMOND I. and GREENBERG D.A. (1986) « Ethanol regulates calcium channels in clonal neural cells », *Proc. Natl. Acad. Sci. USA*, 83, 6213-6215.

MOCHLY-ROSEN D., CHANG F.H., CHEEVER L., KIM M., DIAMOND I. and GORDON A.S. (1988) « Chronic ethanol causes heterologous desensitization of receptors by reducing αs messenger RNA », *Nature Lond.*, 333, 848-850.

RABIN R.A. (1993), « Ethanol-induced desensitization of adenylate cyclase : role of the adenosine receptor and GTP-binding proteins », *J. Pharmacol. Exp. Ther.* 264, 977-983.

STOLERMAN I., (1992), « Drugs of abuse : behavioural principles, methods and terms », *Trends Pharmacol Sci.* 13, 170-176.

TAVARES M.A. and PAULA-BARBOSA M.M. (1983), « Lipofucin granules in Purkinje cells after long term alcohol consumption in rats », *Alcohol Clin. Exp. Res.*, 7, 302-306.

TAVARES M.A. and PAULA-BARBOSA M.M. (1982), « Alcohol induced granula cell loss in the cerebellar cortex and the adult rat », *Exp. Neurol.*, 78, 574-582.

TOMKINS D.M., LE A.D. and SELLERS E.M. (1995), « Effect of the 5-HT3 antagonist ondansetron on voluntary ethanol intake in rats and mice maintained on a limited access procedure », *Psychopharmacology*, 117, 479-485.

TORVIK A. and TORP S. (1986), « The prevalence of alcoholic cerebellar atrophy. A morphometric and histological study of autopsy material », *J. Neurol. Sci.*, 75, 43-51.

WAFFORD K.A., BURNETT D.M., LEIDENHEIMER J.J., BURT D.R., WANG J.G., KOFUJI P., DUNWIDDIE T.V., HARRIS R.A. and SIKELA J.M. (1991) « Ethanol sensitivity of the GABA$_A$receptor expressed in Xenopus oocytes requires 8 amino acids contained in the γ2L subunit », *Neuron*, 7, 1-20.

WAND G.S., LEVINE M.A. (1991), « Hormonal tolerance to ethanol is associated with decreased expression of the GTP-binding protein, Gsα and adenylyl cyclase activity in ethanol -treated mice », *Alcohol Clin. Exp. Res.*, 15, 705-710.

WERNICKE C. (1881), « Lehrbuch der Gehirnkrankheiten für Arzte und Studierende », *Fischer*, Kassel, Berlin.

WHITTINGTON M.A., LAMBERT J.D. and LITTLE H.J. (1995), « Increased NMDA receptor and calcium channel activity underlying ethanol withdrawal hyperexcitability », *Alcohol*, 30, 105-114.

CHAPITRE 7

LA COCAÏNE

La cocaïne est l'une des drogues les plus addictives. On estime que 10 % des personnes qui ont débuté une consommation récréationnelle seront des consommateurs compulsifs. Aux États-Unis (source NIDA), la consommation de cocaïne a chuté en 1996 après le pic enregistré au cours de 1985. Chez les étudiants (niveau BAC + 1) les consommateurs réguliers de cocaïne sont passés de 6,7 % à 2 % au cours de cette période. En 1996, 22 millions d'Américains de plus de douze ans ont consommé de la cocaïne au moins une fois au cours de leur vie, et parmi eux, 4,6 millions ont consommé du crack. Faute d'études approfondies, la prévalence de la consommation de cocaïne en France est mal connue. Selon les sources de l'OFDT, en 1995, 0,7 % des jeunes l'ont consommée au moins une fois au cours des trois derniers mois. Chez l'adolescent, en 1993, on estime à 1,5 % chez les garçons et à 0,9 % chez les filles le nombre de sujets ayant consommé de la cocaïne au moins une fois.

1. Les différentes formes de cocaïne et leur voie d'absorption

La cocaïne est un alcaloïde extrait des feuilles de l'éry-throxylon coca. Ce qui est communément appelé cocaïne correspond en fait à la forme sel (hydrochloride) qui est hydrosoluble et se décompose à des températures supérieures à 200°C. Elle a été extraite pour la première fois en 1885 (Squibb) et synthétisée en 1923 par Willstätter. La forme base, appelée crack, est un composé insoluble en milieu aqueux, très liposoluble et qui peut supporter sans dommage des températures allant jusqu'à 900°C. C'est pour cette raison que le crack est fumé. Son nom vient des craquements qui sont émis quand le produit est fumé. L'obtention de cristaux de cocaïne base se fait par chauffage d'une solution aqueuse de cocaïne hydrochloride et de bicarbonate. La cocaïne (hydrochloride) est généralement absorbée par voie nasale. Dans ce cas, l'absorption est limitée par ses effets vasoconstricteurs. Plus rarement elle est injectée. Les consommateurs de cocaïne par voie intraveineuse sont des sujets à risques importants pour la transmission du virus du sida. Le crack (cocaïne base) étant fumé, ses effets euphorisants et addictifs, et la probabilité d'une évolution vers une consommation compulsive, sont considérablement augmentés. La raison est que le crack fumé est absorbé à travers la membrane des alvéoles pulmonaires, ce qui représente une surface de contact d'environ 50 mètres carrés. La drogue va pénétrer la circulation artérielle, atteindre directement le cerveau sous forme de bolus en six à sept secondes, et provoquer des effets euphorisants immédiats très intenses (flash). Alors que la cocaïne est en général coupée (20 à 60 %), le crack se présente sous forme de cristaux dont le degré de pureté peut atteindre 95 %.

2. Mode d'action de la cocaïne

Les effets euphorisants de la cocaïne sont la conséquence de l'inhibition par la drogue des mécanismes de capture de la dopamine au niveau du système limbique
(cerveau des émotions). Dans les conditions normales de
fonctionnement des neurones dopaminergiques, la dopamine libérée au niveau synaptique doit être impérativement
neutralisée après son action sur les récepteurs spécifiques.
Cette neutralisation est assurée à 80 % par des mécanismes
de recapture très puissants et spécifiques. La cocaïne agit
comme une fausse clé qui bloque ces processus. Cela a pour
conséquence d'augmenter de façon considérable, et très
rapidement, les quantités de dopamine qui vont agir sur les
récepteurs spécifiques, produisant ainsi des effets euphorisants immédiats, dont l'intensité (flash, high) va dépendre
de la vitesse avec laquelle la cocaïne arrive au cerveau (voie
d'administration, dose). Plus rapide est l'absorption, plus
courte est la durée de l'effet. Les effets euphorisants de la
cocaïne persistent pendant quinze à trente minutes quand
elle est absorbée par voie nasale, alors que quand le crack
est fumé, la durée des effets est plus réduite (cinq à dix
minutes). D'autres psychostimulants comme les amphétamines, outre le blocage des mécanismes de recapture de la
dopamine, provoquent la libération passive de ce neuromédiateur, renforçant ainsi le premier effet de la drogue. Les
effets euphorisants des psychostimulants s'accompagnent
d'une hyperstimulation, d'une réduction de la fatigue et
d'une sensation de compétence intellectuelle accrue. Les
effets périphériques de la cocaïne sont la vasoconstriction,
la dilatation pupillaire et l'augmentation de la température
corporelle, de la fréquence cardiaque et de la pression

artérielle. La prise de fortes doses de cocaïne ou sa consommation continue induisent des états paranoïaques qui se traduisent souvent par des comportements agressifs caractéristiques. Les effets euphorisants sont donc dus à l'accroissement brutal des concentrations synaptiques de dopamine. Contrairement à ce qui est observé avec les opiacés, le sevrage de la cocaïne ne semble pas produire de symptômes physiques nets. Il s'accompagne d'une baisse de la dopamine synaptique qui a pour conséquence un état dépressif (dysphorie, anergie, anhédonie) qui conduit à la reprise de la drogue. Cet état dépressif associé à l'état de manque est amplifié chez le consommateur régulier de cocaïne. En effet, l'exposition répétée à la drogue va générer des mécanismes d'adaptation qui auront pour but de réduire les effets de la cocaïne. C'est ainsi que les mécanismes de recapture de la dopamine vont devenir de plus en plus efficaces. Au cours du sevrage, ces mécanimes d'adaptation vont par conséquent diminuer d'autant plus la concentration de dopamine synaptique et donc amplifier l'état dépressif. La durée de ce syndrome de manque varie de quatre heures à six jours, en fonction de l'intensité de la consommation compulsive.

3. Pharmacologie générale et comportementale chez l'animal

Chez le rat, l'administration de cocaïne produit des effets psychostimulants intenses qui se traduisent par l'interaction constante de l'animal avec son environnement. Ces effets euphorisants sont concomitants de l'augmentation de la dopamine au niveau synaptique. L'injection répétée de cocaïne ou d'amphétamine a pour conséquence l'augmentation des effets comportementaux et neuro-chimiques de ces drogues. C'est le phénomène de sensibilisation. Il suffit de cinq injections d'amphétamine pour induire cet état. Une fois induite, cette sensibilisation persiste pendant des mois. Les facteurs environnementaux facilitent l'expression de cette sensibilisation puisqu'elle est plus intense si elle est évaluée dans l'environnement où l'animal a l'habitude de recevoir la drogue. Enfin, un animal sensibilisé aux effets de la cocaïne sera également sensibilisé aux effets de l'amphétamine, de l'héroïne, de la morphine et de la nicotine. Cela laisse supposer l'existence d'un substratum neuroanatomique commun pour les effets de ces drogues. Il a pu être montré que toutes ces substances agissent, directement ou indirectement, par l'activation des neurones dopaminergiques (voir chapitre 2). Cette sensibilisation aux effets de la cocaïne a des corrélats neurochimiques. En effet, chez un animal sensibilisé à la cocaïne, l'élévation de la dopamine synaptique produite par la drogue est augmentée, les capacités de synthèse de dopamine sont accrues et les mécanismes de feedback négatifs qui régulent l'activité des neurones dopaminergiques sont affaiblis durablement.

4. Effets neurotoxiques chez l'homme

La toxicité provoquée par l'abus de cocaïne se développe au niveau de l'ensemble de l'organisme avec des effets dramatiques au niveau du système cardiovasculaire, du foie et du cerveau. Des résultats récents obtenus chez l'animal montrent que l'administration continue de cocaïne pendant trois à cinq jours, mimant ainsi la consommation de crack chez l'homme, produit des dégénérescences neuronales dans différentes structures cérébrales. Au contraire, l'injection intermittente serait sans effet. Chez l'homme, des études *post mortem* ont également signalé des lésions de divers systèmes neuronaux (dopamine, enképhalines) et l'augmentation de l'activité des systèmes à dynorphine. Ces effets semblent être responsables, du moins en partie, des états dysphoriques et du craving chez le sujet dépendant de cette drogue. Plusieurs facteurs peuvent contribuer à la neurotoxicité de la cocaïne. L'augmentation répétée des concentrations extracellulaires de monoamines (noradrénaline, sérotonine et dopamine) peut être neurotoxique par la formation de radicaux libres et de quinones toxiques. L'hyperactivité catécholaminergique déclenchée par la drogue pourrait conduire à des déficits bioénergétiques qui produiraient en cascade des processus dégénératifs (voir chapitre 3).

Un des facteurs essentiels de la neurotoxicité de la cocaïne est dû à ses effets vasoconstricteurs et à l'augmentation de l'agrégation plaquettaire qui sont susceptibles de produire des épisodes locaux ou généralisés d'ischémie et d'infarctus cérébraux, qui à leur tour conduisent à des processus neurodégénératifs et au développement d'œdèmes cérébraux. Chez l'homme, la consommation chronique de cocaïne peut entraîner des neuropathies. Ont été rapportés des crises d'épilepsie, des infarctus cérébraux, des atrophies cérébrales et des infarctus du myocarde, effets qui conduisent globalement à des ischémies et des œdèmes cérébraux. Des atrophies et des lésions cérébrales ont été détectées chez des consommateurs chroniques de cocaïne, en particulier dans le cortex frontal et les noyaux de la base. Des anomalies localisées de la circulation cérébrale ont été rapportées dans les aires frontales et temporo-pariétales. La période d'abstinence se caractérise par une diminution de l'activité métabolique dans le cortex préfrontal, en particulier dans l'hémisphère gauche, et une réduction de la circulation cérébrale qui persiste pendant au moins les trois mois qui suivent le sevrage de la drogue. L'utilisation chronique de cocaïne produit également une dérégulation de l'activité des neurones dopaminergiques et la diminution de la densité des récepteurs D2 dans le cortex cérébral.

Dans les cas extrêmes, la lésion des neurones dopaminergiques peut conduire à des effets extrapyramidaux tels que des dystonies, des mouvements choréiques et des tremblements des mains qui s'apparentent à ceux observés dans la maladie de Parkinson. La fixation de la cocaïne sur le transporteur de la cocaïne (PET Scan) indique la dégénérescence de terminaisons dopaminergiques. L'abus de cocaïne conduit à des déficits de l'attention et de la mémoire à court terme. L'EEG est pathologique avec une augmentation de l'activité β dans les aires corticales frontales. Les psychopathologies les plus fréquemment rencontrées sont l'anhédonie, l'anxiété, la paranoïa, la dépression et les désordres bipolaires de l'humeur. Ces pathologies sont des facteurs prédisposant au suicide et contribuent certainement au craving et à la rechute. Il est possible que chez les sujets humains qui abusent à la fois de la cocaïne et d'alcool, les effets neurotoxiques observés soient plus importants que ceux détectés chez l'animal. Cela est la conséquence de la formation de cocaéthylène, substance qui est beaucoup plus toxique que la cocaïne. La prévalence de l'abus de stimulants est considérablement augmentée chez l'enfant hyperkinétique. L'étiologie de cette pathologie est mal connue, mais il semble qu'elle soit associée au dysfonctionnement des systèmes dopaminergiques fronto-striataux. Le fait que les mêmes déficits dopaminergiques soient observés chez le consommateur chronique de cocaïne et chez l'enfant hyperkinétique, laisse supposer l'existence d'un substrat neurobiologique commun. L'augmentation considérable de la consommation de stimulants chez ces sujets pourrait être la conséquence d'une automédication destinée à couvrir le déficit dopaminergique des aires frontales du cortex cérébral.

Des études récentes montrent une relation entre l'augmentation de la prévalence de la prise de stimulants et l'empoisonnement par le plomb. Chez l'animal aussi, l'exposition au plomb augmente la sensibilité des sujets aux effets des stimulants ainsi que leur auto-administration. Pendant la grossesse, presque toutes les drogues d'abus traversent le placenta et envahissent la circulation sanguine du fœtus. C'est le cas de la cocaïne qui est liposoluble. Mais dans le liquide amniotique, la cocaïne donne naissance à un nouveau composé, la norcocaïne, qui est hydrosoluble. La norcocaïne reste emprisonnée dans l'environnement du fœtus et peut agir pendant plusieurs jours. Les conséquences pour le développement du fœtus sont multiples, naissances prématurées, retard dans le développement, augmentation de la fréquence d'enfants mort-nés, rigidité des membres. Dans certains cas extrêmes, on peut observer des malformations des organes urinaires, génitaux et digestifs.

5. À la recherche de nouveaux traitements

La dépendance à la cocaïne n'est pas très répandue en France. En général, ce sont des thérapies de groupe ou individuelles avec une orientation cognitivo-comportementale qui sont proposées aux patients. À part les antidépresseurs, il n'existe pas de traitement médicamenteux très spécifique. Nous ne disposons pas actuellement de molécule de substitution comme la méthadone pour les patients dépendants des opiacés. Toutefois de nouvelles voies de recherches sont explorées. On teste actuellement chez l'animal des inhibiteurs de capture de la dopamine dont les effets sont lents à apparaître et durent longtemps. De telles molécules sont capables de bloquer les effets neurochimiques de la cocaïne et de réduire chez le rat et le singe l'appétence pour cette drogue. D'autres voies sont aussi explorées par utilisation d'agonistes spécifiques de l'activité des récepteurs D1 et D3 dopaminergiques.

6. Associations, toxicité additionnelle

Quand la consommation de cocaïne est associée à celle de l'alcool, il y a formation au niveau du foie d'un troisième composé, la cocaéthylène, qui potentialise considérablement les effets de la cocaïne, augmentant ainsi les risques de mort subite. Parfois, l'héroïne et la cocaïne sont injectées simultanément, c'est le « Speed Ball ». L'un des effets des opiacés, comme la morphine et l'héroïne, est d'augmenter l'activité des neurones dopaminergiques du cerveau. Cet effet dopaminergique de l'héroïne vient potentialiser les effets de la cocaïne et accroître les effets euphorisants.

Références bibliographiques

Farré M., de la Torre R., Llorente M., Lamas X., Ugena B., Segura J., Cami J. (1993), « Alcohol and cocaine interactions in humans » *J. Pharmacol. Exp. Ther.* 266, 1364-1373.
Farré M., de la Torre R., Gonzalez M.L., Teran M.T., Roset P.N., Menoyo E., Cami J. (1997), « Cocaine and alcohol interactions in humans : Neuroendocrine effects and cocaethylene metabolism », *J. Pharmacol. Exp. Ther.* 283, 164-176.
NIDA, *Monograph Series* 163, « Neurotoxicité et neuropathologies associées à l'abus de cocaïne ».

CHAPITRE 8

L'ECSTASY

L'ecstasy désigne essentiellement la 3,4-Méthylène-dioxyméthamphétamine (MDMA) mais également de nombreux produits dérivés ou apparentés (MDA, MDEA, MMDA, DMMDA, PMA, TMA, DDPR, DMA, DOB, DOET, DOI, DOM, DOM, 2 CB, 2,3,4 TMA, 2,4,5 TMA et 2,4,6 TMA). (Voir tableau p. 94.) Il s'agit d'une drogue dont la première synthèse remonte à 1912 dans une recherche d'une nouvelle classe d'anorexigènes, puis de nouveau synthétisée dans les années 1970 par Alexander Shulgin. Elle s'apparente aux psychostimulants et aux hallucinogènes. Vendue sous forme de comprimés, elle contient en fait de nombreux produits ajoutés ou remplaçant la MDMA parmi lesquels des psychostimulants ou des hallucinogènes (LSD, kétamine), des stimulants n'appartenant pas à la famille des phényléthylamines comme la caféine ou la pseudo-éphédrine, des anabolisants, des analgésiques ou des antipaludéens (source rapport INSERM). La recherche de la MDMA et de son métabolite principal se fait dans tous les milieux biologiques (sang, salive, cheveux, sueur), mais le plus souvent dans les urines par screening immunologique suivi d'une confirmation par chromatographie en phase gazeuse couplée à la spectrophotométrie de masse (rapport INSERM).

1. Mécanisme d'action

Chez l'animal, la MDMA exerce principalement des effets sur le système sérotoninergique avec une réponse biphasique en entraînant une libération importante de sérotonine puis un épuisement des stocks de sérotonine au bout de quelques heures. Il existe également une réduction d'activité de la tryptophane hydroxylase qui peut être plus prolongée que celle du taux de sérotonine. Certains effets hallucinogènes pourraient être dus à la stimulation des récepteurs sérotoninergiques de type 5HT2. Les effets chez l'animal sont réversibles aux faibles doses avec des différences selon les espèces et les individus. La MDMA augmente également la libération de dopamine, de noradrénaline (avec une haute affinité pour les récepteurs alpha 2 adrénergiques et noradrénergiques), ces derniers effets pouvant expliquer les effets cardiovasculaires observés chez l'homme. Il existe, enfin, une action endocrinienne avec accroissement du cortisol, de la prolactine et peut-être de la mélatonine (rapport INSERM).

À doses répétées et/ou élevées, la MDMA provoque chez l'animal une dégénérescence des terminaisons sérotoninergiques. Les primates semblent être particulièrement vulnérables à cette action. Le cortex frontal semble plus affecté que l'hypothalamus. Le mécanisme de cette neurotoxicité n'est pas élucidé. Il semblerait que la MDMA ne soit pas directement responsable mais que puissent intervenir soit des neurotransmetteurs libérés en grande quantité par la MDMA (dopamine) soit des métabolites, en particulier le MDA, qui seraient des composés oxydants aux propriétés toxiques. Un des risques serait qu'une atteinte puisse demeurer masquée au plan fonctionnel tant que la population neuronale restante compense cette perte, mais que l'apparition de symptômes pathologiques ne survienne que tardivement, lorsque la dégénérescence liée à l'âge de la population de neurones sérotoninergiques atteint une proportion suffisante pour annuler cette compensation (voir chapitre 3).

2. Toxicité chez l'homme

Des décès ont été rapportés peu de temps après la prise d'ecstasy, dus à des arythmies cardiaques, des convulsions et une dépression du SNC. Des décès plus tardifs (vingt-quatre à quarante-huit heures) résultent d'un syndrome ressemblant à une hyperthermie maligne. La dose létale minimale est difficile à évaluer. Un cas a été rapporté de décès après ingestion d'une dose estimée de 150 mg de MDMA associée à de l'alcool. Dans d'autres cas, la teneur exacte des tablettes d'ecstasy ayant conduit au décès n'est pas connue, mais des teneurs plasmatiques en MDMA de 0,11 à 1,26 mg par litre ont été rapportées. Des cas d'hépatotoxicité parfois aigus ont été relatés ainsi que des réactions hyperthermiques entraînant des manifestations de coagulation intravasculaire disséminée, des rhabdomyolyses et des insuffisances rénales aiguës. Ont également été rapportés des cas d'anémie aplasique. Des cas d'accidents cérébrovasculaires sévères apparemment induits par la MDMA ont été rapportés. Les risques semblent plus élevés en cas de facteurs de vulnérabilité neurologique préexistants, d'utilisation d'alcool et d'autres substances. Enfin, des syndromes associant les signes d'un syndrome sérotoninergique et ceux d'un syndrome malin aux neuroleptiques ont été décrits. Les personnes présentant un métabolisme ralenti pourraient être plus vulnérables à l'hyperthermie et aux accidents sévères.

Deux problèmes concernant la toxicité de l'ecstasy chez l'homme demeurent non résolus : les conditions de l'usage avec le rôle de l'hyperactivité, de la déshydratation et celui de l'usage concomitant d'autres substances ; l'impureté des substances avec présence d'intermédiaires de synthèse et/ou de substances ajoutées (comme, par exemple, le LSD). Enfin, il n'existe pas, à l'heure actuelle, de données chez l'homme à long terme corroborant ou infirmant les altérations dégénératives du système sérotoninergique observées chez l'animal.

3. Effets psychopathologiques

Après prise orale, les effets rapportés sont une stimulation et une désinhibition. Des effets psychiatriques ont été rapportés soit dans les jours soit dans les mois qui suivent la prise. Les troubles les plus fréquents sont des troubles anxieux, notamment à type d'attaques de panique, des troubles dépressifs, des troubles du sommeil, des flash-backs et des troubles psychotiques. L'évaluation de ces troubles est rendue délicate par le fait que souvent la prise d'ecstasy s'est accompagnée de la prise d'autres toxiques qui peuvent également favoriser ces troubles, la difficulté à affirmer une imputabilité dès lors que l'état antérieur aux prises du sujet est peu contrôlé, et que l'on ne connaît pas l'incidence réelle de ces manifestations par rapport à l'ensemble des usagers. Les effets à long terme ne sont pas connus. Quoi qu'il en soit, il semble que la prise d'ecstasy puisse précipiter un état pathologique chez un individu sans antécédents.

Comme nous l'avons signalé, les comprimés d'ecstasy peuvent contenir des produits fort variables remplaçant la MDMA ou associés à cette dernière. De plus, les sujets prenant de l'ecstasy consomment fréquemment d'autres produits toxiques en même temps ou à d'autres moments. Les effets propres de ces produits mais également les interactions peuvent être à l'origine d'effets toxiques très divers. À titre d'exemple, dans une étude récente conduite à Munich auprès de 3 024 adolescents et jeunes adultes âgés de quatorze à vingt-quatre ans, les résultats font état chez les consommateurs d'ecstasy d'une utilisation au cours de leur vie de cannabis dans 97,4 % des cas, d'opiacés dans 26,2 % des cas, de cocaïne dans 58,9 % des cas, d'hallucinogènes dans 46 % des cas et d'autres produits (amphétamines, khat, noix de bétel et speed) dans 48,2 % des cas (Schuster *et al.*, sous presse). Dans une étude française récente (CEID, 1998) réalisée en Gironde auprès de 134 usagers d'ecstasy, les produits les plus fréquemment associés sont le cannabis (48,5 %), l'alcool (36,6 %), le LSD (23,1 %), la cocaïne (18,6 %), l'héroïne (8,2 %) et les amphétamines (3,7 %). Dans l'étude de l'IREP, les autres produits consommés au moins une fois au cours de la vie sont les suivants : cannabis 99 %, LSD 85 %, cocaïne 72 %, amphétamines 36 %, héroïne 32 %, champignons hallucinogènes 22 %, poppers 16 % et kétamine 4 % (IREP, 1997).

4. Prévalence

Dans l'étude de Munich, la prévalence au cours de la vie de l'usage d'ecstasy est de 4 % chez les hommes et de 2,3 % chez les femmes avec une augmentation en fonction de l'âge (0,1 % chez les quatorze – quinze ans, 3 % chez les seize-dix-sept ans, 2,6 % chez les dix-huit-dix-neuf ans, 3,3 % chez les vingt – vingt et un ans et 4,5 % chez les vingt-deux – vingt-quatre ans) (Schuster *et al.*, sous presse). En France, on estime la prévalence entre 1 et 2 % chez les jeunes adultes (rapport INSERM). L'enquête réalisée chez les hommes vus dans les centres de sélection des armées en 1996 fait état d'une consommation de 5,1 % (3,9 % au moins une fois, 1,2 % consommation régulière) (OFDT, 1998). Dans une population plus jeune d'âge scolaire (onze à dix-neuf ans), l'enquête santé INSERM de 1993 rapportait une consommation d'amphétamines et d'ecstasy chez 2,8 % des garçons et 1,3 % des filles.

Références bibliographiques

Rapport INSERM, « Ecstasy : Des données biologiques et cliniques aux contextes d'usage », les éditions INSERM, 1998.

SCHUSTER P., LIEB R., LAMERTZ C., WITTCHEN H.U. « Is the use of ecstasy and hallucinogens increasing ? », *Eur. Addict. Res.* (sous presse).

IREP (1997), *L'ecstasy : recherche pilote,* OFDT.

CEID (1998), *Recherche sur les usages d'ecstasy en Gironde,* OFDT.

OFDT (1998), *Consommation d'ecstasy en France : indicateurs et tendances.*

GROB C.S., POLAND R.E. (1997), « MDMA », *in Substance Abuse : a comprehensive text book*, 3e éd., LOWINSON J.H., RUIZ P., MILLMAN R.B., LANGROD, J.G., éds, Wiliams & Wilkins, 269-275.

CHAPITRE 9

LES OPIOÏDES

1. Présentation des molécules

Le terme opiacé est utilisé pour nommer les différents composés dérivés de l'opium, la substance obtenue par incision de la capsule du *Papaver somniferum*. Cela inclut les alcaloïdes isolés directement de l'opium comme la morphine, la codéine, la thébaine, la papaverine et la noscapine, et les composés semi-synthétiques développés à partir de ces alcaloïdes, comme l'héroïne ou la buprénorphine. Plusieurs substances complètement synthétiques avec des actions de type morphinique ont été développées, comme la méthadone, le propoxyphène et les dérivés pipéridiniques (mépéridine, lopéramide, fentanyl, alfentanyl et sufentanyl). Certains de ces dérivés pipéridiniques (fentanyl, alfentanyl et sufentanyl) ont une puissance au moins cent fois supérieure à celle de la morphine. Le terme opioïde a été ensuite étendu à l'ensemble des substances (naturelles, semi-synthétiques et synthétiques) pourvues d'effets morphiniques (Jaffe et Martin, 1990).

L'opioïde le plus utilisé comme « drogue » est l'héroïne, diacétylmorphine. L'héroïne a une meilleure biodisponibilité que la morphine, traverse plus efficacement la barrière hématoencéphalique et est métabolisée très rapidement en morphine. D'un point de vue pharmacologique, l'héroïne

administrée par voie intramusculaire est approximativement deux fois plus puissante que la morphine, son activité
analgésique apparaît un peu plus rapidement, mais la durée
de l'effet est similaire à celui de la morphine (Sawynok,
1986). La prévalence d'addiction à l'héroïne a diminué dans
les dernières années, en parallèle avec l'augmentation de la
consommation de cocaïne et d'autres psychostimulants. En
1994, le nombre de toxicomanes dépendants aux opiacés,
aux États-Unis, était approximativement de six cent mille,
mais le nombre total de consommateurs était estimé à environ deux millions (Bigelow et Preston, 1994). Cependant,
l'incidence de cette toxicomanie peut augmenter d'une
façon considérable dans certaines situations particulières.
Par exemple, 15-20 % des militaires engagés dans la guerre
du Viêt-nam sont devenus dépendants aux opiacés, probablement à cause de la grande disponibilité de la drogue et
des conditions de vie (Robins *et al.*,1974).

2. Mécanisme d'action

Les opiacés interfèrent avec le système opioïde endogène, représenté par un ensemble de peptides, en particulier
les enképhalines (Hughes *et al.*, 1975) synthétisées sous
forme de larges précurseurs (préproenképhaline) dans des
neurones spécialisés puis libérées par un mécanisme cal-
cium-dépendant pour interagir avec des récepteurs spécifiques, avant d'être détruites par des exopeptidases (revue
dans Roques *et al.*, 1993).
Les opiacés induisent leurs actions pharmacologiques
par activation de récepteurs spécifiques, appartenant à la
classe des récepteurs couplés aux protéines G et contenant
sept hélices transmembranaires. Trois grands types de
récepteurs opioïdes ont été identifiés et récemment clonés :

µ (Chen *et al.*, 1993 ; Thompson *et al.*, 1993), δ (Evans *et al.*, 1992 ; Kieffer *et al.*, 1992) et ϰ (Yasuda *et al.*, 1993 ; Meng *et al.*, 1993). Les opiacés se lient à leurs récepteurs localisés sur la face externe de la membrane cellulaire. Cette liaison dissocie les sous-unités (α, β, γ) constituant la protéine hétérotrimérique G située sur la face interne. Cette dissociation induit une inhibition de l'activité de l'enzyme adénylyl cyclasique, c'est-à-dire une diminution de la synthèse d'AMPc, conduisant à une diminution dans l'activité d'une protéine kinase, la PKA. Une conséquence de l'activation des récepteurs opioïdes sur la cellule sera la modification de la perméabilité ionique de la membrane (ouverture de canaux potassiques et fermeture des canaux calciques voltages dépendants) conduisant à une hyperpolarisation du neurone et à une inhibition de la libération de neurotransmetteurs. Suite à l'inhibition de la PKA, la phosphorylation des protéines cytoplasmiques, comme les protéines qui font partie du cytosquelette cellulaire, va être aussi inhibée, ainsi que la phosphorylation de certains facteurs de transcription comme CREB. Ceci va conduire à une modification de la transcription de l'ADN, c'est-à-dire de la réponse génomique de la cellule (Noël *et al.*, 1994).

L'administration chronique d'opiacés induit des modifications adaptatives dans la plupart des messagers intracellulaires impliqués dans les réponses pharmacologiques. Les récepteurs opioïdes de type µ semblent être les principaux responsables de ces modifications adaptatives. Lors de la dépendance opiacée, une augmentation dans l'activité des enzymes, adénylyl cyclase et protéine kinase, dans la phosphorylation de diverses protéines intracellulaires et du facteur de transcription CREB, ainsi que dans l'expression de gènes précoces c-fos et c-jun, est observée dans le *locus cœruleus* (Nestler *et al.*, 1992). Certains de ces messagers sont aussi modifiés dans d'autres structures cérébrales comme le noyau accumbens et l'amygdale (Terwilliger *et al.*, 1991). Ces modifications induites pendant la dépendance sur l'ensemble des messagers intracellulaires associés aux récepteurs opioïdes, pourraient être en partie responsables de certaines manifestations physiques (Rasmussen *et al.*, 1990; Maldonado *et al.*, 1996) de la dépendance opiacée.

D'autres systèmes de neurotransmission, différents du système opioïde endogène, sont aussi impliqués dans la dépendance opiacée. Ainsi, des modifications importantes ont été observées dans les systèmes catécholaminergique, sérotoninergique, glutamatergique, GABAergique, cholinergique et peptidergique. Entre ces différents neurotransmetteurs, les systèmes noradrénergique, dopaminergique et glutamatergique semblent être particulièrement impliqués dans la dépendance opiacée. L'activité électrique du locus cœruleus, le principal noyau noradrénergique du cerveau, est très augmentée pendant l'abstinence opiacée (Aghajanian *et al.*, 1978). D'ailleurs, le locus cœruleus est la structure la plus sensible pour déclencher un syndrome de sevrage par injection locale d'un antagoniste chez le rat dépendant à la morphine (Maldonado *et al.*, 1992). D'autre part, une forte augmentation de la libération de noradrénaline est observée lors du syndrome de sevrage opiacé dans certaines régions cérébrales comme le cortex (Rosetti *et al.*, 1993) et l'hippocampe (Done *et al.*, 1992). Le sevrage opiacé induit l'effet opposé sur le système dopaminergique avec une diminution importante et de longue durée de la libération de dopamine au niveau du noyau accumbens (Acquas *et al.*, 1991; Acquas et Di Chiara, 1992). L'augmentation de l'activité noradrénergique semble être liée à l'expression de la dépendance physique aux opiacés (Maldonado et Koob, 1993), alors que les modifications dans le système dopaminergique semblent être associées avec la composante psychique de la dépendance (Maldonado *et al.*, 1997).

Les systèmes d'acides aminés excitateurs sont probablement aussi impliqués dans l'expression de la dépendance physique aux opiacés. Ainsi, l'hyperactivité neuronale observée au niveau du locus cœruleus pendant le sevrage opiacé semble être due au moins en partie à une augmentation de la libération de glutamate dans le locus cœruleus provenant d'une afférente du noyau paragigantocellularis (Akaoka et Aston-Jones, 1991). En accord avec cette hypothèse, les antagonistes NMDA sont capables de diminuer la sévérité du syndrome de sevrage opiacé chez le rat (Trujillo et Akil, 1990 ; Akaoka et Aston-Jones, 1991).

3. Réponses comportementales chez l'animal et chez l'homme

Une grande variété de réponses comportementales a été observée chez l'animal après administration d'opiacés. Chez les rongeurs, l'effet prédominant est une augmentation de l'activité locomotrice, mais ceci peut varier en fonction de la sélectivité de l'agoniste, la dose utilisée et l'espèce animale. Les effets des opioïdes sur la locomotion sont liés à des interactions avec le système dopaminergique (Cooper, 1989). Dans certains tests expérimentaux mesurant la mémoire, les agonistes opiacés sont capables de diminuer les processus cognitifs. Cet effet est surtout observé au niveau de la mémoire de travail ou de référence et beaucoup moins dans les tests mesurant la mémoire à long terme (Collier et Routtenberg, 1984 ; Collier *et al.*, 1987). Ces agonistes ont également montré des effets proconvulsivants chez le rongeur (Frenk, 1983) et des effets de type antidépresseur dans différents modèles animaux (Baamonde *et al.*, 1992).

Les effets renforçants et subjectifs des opiacés ont été mis en évidence chez l'animal en utilisant divers modèles expérimentaux comme le test d'auto-administration, d'autostimulation intracérébrale, de conditionnement de place et de discrimination de drogue. Les récepteurs opioïdes μ (Matthes *et al.*, 1996) essentiellement et peut-être les récepteurs δ (Shippenberg et Herz, 1987) semblent être liés aux effets renforçants des opiacés. Par contre, la stimulation des récepteurs κ a des effets de type aversif (Carr et Bak, 1988). L'implication du système dopaminergique dans les effets renforçants des opioïdes semble être acceptée, même si des résultats contradictoires ont été parfois décrits. Ainsi, les opiacés augmentent l'activité électrique des neurones dopaminergiques dans l'aire tegmentale ventrale et la libération de dopamine dans le noyau accumbens (Di Chiara et North, 1992). L'administration d'antagonistes dopaminergiques (Bozart et Wise, 1981; Spyraki *et al.*, 1983; Hand *et al.*, 1985; Shippenberg *et al.*, 1983) ainsi que la lésion de voies dopaminergiques (Spyraki *et al.*, 1983; Hand *et al.*, 1985) diminuent les effets renforçants des opiacés mesurés dans les tests de préférence de place et d'auto-stimulation intracérébrale. L'administration d'antagonistes dopaminergiques réduit également le comportement d'auto-administration d'opiacés (Ettemberg *et al.*, 1982; Gerber et Wise, 1989). Cependant, des résultats contradictoires ont été décrits dans ce test après la lésion de la voie mésolimbique par la 6-hydroxydopamine. Ainsi la lésion du noyau accumbens produit une diminution du comportement d'auto-administration d'opiacés chez le rat (Smith *et al.*, 1985), mais d'autres études n'ont pas trouvé de modifications (Pettit *et al.*, 1984). L'altération du comportement d'auto-administration semble exiger la présence d'une lésion très large de la voie dopaminergique mésolimbique, ce qui pourrait expliquer les différents résultats décrits précédemment. D'autre part, un mécanisme indépendant de la dopamine, localisé également dans le système mésolimbique, a aussi été proposé pour expliquer les effets renforçants des opiacés (Koob, 1992).

Le rôle crucial des récepteurs dopaminergiques D2 dans les propriétés renforçantes des opiacés a été récemment démontré grâce à l'utilisation de souris knock-out.

Ainsi, les souris déficientes en récepteurs dopaminergiques D2 ne montrent pas d'effets renforçants dans le test de préférence de place après administration de différentes doses de morphine, tandis que les effets induits dans ce test par un stimulus naturel, la nourriture, sont préservés (Maldonado *et al.*, 1997).

En ce qui concerne les effets subjectifs chez l'homme, l'administration intraveineuse rapide d'héroïne produit une sensation cutanée intense ainsi que dans la partie basse de l'abdomen qui est décrite par les toxicomanes comme qualitativement et quantitativement similaire à un orgasme. Cette sensation, connue sous le nom de « rush », a une durée approximative de quarante-cinq secondes, et elle a été aussi décrite par les toxicomanes après administration intraveineuse de morphine et de certains autres opioïdes. Ces effets subjectifs jouent un rôle majeur pour instaurer la dépendance aux opiacés. Les opiacés sont également capables de modifier le comportement social chez l'homme, en diminuant l'agressivité et l'activité sexuelle (Bigelow et Preston, 1994). L'augmentation des activités délictueuses observée chez les héroïnomanes n'est pas directement associée aux effets pharmacologiques des opiacés mais aux effets dus à la dépendance psychique. Beaucoup d'héroïnomanes sont déjà délinquants avant de devenir dépendants à cette drogue, et d'autres le deviennent afin d'obtenir de l'argent pour se procurer la drogue.

4. Effets toxiques sur différents organes

Les opiacés induisent des réponses pharmacologiques par action sur une grande variété d'organes et de systèmes : système nerveux (réponses comportementales, neuro-endocrines et analgésiques, rigidité musculaire, myosis, vomissements, dépression respiratoire, effets antitussifs), système cardiovasculaire (modification de la fréquence cardiaque et vasodilatation), système gastro-intestinal (constipation et modification des sécrétions), vésicule biliaire (contraction du sphincter d'Oddi), tractus urinaire (contraction de l'uretère et effet antidiurétique), utérus (diminution des contractions), peau (vasodilatation cutanée et prurit) et système immunitaire (modifications fonctionnelles au niveau des leucocytes et des macrophages et diminution des fonctions immunitaires) (Jaffe et Martin, 1990).

La dose létale chez l'homme pour l'héroïne ou d'autres opiacés est difficile à établir étant donné que cette dose peut changer considérablement chez les individus tolérants. Ainsi, chez une personne naïve, une administration de 30-40 mg de morphine par voie sous-cutanée peut induire une intoxication grave, alors que chez certains toxicomanes une dose de 2 000 mg peut n'induire qu'une faible diminution de la respiration. L'intoxication aiguë aux opiacés se caractérise par la présence d'un coma avec myosis et dépression respiratoire sévère, pouvant aller jusqu'à trois à quatre inspirations par minute, ce qui est généralement responsable du décès. D'autres signes sont l'hypotension, l'hypothermie, la diminution du tonus musculaire et, dans certains cas, l'apparition de convulsions (Magistretti, 1989).

L'administration chronique d'opiacés s'accompagne invariablement d'apparition d'une tolérance et d'une dépendance physique et psychique. La tolérance apparaît dès la première administration, mais elle n'a de signification clinique qu'après deux à trois semaines et ne se développe pas de façon égale pour toutes les actions des opiacés. Elle est rapide pour l'analgésie, la dépression respiratoire et les effets émétiques tandis qu'elle est presque inexistante pour le myosis, la constipation et l'effet convulsivant éventuel. L'administration chronique s'accompagne également d'une dépendance physique manifestée par un syndrome de sevrage lors de l'interruption brutale de l'utilisation d'opiacés ou lorsqu'un antagoniste est administré. Les signes qui caractérisent le sevrage d'opiacés chez l'homme sont rhinorrhée, frissons, bâillements, larmoiement, hyperventilation, hyperthermie, mydriase, myalgies, diarrhée, vomissements et anxiété. Ce syndrome apparaît six à dix heures après la dernière prise d'héroïne, atteint un pic autour de trente-six à quarante-huit heures et disparaît au bout de cinq jours (Jaffe, 1990). *Il faut rappeler que, administrés dans des conditions appropriées à faibles doses répétées par voie orale par exemple, les effets secondaires provoqués par la morphine dans une indication d'analgésie sont pratiquement inexistants.*

La mortalité des héroïnomanes est beaucoup plus élevée que celle d'une population d'âge et de statut socioéconomique comparable. Une fraction considérable de cette mortalité est due à une « overdose » généralement produite par des variations importantes et méconnues dans la pureté de l'héroïne frauduleuse utilisée par le consommateur ou à l'association d'héroïne avec de l'éthanol ou d'autres drogues à action dépressive sur le système nerveux central. Si l'on considère l'incidence élevée des troubles dépressifs chez le toxicomane, certains cas d'overdose sont en fait des suicides, dont l'incidence est plus élevée que dans le reste de la population. Une autre cause fréquente de mortalité des toxicomanes est due à une réaction d'anaphylaxie produite par l'administration intraveineuse des impuretés contenues dans les préparations illicites d'héroïne. Les complications médicales les plus fréquentes chez l'héroïnomane sont les infections dues aux mauvaises conditions hygiéniques d'utilisation de la voie parentérale (septicémie, sida, hépatites, endocardites, tétanos, tuberculose, abcès sous-cutanés, infections pulmonaires et cérébrales), les embolies par des corps étrangers, les granulomes motivés par les impuretés des préparations, ainsi qu'une variété de lésions, principalement neurologiques et musculo-squelettiques, associées aux réactions toxiques et d'hypersensibilité provoquées par ces mêmes impuretés (Jaffe, 1990). Le changement dans le style de vie qui demande une recherche continuelle d'argent pour faire face au coût élevé de la consommation journalière d'héroïne, mène un grand nombre de toxicomanes à des activités délictueuses et, de manière plus courante chez les femmes, à la prostitution, avec un risque élevé de transmission du sida et autres maladies sexuellement transmissibles. Ce mode de vie à très haut risque participe à l'augmentation du pourcentage de mort violente chez le toxicomane.

5. Effets neurotoxiques

Certaines études récentes ont montré chez l'animal et aussi chez l'homme que l'administration chronique d'opiacés pourrait induire des effets neurotoxiques. Ainsi, des modifications dans les protéines qui constituent les neurofilaments ont été observées dans l'aire tegmentale ventrale des rats soumis à une administration chronique de morphine. Une altération similaire est induite par un traitement chronique à la cocaïne (Beitner-Johnson *et al.*, 1992. Ces traitements diminuent le nombre de neurofilaments et pourraient induire des modifications fonctionnelles et structurales dans cette région. Le traitement chronique à la morphine a été également rendu responsable d'une altération du transport axonique dans les neurones de l'aire tegmentale ventrale (Beitner-Johnson et Nestler, 1993) et d'une augmentation des concentrations de la protéine gliale GFA dans cette structure (Beitner-Johnson *et al.*, 1992), ce qui est souvent associé avec une atteinte neuronale (O'Callaghan, 1994). Des changements adaptatifs similaires ont été observés dans l'aire tegmentale ventrale de rats qui ont acquis un comportement d'auto-administration chronique d'héroïne (Self *et al.*, 1995).

D'autres études ont montré des modifications morphologiques dans les neurones dopaminergiques de l'aire tegmentale ventrale de rats traités chroniquement à la morphine (Sklair-Tavron *et al.*, 1996). Ainsi, une réduction de 25 % dans la taille des neurones dopaminergiques et d'eux seuls a été observée. Cet effet est bloqué par la co-administration de morphine avec un antagoniste opioïde. Ces changements morphologiques pourraient correspondre à des lésions neuronales ou à des phénomènes adaptatifs associés à des modifications de l'état fonctionnel des neurones dopaminergiques. Une diminution dans la capacité fonctionnelle de ces neurones de l'aire tegmentale ventrale pourrait être associée avec l'état dysphorique observé pendant l'abstinence et contribuer au développement de la composante psychique de la dépendance opiacée.

Une diminution des neurofilaments a été aussi récemment observée dans le cortex frontal provenant de toxicomanes dépendants aux opiacés (héroïne et/ou méthadone) (Garcia-Sevilla *et al.*, 1997). Ces résultats suggèrent que l'administration chronique d'opiacés pourrait également induire des altérations neuronales chez l'homme. En fait, plusieurs maladies neurodégénératives ont été associées à des altérations au niveau des neurofilaments, similaires à celles observées chez les toxicomanes (Robinson et Anderton, 1988). Cependant, aucune étude épidémiologique n'a encore confirmé ces résultats et une incidence plus grande de maladies neurodégénératives reliée de manière spécifique à la consommation d'héroïne ou de méthadone n'a jamais été rapportée (Novick *et al.*, 1993).

Conclusion

La consommation d'héroïne a des conséquences très importantes sur l'état de santé. La mortalité des héroïnomanes est fortement augmentée, surtout due à des problèmes d'overdose, d'anaphylaxie, d'infections diverses et d'embolies. Ces problèmes sont dus à la drogue elle-même et à des impuretés dans les préparations, à des conditions hygiéniques facilitant les infections multiples, ainsi qu'au changement dans le style de vie qui participe à l'augmentation de mort violente chez le toxicomane. Un éventuel effet neurotoxique des opiacés a été proposé dans des études récentes. Ainsi, des modifications biochimiques et morphologiques ont été mises en évidence dans certaines structures cérébrales après l'administration répétée d'opiacés chez l'animal et plus récemment chez des toxicomanes dépendants aux opiacés. Ces changements pourraient indiquer la présence d'altérations neuronales qui n'ont pas encore été confirmées par des études épidémiologiques.

Malgré les répercussions très importantes sur la santé de la consommation illicite d'opiacés, les effets secondaires provoqués par la morphine dans une indication d'analgésie sont pratiquement inexistants, lorsqu'elle est utilisée de manière rationnelle. Ils ne devraient donc pas limiter l'utilisation clinique de la morphine dans une indication d'analgésie.

Recommandations

La recherche de molécules analgésiques capables d'augmenter l'activité opioïde et induisant moins d'effets indésirables que les opiacés classiques devrait être prioritaire. Ces molécules permettraient d'étendre les indications thérapeutiques réservées aux opiacés. Les agonistes sélectifs des différents types de récepteurs opioïdes (μ, δ et $\varkappa$) ne semblent pas actuellement en mesure de résoudre ce problème. L'éventuelle existence de sous-types de récepteurs opioïdes, pas démontrée pour l'instant d'un point de vue moléculaire, pourrait ouvrir une nouvelle possibilité pour la recherche d'agonistes sélectifs avec moins d'effets secondaires. Une approche actuelle très prometteuse est le développement des inhibiteurs des enzymes de dégradation des enképhalines. Ces composés induisent la plupart des réponses des opiacés, mais sont dépourvus des effets secondaires majeurs de ces derniers, et pourraient donc représenter une voie thérapeutique intéressante chez l'homme.

La connaissance précise des substrats moléculaires et neurochimiques des composantes physique et surtout psychique de la dépendance opiacée est essentielle pour la recherche d'une thérapie plus rationnelle de cette toxicomanie. Les avancées récentes en pharmacologie et en biologie moléculaire ont fourni les outils nécessaires pour le développement de ce type de recherche. Il est désormais indispensable de disposer de moyens pour pouvoir faire fructifier ces nouvelles approches. Elles devraient permettre d'accomplir des progrès significatifs dans différents domaines de la neurobiologie.

La France ne possède pas de programme scientifique

spécifiquement axé dans ce domaine, ce qui est regrettable, car elle possède des équipes de qualité en neurosciences. Certaines ont obtenu des résultats importants dans le domaine de la toxicomanie et dans l'étude pharmacologique des drogues. Il est indispensable de les encourager. Ces équipes pourraient, de plus, apporter leur concours à des enseignements dans ces domaines.

Références bibliographiques

ACQUAS E., DI CHIARA G. (1992), « Depression of mesolimbic dopamine transmission and sensitization to morphine during opiate abstinence » *J. Neurochem.* 58, 1620-1625.

ACQUAS E., CARBONI E., DI CHIARA G. (1991), « Profound depression of mesolimbic dopamine release after morphine withdrawal in dependent rats », *Eur. J. Pharmacol.* 193, 133-134.

AGHAJANIAN G.K. (1978), « Tolerance of *locus cœruleus* neurones to morphine and suppression of withdrawal response by clonidine », *Nature* 276, 186-188.

AKAOKA A., ASTON-JONES G. (1991), « Opiate withdrawal-induced hyperactivity of *locus cœruleus* neurons is substantially mediated by augmented excitatory amino acid input », *J. Neurosci.* 11, 3830-3839.

BAAMONDE A., DAUGÉ V., RUIZ-GAYO M., FULGA M., TURCAUD S., FOURNIÉ-ZALUSKI M.C., ROQUES B.P. (1992), « Antidepressant-type effects of endogenous enkephalins protected by systemis RB 101 are mediated by opioid δ and dopamine D1 receptor stimulation », *Eur. J. Pharmacol.* 216, 157-166.

BEITNER-JOHNSON D., NESTLER E.J. (1993), « Chronic morphine impairs axoplasmic transport in the rat mesolimbic dopamine system », *NeuroReport* 5, 57-60.

Beitner-JOHNSON D., GUITART X., NESTLER E.J. (1992), « Neurofilament proteins and the mesolimbic dopamine system : Common regulation by chronic morphine and chronic cocaine in the rat ventral tegmental area », *J. Neurosci.* 12, 2165-2176.

BEITNER-JOHNSON D., GUITART X., NESTLER E.J. (1993), « Glial fibrillary acidic protein and the mesolimbic dopamine system : Regulation by chronic morphine and Lewis-Fischer strain differences in the rat ventral tegmental area », *J. Neurochem.* 61, 1766-1773.

BIGELOW G.E., PRESTON K.L. (1994), « Substance abuse : Opioids », *in Psychopharmacology. The fourth generation of progress.* BLOOM F.E., KUPFER D.J. (éds), Raven Press, New York, 1731-1744.

BOZARTH M.A., WISE R.A. (1981), « Heroin reward is dependent on a dopaminergic substrate », *Life Sci.* 29, 1881-1886.

CARR K.D., BAK T.H. (1988), « Medial thalamic injection of opioid agonists : Mu-agonist increases while kappa-agonist decreases stimulus thresholds for pain and reward », *Brain Res.* 441, 173-184.

CHEN Y., MESTEK A., LIU J., HURLEY J.A., YU L. (1993), « Molecular cloning and functional expression of a mu-opioid receptor from rat brain », *Mol. Pharmacol.* 44, 8-12.

COLLIER T.J., ROUTTENBERG A. (1984), « Selective impairment of declarative memory following stimulation of dentate gyrus granule cells : a naloxone-sensitive effect », *Brain Res.* 310, 384-387.

COLLIER T.J., QUIRK G.J., ROUTTENBERG A. (1987), « Separable roles of hippocampal granule cells in forgetting and pyramidal cells in remembering spatial information », *Brain Res.* 409, 384-387.

COOPER S.J. (1989), *in The Mesolimbic Dopamine System : From Motivation to Action,* éd. WILLNER P., SCHEEL-KRÜGER J., 331-366.

DI CHIARA G. and NORTH R.A. (1992), « Neurobiology of opiate abuse », *Trends. Pharmacol. Sci.* 13, 185-193.

DONE C., SILVERSTONE P., SHARP T. (1992), « Effect of naloxone-precipitated morphine withdrawal on noradrenaline release in rat hippocampus *in vivo* », *Eur. J. Pharmacol.* 215, 333-336.

DUMAN R.S., TALLMAN J.F., NESTLER E.J. (1988), « Acute and chronic opiate-regulation of adenylate cyclase in brain : specific effects in *locus coeruleus* », *J. Pharmacol. Exp. Ther.* 246, 1033-1039.

ETTENBERG A., PETIT H.O., BLOOM F.E., KOOB G.F. (1982), « Heroin and cocaine intravenous self-administration in rats. Mediation by separate neural systems », *Psychopharmacologia* 78, 204-209.

EVANS C.J., KEITH D.E., MORRISON H., MAGENDZO K., EDWARDS R.H. (1992), « Cloning of a delta receptor by functional expression », *Science* 258, 1952-1955.

FRENK H. (1983), « Pro- and anti-convulsant actions of morphine and the endogenous opioids : Involvement and interactions of multiple opiate and non-opiate systems », *Brain Res. Rev.* 6, 197-210.

GARCIA-SEVILLA J.A., VENTAYOL P., BUSQUETS X., LA HARPE R., WALZER C., GUIMON J. (1997), « Marked decrease of immunolabelle 68kDa neurofilament (NF-L) proteins in brains of opiate addicts », *NeuroReport* 8, 1561-1570.

GERBER G.J., WISE R.A. (1989), « Pharmacological regulation of intravenous cocaine and heroin self-administration in rats : a variable dose paradign », *Pharmacol. Biochem. Behav.* 32, 527-531.

GOEDERS N.E., LANE J.D., SMITH J.E. (1984), « Self-administration of methionine enkephalin into the nucleus accumbens », *Pharmacol. Biochem. Behav.* 20, 451-455.

GUITART X., THOMPSON M.A., MIRANTE C.K., GREENBERG M.E., NESTLER E.J. (1992), « Regulation of CREB phosphorylation by acute and chronic morphine in the rat *locus coeruleus* », *J. Neurochem.* 58, 1168-1171.

HAND T.H., FRANKLIN K.B.J. (1985), « 6-hydroxydopamine lesions of the ventral tegmental area block morphine-induced but not amphetamine-induced facilitation of self-stimulation », *Brain Res.* 328, 233-241.

HUGHES J., SMITH T.W., KOSTERLITZ H.W., FOTHERGILL L.A., MORGAN B.A., MORRIS H.R. (1975), « Identification of two related pentapeptides from the brain with potent opiate agonist activity », *Nature (Lond.)* 258, 577-579.

JAFFE J.H. (1990), « Drug addiction and drug abuse », *in The pharmacological basis of theraputics*. GOODMAN-GILMAN A., RALL T.W., NIES A.S., TAYLOR P. (éds), Pergamon Press, New York, pp. 522-573.

JAFFE J.H., MARTIN W.R. (1990), « Opioid analgesics and antagonists », *in The pharmacological basis of therapeutics*. GOODMAN-GILMAN A., RALL T.W., NIES A.S., TAYLOR P. (éds), Pergamon Press, New York, 485-521.

KIEFFER B.L., BEFORT K., GAVERIAUX-RUFF C., HIRTH C.G. (1992), « The delta-opioid receptor : Isolation of a cDNA by expression cloning and pharmacological characterization », *Proc. Natl. Acad. Sci. USA* 89, 12048-12052.

KOOB G.F. (1992), « Drugs of abuse : Anatomy, pharmacology and function of reward pathways », *Trends Pharmacol. Sci.* 13, 177-184.

KOOB G.F., MALDONADO R., STINUS L. (1992), « Neural substrates of opiate withdrawal », *Trends Neurosci.* 15, 186-191.

MAGISTRETTI P.J. (1989), « Opianalgésiques et peptides endogènes », *in Pharmacologie. Des concepts fondamentaux aux applications thérapeutiques*. SCHORDERET M. (éd.), FRISON-ROCHE & SLATKINE, Genève, 321-336.

MALDONADO R. (1997), « Participation of noradrenergic pathways in the expression of opiate withdrawal : Biochemical and pharmaco-logical evidence », *Neurosci. Behav. Rev.* 21, 91-104.

MALDONADO R., KOOB G.F. (1993), « Modification in the development of morphine dependence in rats by electrolytic lesion of the locus cœruleus », *Brain Res.* 605, 128-138.

MALDONADO R., BLENDY J.A., TZAVARA E., GASS P., ROQUES B.P., HANOUNE J., SCHÜTZ G. (1996), *Science* 273, 657-659.

MALDONADO R., SAIARDI A., VALVERDE O., SAMAD T.A., ROQUES B.P., BORELLI E. (1997), « Absence of opiate rewarding effects in mice lacking dopamine D2 receptors », *Nature* 388, 586-589.

MALDONADO R., STINUS L., GOLD L., KOOB G.F. (1992), « Role of different brain structures in the expression of the physical morphine with-drawal syndrome », *J. Pharmacol. Exp. Ther.* 261, 669-677.

MATTHES H.W.D., MALDONADO R., SIMONIN F., VALVERDE O., SLOWE S., KITCHEN I., BEFORT K., DIERICH A., LE MEUR M., DOLLÉ P., TZAVARA E., HANOUNE J., ROQUES B.P., KIEFFER B.L. (1996), « Loss of morphine-induced analgesia, reward effect and withdrawal symptoms in mice lacking the μ-opioid-receptor gene », *Nature* 383, 819-823.

MENG F., XIE G.X., THOMPSON R.C., MANSOUR A., WATSON S.J., AKIL H. (1993), « Cloning and pharmacological characterization of a rat kappa opioid receptor », *Proc. Natl. Acad. Sci. USA* 90, 9954-9958.

NESTLER E.J. (1992), « Molecular mechanisms of drug addiction », *J. Neurosci.* 12, 2439-2450.

NESTLER E.J., HOPE B.T., WIDNELL K.L. (1993), « Drug addiction : A model for the molecular basis of neural plasticity, *Neuron* 11, 995-1006.

NOËL F., IOURGENKO V., POUILLE Y., HANOUNE J. (1994), « Approches moléculaires de l'action des opiacés », *Médecine/Sciences* 10, 1116-1126.

NOVICK D.M., RICHMAN B.L., FRIEDMAN J.M., FRIEDMAN J.E., FRIED C., WILSON J.P., TOWNLEY A., KREEK M.J. (1993), « The medical status of methadone maintenance patients in treatment for 11-18 years », *Drug Alcohol Depend.* 38, 235-245.

O'CALLAGHAN J.P. (1994), « Biochemical analysis of glial fibrillary aci-dic protein as a quantitative approach to neurotoxicity assessment : Advantages, disadvantages and application to the assessment of NMDA receptor antagonist-induced neurotoxicity », *Psychophar-macol. Bull.* 30, 549-554.

PETTIT H.O., ETTENBERG A., BLOOM F.E., KOOB G.F. (1984), « Destruc-tion of dopamine in the nucleus accumbens selectively attenuates cocaine but no heroin self-administration in rats », *Psycho-pharmacology* 84, 167-173.

RASMUSSEN K., BEITNER-JOHNSON D., KRYSTAL J.H., AGHAJANIAN G.K., NESTLER E.J. (1990), « Opiate withdrawal and the rat locus cœruleus : Behavioural, electrophysiological, and biochemical correlates », *J. Neurosci.* 10, 2308-2317.

ROBINS L.N., DAVIS D.H., GOODWIN D.W. (1974), « Drug use by US Army enlisted men in Vietnam : a follow-up on their return home », *Am. J. Epidem.* 99, 235-249.

ROBINSON P.A., ANDERTON B.H. (1988), « Neurofilament probes – a review of neurofilament distribution and biology », *Rev. Neurosci.* 2, 1-40.

ROQUES B.P., NOBLE F., DAUGÉ V., FOURNIÉ-ZALUSKI M.C., BEAUMONT A. (1993), « Neutral endopeptidase 24.11. Structure, inhibition, and experimental and clinical pharmacology », *Pharmacol. Rev.* 45, 87-146.

ROSSETI Z.L., LONGU G., MERCURO G., GESSA G.L. (1993), « Extra-neuronal noradrenaline in the prefrontal cortex of morphine-dependent rats : tolerance and withdrawal mechanisms », *Brain Res.* 609, 316-320.

SAWYNOK J. (1986), « The therapeutic use of heroin : a review of the pharmacological literature », *Can. J. Physiol. Pharmacol.* 64, 1-6.

SELF D.W., MCCLENAHAN A.W., BEITNER-JOHNSON D., TERWILLIGER R.Z., NESTLER E.J. (1995), « Biochemical adaptations in the mesolimbic dopamine system in response to heroin self-administration », *Synapse* 21, 312-318.

SHIPPENBERG T.S., HERZ A. (1987), « Place preference conditioning reveals the involvement of D1-dopamine receptors in the motivational properties of μ- and $\varkappa$-opioid agonist », *Brain Res.* 436, 169-172.

SHIPPENBERG T.S., BALS-KUBIK R., HERZ A. (1991), « Examination of the neurochemical substrates mediating the motivational effects of opioids : Role of the mesolimbic dopamine system and D1 versus D2 dopamine receptors », *J. Pharmacol. Exp. Ther.* 265, 53-59.

SKLAIR-TAVRON L., SHI W.X., LANE S.B., HARRIS H.W., BUNNEY B.S., NESTLER E.J. (1996), « Chronic morphine induces visible changes in the morphology of mesolimbic dopamine neurons », *Proc. Natl. Acad. Sci. USA* 93, 11202-11207.

SMITH J.E., GUÉRIN G.F., CO C., BARR T.S., LANE J.D. (1985), « Effects of 6-OHDA lesions of the central medial nucleus accumbens on rat intravenous morphine self-administration », *Pharmacol. Biochem. Behav.* 23, 843-849.

SPYRAKI C., FIBIGER H.C., PHILIPPS A.G. (1983), « Attenuation of heroin

reward in rats by disruption of the mesolimbic dopamine system »,
Psychopharmacology 79, 278-283.

STINUS L., NADAUD D., DEMINIÈRE J.-M., JAUREGUI J., HAND T.T.,
LE MOAL M. (1989), « Chronic flupentixol treatment potentiates the
reinforcing properties of systemic heroin administration », *Biol.
Psychiatr.* 26, 363-371.

TERWILLIGER R.Z., BEITNER-JOHNSON D., SEVARINO K.A., CRAIN S.M.,
NESTLER E.J. (1991), « A general role for adaptations in G-proteins
and the cyclic AMP system in mediating the chronic actions of morphine and cocaine on neuronal function », *Brain Res.* 548, 100-110.

THOMPSON R.C., MANSOUR A., ALKIL H., WATSON S.J. (1993), « Cloning
and pharmacological characterization of a rat mu opioid receptor », *Neuron* 11, 903-913.

TRUJILLO K.A., AKIL H. (1990) », Inhibition of morphine tolerance and
dependence by the NMDA, receptor antagonists MK-801 », *Science*
251, 85-87.

YASUDA K., RAYNOR K., KONG H., BREDER C.D., REISENE T., BELL G.I.
(1993), « Cloning and functional comparison of kappa and delta
opioid receptors from mouse brain », *Proc. Natl. Acad. Sci. USA* 90,
6736-6740.

CHAPITRE 10

LE CANNABIS

Le cannabis est la plus utilisée de toutes les substances, en particulier chez les quinze-trente ans pour ses propriétés psychoactives et ce dans pratiquement tous les pays. Elle est également la plus discutée avec des positions souvent orthogonales sur sa dangerosité et sur la législation à appliquer vis-à-vis de sa consommation (Zimmer et Morgan, 1997; Pecle, 1989; Nahas, 1993). Plusieurs questions sont généralement posées concernant son utilisation. Les principales sont : le cannabis entraîne-t-il un risque de glissement vers des drogues « dures » telles que héroïne et cocaïne? Quels sont les risques à long terme de la consommation de cannabis (système nerveux central, cardiovasculaire, respiratoire, immunitaire, système de reproduction, etc.)? La consommation de cannabis entraîne-t-elle un risque en matière de circulation routière? Qu'en est-il des propriétés thérapeutiques du cannabis? Ce chapitre se propose de faire un point rapide et critique des arguments présentés en prenant en compte les résultats les plus récents obtenus en particulier chez l'homme.

1. Présentation des cannabinoïdes

Utilisé depuis des millénaires à des fins récréationnelles ou thérapeutiques, le cannabis était présent dans de nombreuses pharmacopées jusque dans les années 1930-1940 où il a été progressivement retiré à cause de ses effets psychotropes. Depuis quelques années, on assiste à une demande de réintroduction du THC en thérapeutique, ce qui s'inscrit, entre autres, dans la tendance actuelle à privilégier l'utilisation médicale des composés naturels (extraits de plantes en particulier). Actuellement le THC est utilisé en thérapeutique en solution huileuse (dronabinol) essentiellement aux États-Unis et d'analogue synthétique nabilone au Royaume-Uni. Issues de la sécrétion (résine, haschich) des sommités fleuries du *Cannabis Sativa*, les substances cannabinoïdes présentes dans les feuilles sont des hétérocycles très hydrophobes. Le composé le plus abondant est le $\Delta 9$-tétrahydrocannabinol (THC) dont la concentration dans les préparations consommées a été en s'accroissant ces dernières années, pouvant atteindre 20 % du poids de la résine dans le « Netherweed ». De très nombreux travaux chimiques ont été effectués pour tenter d'éliminer les effets psychiques des cannabinoïdes en gardant leurs effets thérapeutiques potentiels (analgésique, antiémétique, etc.), sans succès probant (Mechoulam and Feigenbaum, 1987 ; Rapport OMS, 1997). Des modifications diverses du THC (comme dans le cas du 11-OH-Δ^8-THC-diméthylheptyl) ou la simplification de la structure ont conduit à des composés de cent à huit cents fois plus actifs sur des tests comportementaux. Plusieurs firmes pharmaceutiques ont développé des analogues du THC en particulier le CP 55,940 et le WIN 55,212 dans le but d'obtenir de nouveaux analgésiques (revue dans Adams et Martin, 1996). De structure plus complexe que le THC, ces molécules se lient aux mêmes sites dans le cerveau et possèdent des activités quatre à vingt-cinq fois plus fortes y compris au niveau du pouvoir antinociceptif. Elles n'ont cependant pas été développées en clinique essentiellement du fait qu'aucune n'a permis d'éliminer les effets psychiques du THC en préservant ses actions thérapeutiques (Pertwee, 1992). Certaines, comme le CP55, 940, s'avèrent aversives chez le rat à haute concentration, ce qui est également observé chez l'homme avec le THC (McGregor *et al.*, 1996). Les cannabinoïdes sont consommés majoritairement par inhalation sous forme de « joint » ou de « pétard ». Le THC plus ou moins pur est également injecté par voie intraveineuse et plus rarement utilisé sous forme de comprimé ou mélangé à différentes préparations culinaires. Une étude récente effectuée sur une population de 65 171 personnes a montré que le risque de mortalité associé à la consommation de cannabis était plus faible que celui associé à la consommation de tabac (Sidney *et al.*, 1997).

2. Analyse des données biologiques. Aspects biochimiques

Les cannabinoïdes, en particulier le THC, provoquent de nombreuses réponses comportementales suggérant l'existence d'une multitude de cibles centrales et périphériques (Hall *et al.*, 1994). Chez l'homme, on constate des effets euphorisants, relaxants, une facilitation des contacts interindividuels, un accroissement des perceptions visuelles et auditives éventuellement modifiées à hautes doses. La synthèse de dérivés tritiés des molécules précédentes, y compris le THC, a permis de démontrer l'existence de sites de liaison spécifiques dans le cerveau de rat (Howlett *et al.*, 1990). L'affinité des molécules testées pour le récepteur dénommé CB1 (Matsuda *et al.*, 1990) est bien corrélée avec les réponses pharmacologiques (Compton *et al.*, 1993). La distribution des récepteurs CB1 (Herkenham *et al.*, 1991) montre une densité très forte dans le système limbique, y compris le N. Acc. et dans le cervelet, et forte dans l'hippocampe et le cortex. La distribution recouvre dans de nombreuses régions celles des récepteurs DA mais les récepteurs aux cannabinoïdes ne sont pas situés sur les neurones dopaminergiques. On trouve également des sites dans l'amygdale. À la périphérie, le récepteur CB1 est présent au niveau du tractus génito-urinaire et chez l'embryon (rongeurs) alors que des sites CB2 (Munro *et al.*, 1993) ont été retrouvés dans le système immunitaire (ganglions, rate, thymus, lymphocytes, cellules hématopoïétiques). Ces récepteurs semblent légèrement différents des sites centraux (40 % d'homologie), mais sont capables de lier également le THC avec une haute affinité. La présence d'au moins deux sites de liaison indique qu'il est probablement possible, dans le futur, de développer des ligands (agonistes, antagonistes) spécifiques de chaque récepteur. À la surface des cellules hématopoïétiques, le récepteur CB2 pourrait jouer un rôle dans la division de ces cellules en conjonction avec des facteurs de croissance. L'effet de potentialisation par ces derniers semble très sélectif de l'anandamide, effecteur endogène, puisqu'il n'est pas observé avec d'autres cannabinoïdes. Le mécanisme de l'effet stimulant sur la division cellulaire des cellules souches est inconnu (activation de la voie ras ?). Il n'en demeure pas moins d'un très grand intérêt (Bouaboula *et al.*, 1995 ; Valk *et al.*, 1997).

Les cultures de neurones du cervelet sont souvent utilisées pour des études biochimiques. Les récepteurs CB1 et CB2 appartiennent au groupe des récepteurs à sept hélices transmembranaires associées à des protéines G. Les récepteurs CB1 et CB2 sont couplés de manière négative au système adénylate cyclase par une protéine Gi. D'autres systèmes de transduction (phospholipase C) pourraient être également couplés au récepteur CB1 et dans ce cas la stimulation conduirait à un accroissement des taux intracellulaires de calcium. Les résultats dans ce domaine sont souvent contradictoires, le problème étant qu'ils sont généralement obtenus sur culture de cellules et donc pas nécessairement retrouvés *in vivo*.

3. Données de pharmacocinétique

Pratiquement tous les composants du cannabis, y compris ceux résultant du métabolisme des cannabinoïdes peuvent être évalués par des méthodes analytiques très précises (Huetis *et al.*, 1992). Du fait de leur forte hydrophobie, les cannabinoïdes, et le THC en particulier, pénètrent rapidement après inhalation dans la circulation générale puis dans le cerveau. Des doses de THC de 2 mg dans une cigarette sont capables de donner des effets comportementaux, donc probablement de recruter un nombre suffisant de récepteurs. La sensibilité des techniques de dosage dans l'urine permet de détecter la consommation d'une telle dose durant les trois jours qui suivent.

Les effets psychiques du THC apparaissent chez l'individu naïf environ quinze à vingt minutes après l'ingestion pulmonaire, plus tard chez les consommateurs fréquents, signe d'une légère tolérance. Ces effets apparaissent quatre à six heures après ingestion orale. La concentration plasmatique diminue très rapidement avec apparition de métabolites actifs (11-OH THC) ou inactifs (THC-COOH), ce dernier étant très abondant dans le plasma et l'urine. L'élimination par voie biliaire est supérieure à l'excrétion urinaire. Ces données pharmacocinétiques sont évidemment modifiées par différents facteurs individuels naturels ou induits (métabolisme hépatique altéré naturellement ou non, alcoolisme, induction de P450 par des médicaments, etc.) et par la voie d'administration. L'une des caractéristiques du THC est son affinité non spécifique pour le tissu lipidique d'où les cannabinoïdes sont éliminés très lentement (jusqu'à six jours après une dernière administration à haute dose). Là encore, des différences peuvent exister selon les individus et les produits consommés en association. La principale incidence de la pharmacocinétique complexe des cannabinoïdes est qu'il est extrêmement difficile de fixer un taux « acceptable » de THC dans le plasma ou les urines comme c'est le cas avec l'alcool. Les techniques de dosage rapide par immunologie (Elisa) EZ-CREEN (Jenkins *et al.*, 1993), bien que puissantes et fiables, ne sont pas utilisables ou ne pourraient l'être qu'associées avec un questionnaire sur le moment de la prise de cannabis dont la fiabilité serait sans doute très faible. On admet qu'environ quatre heures après la consommation des doses usuelles de cannabis par inhalation (< 20 mg THC), les effets physiologiques et comportementaux ont complètement disparu.

4. Les ligands endogènes des récepteurs CB1 et CB2

Le premier a été isolé en 1992 par Devane *et al.* Dénommé anandamide, c'est un dérivé d'acide gras qui se lie au récepteur CB1, déplace le THC et produit des réponses pharmacologiques généralement similaires à celles produites par les cannabinoïdes chez l'animal (analgésie, hypothermie, catalepsie) (Fride et Mechoulam, 1993). L'anandamide est toutefois quatre à vingt fois moins actif et sa durée d'action est plus courte que celle du THC.

L'anandamide serait généré à partir des acides gras constitutifs par voie enzymatique et inactivé également par des enzymes, dont une peptidase (Devane et Axelrod, 1994). Toutefois, le métabolisme de l'anandamide, sa libération et son inactivation restent à clarifier (Schmid *et al.*, 1997 et références citées). Il existe en effet d'autres phospholipides analogues de l'anandamide capables de se fixer au site CB1 et qui peuvent être (ou pas) des intermédiaires du métabolisme de l'anandamide (Mechoulam *et al.*, 1994). Tous sont des dérivés d'acide gras comme le palmitoyl-éthanolamide et le 2-arachidonyl-glycérol. Ce dernier est cent soixante-dix fois plus abondant que l'anandamide dans le cerveau. Il est formé par action de la phospholipase C et de la diacylglycérol lipase sous l'influence du calcium. Il agit comme un agoniste et inhibe l'induction des phénomènes de potentialisation à long terme impliqués dans les processus mnésiques (Stella *et al.*, 1997). La question du rôle physiologique de l'anandamide reste entière comme le sont son profil (neurotransmetteur, neuromodulateur ?) et ses voies. Les cannabinoïdes sont capables de moduler l'action de pratiquement tous les systèmes de neurotransmission (DA, 5HT, GABA, ACh, opioïdes...) qui rapproche ces molécules des barbituriques ou anesthésiques locaux, molécules très lipophiles possédant une forte affinité pour les tissus nerveux. Ces composés sont du reste également détournés de leur usage médical à des fins récréatives. On sait peu de chose sur les ligands endogènes périphériques du récepteur CB2. Le développement de l'antagoniste SR141716A (Rinaldi-Carmana *et al.*, 1994) et les souris dont le gène codant pour le récepteur CB1 ou CB2, a été délété, devraient permettre d'éclaircir un certain nombre de questions.

5. Psychopharmacologie des cannabinoïdes

L'absorption de cannabis produit une sensation d'euphorie légère et de relaxation avec perceptions auditives et visuelles amplifiées comme cela a été dit. De faibles perturbations sont observées dans l'aptitude à effectuer des tâches coutumières plus ou moins complexes. Cela est interprété par une légère diminution des performances psychomotrices et mnésiques (revue dans Hall *et al.*, 1994) éventuellement reliées à la réduction de LTP résultant de l'activation des récepteurs CB1 (Stella, 1997 et références citées). Ces effets sont modulés par les doses et à haute concentration (> 40 mg THC) des syndromes de sédation, sensation de lourdeur et quelquefois des effets dépressifs peuvent être observés. Il est important de noter que les effets de somnolence produits par le cannabis sont la résultante des actions combinées des différents cannabinoïdes, ce qui explique qu'ils ne soient pas identiques selon la source de cannabis (haschich *vs* marijuana). Bien que critiquables dans leur méthodologie, plusieurs études ont démontré que durant la période d'imprégnation par le THC à hautes doses, les facultés d'apprentissage étaient légèrement altérées par la consommation de cannabis, surtout à cause d'un défaut d'attention. Toutefois les résultats sont assez contradictoires, les plus forts consommateurs étant les moins affectés (Adams et Martin, 1996 et références citées). Par contre, aucune modification des possibilités d'abstraction et d'utilisation du vocabulaire n'a été observée. Il s'agit plutôt d'altération de la mémoire à court terme apparemment sans répercussion sur la rétention à long terme (Schwartz *et al.*, 1989). Bien que ces effets semblent modestes et mériteraient d'être confirmés par des études plus approfondies, cela doit être pris en compte chez les adolescents scolarisés (Block *et al.*, 1992, 1993 ; Solowij *et al.*, 1991, 1996 ; Pope et Yurgelam, 1995, 1996 ; Fletcher *et al.*, 1996). Néanmoins, il faut noter qu'en dépit des modifications possibles des processus mnésiques et d'appréciations altérées du temps souvent notées par les usagers de cannabis, la qualité du travail effectué ne paraît pas modifiée (Hollister, 1986).

De même la consommation journalière à haute dose de cannabis durant de nombreuses années ne semble pas induire de comportement de démotivation ou d'absence de motivation bien établis. Les altérations de la mémoire à court terme par le cannabis utilisé chroniquement viendraient de perturbations dans l'organisation et l'intégration d'informations complexes. Celles-ci mettent en jeu le cortex frontal dans lequel le THC provoque des variations du flux sanguin et du métabolisme observées par neuro-imagerie (Mathew *et al.*, 1992).

Les effets comportementaux du cannabis, en particulier la somnolence et le ralentissement des comportements moteurs ont conduit à étudier leur retentissement en termes de conduite des véhicules (Simpson, 1986). De très nombreuses études ou enquêtes ont été effectuées (voir livre blanc, G. Lagier). Les résultats sont difficiles à interpréter du fait de l'association pratiquement constante chez les conducteurs responsables d'accidents pour lesquels des examens ont été exigés, de plusieurs produits, le plus fréquent étant l'alcool. Utilisé seul, le cannabis ne semble pas être un facteur majeur de risque d'accident (Scherman, 1992 ; Robbe, 1994 ; Drummer *et al.*, 1994 ; Chescher, 1995), ce qui n'est pas le cas dès qu'il est associé à l'alcool, aux psychostimulants ou aux tranquillisants. *Les études actuelles effectuées sur un nombre de cas plus élevé pourraient contredire ces résultats.* En présence d'hallucinogènes, qui pourraient être consommés accidentellement mélangés à l'ecstasy, les effets psychiques sont tels que la conduite automobile devient quasiment impossible.

Des recherches en laboratoire ont permis d'évaluer plus directement les effets du cannabis sur la conduite des véhicules (revue dans Robbe *et al.*, 1994). Testés à l'aide de simulateurs de conduite ou lors de conduite contrôlée en ville, les consommateurs de cannabis semblent peu différents des groupes contrôle. Toutefois, on constate que les premiers ont des réponses différées au démarrage, au dépassement, etc. (Smiley, 1986). Il existe par ailleurs un effet conscient de compensation des altérations d'attention (Mercier-Guyon, 1994), qui cependant pourrait être pris en défaut en cas de situation inattendue ou lors de surconsommation. Il faut néanmoins relativiser le risque par rapport à l'alcool (Robbe, 1994), qui reste beaucoup plus redoutable en termes d'accidents de la circulation, en particulier du fait de ses effets désinhibiteurs.

CANNABIS ET ÉTATS PSYCHOPATHOLOGIQUES

La première consommation de cannabis peut entraîner, dans des cas rares, des effets d'anxiété sévères, voisins de ceux éprouvés lors de crises de panique chez des sujets prédisposés. Ils sont réversibles dès l'arrêt de la consommation et semblent ne pas se reproduire par la suite. Aucune pathologie mentale directement reliée à la surconsommation de cannabis n'a été signalée, ce qui différencie cette substance des psychostimulants tels que la MDMA, la cocaïne ou l'alcool dont l'usage excessif et répété peut donner lieu à des syndromes psychotiques caractéristiques. De même, le cannabis ne semble pas précipiter l'apparition de dysfonctionnements mentaux préexistants (schizophrénie, dépression bipolaire, etc.). Il est possible cependant que, comme c'est le cas pour toutes les substances à risque d'abus, l'utilisation répétée du cannabis soit plus souvent trouvée chez les individus atteints de troubles psychiques, schizophrènes en particulier (Allebeck, 1993 ; Allebeck *et al.*, 1993 ; Williams *et al.*, 1996). Enfin, aucun syndrome amnésique comparable à celui de Wernicke et Korsakoff, observé chez les alcooliques chroniques, n'a été décrit chez les consommateurs excessifs de cannabis.

CANNABIS ET FONCTIONS CÉRÉBRALES. NEUROTOXICITÉ

La toxicomanie au cannabis n'entraîne pas de neurotoxicité telle qu'elle a été définie au chapitre 3 par des critères neuroanatomiques, neurochimiques et comportementaux. Ainsi les résultats anciens suggérant des modifications anatomiques dans le cerveau des consommateurs chroniques de cannabis mesurées par tomographie n'ont pas été confirmés par les techniques modernes précises de neuro-imagerie. De même les altérations morphologiques dans l'hippocampe de rat après administration de doses très élevées de THC (Landfield *et al.*, 1988) n'ont pas été retrouvées (Slikker *et al.*, 1992). Ainsi l'analyse anatomique postmortem du cerveau de babouins traités durant 8 mois avec des doses élevées de cannabis ne montre pas de signe de lésions neuronales ou d'activations morphologiques du tissu nerveux (Ames *et al.*, 1979). Toutefois le décès d'un animal d'une méningite a conduit à s'interroger sur le risque d'encéphalopathie induite par le cannabis. Aucune donnée épidémiologique n'a confirmé cette éventualité (Castle and Ames, 1996). Plusieurs études ont été consacrées aux effets du cannabis sur les potentiels évoqués et sur l'électroencéphalogramme chez l'homme. L'usage intermittent produit des changements réversibles dans les profils d'ondes α dans le cortex frontal probablement en rapport avec les états de somnolence induits par le THC. À très long terme (plus de quinze ans) et avec une forte consommation journalière, une augmentation dans l'activité frontale θ et une hyperfrontalité δ ont été observées (Struve *et al.*, 1990, 1994). La relation éventuelle avec des changements comportementaux ou dans des tests neuropsychologiques n'est pas discutée ni, du reste, celle possible avec les effets anticonvulsivants du THC. Plusieurs études font état de variations de la circulation cérébrale et du métabolisme dans certaines régions cérébrales, en particulier le cervelet et le cortex préfrontal, par PET Scan ou FMRI (Volkow *et al.*, 1996) ce qui est cependant souvent observé avec les psychotropes. *Il serait certainement très intéressant d'étudier plus en détail la distribution des sites CB1 occupés par PET Scan quantitative, en fonction : 1) de la dose de THC administrée ; 2) du temps séparant l'administration et la mesure (cinétique de dissociation dans les différentes régions cérébrales ; 3) de relier ces paramètres aux effets observés. Cela requiert le développement de ligands sélectifs marqués par des isotopes radioactifs à temps de vie court et à biodisponibilité appropriée. Par ailleurs, compte tenu de la multitude de voies neuronales potentiellement recrutées par le THC, il serait intéressant de les examiner systématiquement en PET Scan par utilisation des ligands appropriés.*

TOLÉRANCE ET DÉPENDANCE VIS-À-VIS DU CANNABIS

Il s'agit là encore d'un sujet très discuté (Jones *et al.*, 1981). Chez l'animal, les actions pharmacologiques du THC et des cannabinoïdes de synthèse donnent naissance à des phénomènes de tolérance (revue dans Adams et Martin, 1996). L'origine biochimique de ce phénomène pourrait être du même type que celle trouvée avec les opioïdes, c'est-à-dire une adaptation du système de réception-transduction, mais il reste à le clarifier, ce qui est d'ailleurs le cas pour tous les neuromodulateurs. Des résultats contradictoires concernant la densité de récepteurs dans certaines régions cérébrales sont rapportés avec diminution ou augmentation (Oviedo *et al.*, 1993 ; Romero *et al.*, 1995), mesurés par liaison ou hybridation *in situ*. Ces changements sont de toute manière réversibles comme le montre une étude effectuée dans le cerveau de singe, sept mois après exposition de l'animal durant un an à la fumée de cannabis (Westlake *et al.*, 1991).

Les « drogues » sont généralement classées en fonction de leur aptitude à générer des phénomènes de dépendance physique et psychique et sont considérées comme à risque si elles répondent à ces deux critères. Le cannabis a été placé dans ce groupe bien que les cannabinoïdes soient loin de produire des effets comparables à ceux générés par l'héroïne, l'alcool ou le tabac. Ainsi, l'arrêt brutal d'un traitement chronique au THC a donné des résultats contradictoires chez le rat puisque dans le cas de modifications comportementales, celles-ci n'étaient pas modifiées par administration de l'agoniste (Adams et Martin, 1996 et références citées). La naloxone induit un syndrome d'abstinence léger très différent de celui que cet antagoniste opioïde produit chez l'animal dépendant à la morphine (Kaymakcalan *et al.*, 1977).

Le développement récent de l'antagoniste sélectif du récepteur CB1, le SR 141716A a permis de montrer chez le rat (Aceto *et al.*, 1995 ; Tsou *et al.*, 1995) puis récemment chez la souris (Cook *et al.*, 1998 ; Hutcheson *et al.*, 1998), l'existence d'une légère dépendance physique au THC très différente de celle engendrée, par exemple, par les opioïdes. De plus, on doit s'attendre à ce que les symptômes du sevrage soient encore plus faibles en l'absence d'administration d'antagonistes. Cela correspond bien à ce qui est observé chez l'homme lors de l'arrêt de la consommation de cannabis. Ainsi d'après Cook *et al.*, (1998), le risque de dépendance chez le consommateur occasionnel de cannabis est faible. En effet, même dans le cas d'utilisation fréquente de hautes doses, aucun syndrome comparable à celui produit par le sevrage à l'héroïne ou à l'alcool, par exemple, n'est observé. Les effets de sevrage au THC rapportés dans une étude récente sont des signes de nervosité, des troubles légers du sommeil et une diminution d'appétit qui disparaissent rapidement (Wiesbeck *et al.*, 1996). L'absence de syndrome de sevrage sévère dans le cas des cannabinoïdes est sans doute partiellement due à son élimination lente. Il serait intéressant d'étudier ce phénomène par PET Scan chez le singe et chez l'homme.

Si les effets comportementaux consécutifs à l'arrêt de la consommation de cannabis restent modestes, les effets cardiovasculaires et végétatifs sont plus nets (tachycardie au pic de l'effet du cannabis, puis bradycardie) chez le consommateur naïf (Benewitz et Jones, 1981). Ils sont sujets à tolérance.

C'est surtout par leur aptitude à engendrer une dépendance psychique (addiction) que l'on évalue la dangerosité des drogues. Il est bien établi que la très grande majorité des consommateurs de cannabis n'utilisent ce produit qu'occasionnellement et peuvent cesser définitivement son utilisation sans grande difficulté. Cela est très bien démontré par les courbes indiquant l'évolution des consommations au cours des différentes périodes de la vie. On considère qu'il existe moins de 10 % de très gros consommateurs de cannabis qui éprouvent des difficultés à abandonner la consommation de la substance bien qu'ils le souhaitent (Wiesbeck et al., 1996). Les effets de manque éventuellement responsables de la dépendance sont retrouvés avec la même incidence (9 %).

Néanmoins, le débat sur les risques de dépendance au cannabis a été relancé ces deux dernières années par la mise en évidence directe de deux paramètres considérés comme prédictifs d'un risque d'addiction. Le premier est la libération de dopamine dans le N. Acc. induite par l'administration de THC, et le second est l'observation que cette libération est antagonisée par la naloxone, semblant donc contrôlée par la stimulation du système opioïde (Tanda et al., 1997). Effectivement, cela vient d'être confirmé formellement par la démonstration d'une élévation du taux extracellulaire de Met-Enképhaline dans le N. Acc. par microdialyse après traitement au THC (Valverde et al., sous presse). Néanmoins cette libération est faible, environ quatre fois inférieure à celle produite par le RB 101 (Daugé *et al.*, 1996) qui ne produit aucune dépendance physique ou psychique (Roques *et al.*, 1993). Par ailleurs la libération de CRF est induite par administration de SR 141,716A chez le rat traité chroniquement par le THC, phénomène également produit par le sevrage de l'alcool ou toutes formes de stress. Agissant sur les récepteurs de l'amygdale, le CRF augmenterait les sensations d'anxiété, potentialisant ainsi la vulnérabilité à la reprise de consommation (Rodriguez de Fonseca *et al.*, 1997).

L'administration aiguë de l'agoniste CB1, le HU-210 chez le rat produit une augmentation de la libération de CRF comme cela se produit lorsque l'animal est placé dans des conditions de stress (nage forcée ou open field). Les réactions d'adaptation du rat à ces conditions de stress sont bloquées par l'antagoniste D.Phe-CRF12-41 qui réduit également les actions stressantes du H-210. Toutefois la libération de cortisostérone induite par l'agoniste CB1 n'est, elle, pas antagonisée par le SR 141,716A (Rodriguez de Fonseca, 1996). Les réponses obtenues chez le rat pourraient rendre compte d'effets d'anxiété qui surviennent quelquefois chez l'homme juste après la consommation d'une dose forte de cannabis. Toutefois, une autre explication pourrait venir de la libération de dynorphine sous l'action du THC (Rowen *et al.*, 1997).

Nous avons déjà évoqué l'absence de relation directe entre la libération de DA dans le N Acc., provoquée par différentes substances ou stimuli naturels, et la puissance des effets renforçants aussi bien que la dépendance à ceux-ci. Ainsi il faut rappeler que le THC ne semble pas capable d'induire un comportement d'auto-administration (Mansbach *et al.*, 1994 et références citées). Un résultat très récent obtenu chez la souris avec le cannabinoïde synthétique WIN 55, 212-2 semble montrer le contraire avec cependant un effet aversif à haute dose (Martellotta *et al.*, 1998). Dans la plupart des cas, on n'observe pas de préférence de place au THC chronique (McMillan *et al.*, 1971) et un léger effet aversif est même mesuré (Hutcheson *et al.*, 1998). Néanmoins une réponse positive dans ce test a été décrite (Lepore *et al.*, 1995). De même le THC se montre capable de faciliter l'autostimulation électrique de la voie DA « renforçante » (Lepore *et al.*, 1996).

La « dérive » vers les drogues dures « gateway theory » (Nahas, 1993; Cohen et Sas, 1997) après consommation chronique de THC ne semble pas étayée par les résultats d'expériences récentes chez l'animal. Ainsi le traitement chronique au THC ne modifie pas la préférence de place induite par la morphine (Valverde *et al.*, 1998, sous presse). L'hétérosensibilisation correspondant à l'activation de la réponse induite par une drogue (héroïne par exemple) lors de l'administration d'une autre (alcool par exemple) est un phénomène qui ne semble pas avoir été étudié en détail avec le THC (Balster *et al.*, 1992). Il faut cependant noter que l'anandamide (Véla *et al.*, 1995) et le THC (Hine *et al.*, 1975) sont capables de diminuer la sévérité du sevrage aux opioïdes, suggérant que chez les héroïnomanes, le cannabis pourrait atténuer les effets de manque. Chez l'homme, les études épidémiologiques donnent des résultats très contradictoires selon la manière dont ceux-ci sont présentés et interprétés. Cela est discuté en détail dans la revue récente de Zimmer et Morgan (1997). Selon des enquêtes faites aux États-Unis, environ 1 % des consommateurs de cannabis seraient amenés à utiliser de la cocaïne, ce qui ne signifie pas qu'ils en deviendraient nécessairement dépendants (SAMHSA US Department of Health and Human Service, 1996, p. 36). D'autres études montrent que la consommation de drogue dure à la suite de celle de cannabis est surtout le fait de minorité de jeunes de milieux défavorisés, vivant dans des environnements sociaux et familiaux instables, en échec scolaire et en contact avec les trafiquants d'héroïne et de cocaïne (Johnson *et al.*, 1997). Ces résultats couplés à ceux de nombreuses études épidémiologiques semblent indiquer que la consommation de drogues dures, à la suite de celle du THC, aurait principalement des causes psychosociologiques (Zimmer et Morgan, 1997 et références citées).

Néanmoins, bien que tous les critères retenus pour définir une substance comme addictive ne soient pas satisfaits dans le cas du cannabis, une certaine pression s'exerce aux États-Unis pour que des programmes soient mis en œuvre pour l'arrêt total de sa consommation. Cela se traduit par des demandes d'analyse de l'existence ou non d'une telle consommation par les employeurs et la possible exigence d'une abstinence.

Il est certain que la suppression du gène du récepteur CB1 qui vient d'être réalisée va permettre d'éclaircir un certain nombre de questions sur la pharmacologie des cannabinoïdes, y compris le problème de l'existence possible d'une hétérosensibilisation, comme cela a été fait avec d'autres souris génétiquement modifiées. Ce travail est en cours. Il faudra néanmoins rester prudent sur une extrapolation directe chez l'homme pour des raisons évidentes d'espèces et plus subtiles d'adaptation possible (probable) inhérente à toute modification de gènes.

EFFETS SUR LE SYSTÈME RESPIRATOIRE

Les effets toxiques les plus prévisibles du cannabis sont reliés à son utilisation excessive par inhalation. En effet les mêmes concentrations de substances cancérigènes (phénol, nitrosamines, substances polyaromatiques, etc.) sont retrouvées dans la fumée provenant des cigarettes ou des joints (rapport de la British Medical Association, 1997).

Ce sont les effets les plus dangereux en cas d'usage très fréquent de cannabis du fait du risque de tumeur pulmonaire, d'autant que sa consommation ne diminue pas celle du tabac. Par ailleurs, des inflammations bronchiques ont été observées chez les très gros consommateurs (plus de dix cigarettes par jour), ainsi que des troubles asthmatiques et une altération des fonctions respiratoires (Tashkin *et al.*, 1987), bien que certains de ces effets n'aient pas été retrouvés dans toutes les études (Gil *et al.*, 1995). Un des dangers de l'inhalation de cannabis tient au fait que celle-ci est plus profonde et l'air inspiré plus chaud. Néanmoins, il n'existe pas d'étude épidémiologique démontrant que l'association cannabis et tabac est un facteur de risque supérieur au tabac seul pour l'incidence de cancer pulmonaire et l'insuffisance respiratoire chronique.

CANNABIS ET SYSTÈME IMMUNITAIRE

Les études effectuées sur cellules et *in vivo* démontrent qu'à des doses largement supérieures à celles utilisées à des fins récréatives, les cannabinoïdes perturbent le système immunitaire. Plusieurs études chez l'animal ont montré une réduction de la résistance aux affections microbiennes et virales après traitement au THC qui se comporte comme un immunomodulateur, probablement en agissant sur les récepteurs CB2 périphériques (organes lymphoïdes, lymphocytes, macrophages, etc.). Toutefois, les doses utilisées ont été très élevées et donc les attendus pathologiques éventuels, difficiles à établir (revue dans Friedman *et al.*, 1994). Ainsi, il a été récemment démontré que l'anandamide était capable de stimuler la prolifération des cellules hématopoïétiques en synergie avec une cytokine, l'interleukine-3 (IL3) qui agit en activant les récepteurs glycoprotéiques de la famille des récepteurs à l'hématopoïétine (Valk *et al.*, 1997). Ce résultat semble contredire les actions délétères du THC sur la résistance à l'infection, en particulier causée chez la souris par la bactérie *Legionella pneumophila*, qui ont été reliées à des défauts dans l'action des cytokines et des cellules immunocompétentes (Smith *et al.*, 1997). Ces résultats sont discutés dans une revue récente (Klein *et al.*,

1997). Il est cependant intéressant d'observer qu'il existe une grande similarité structurale entre l'anandamide (et autres cannabinoïdes endogènes) et la famille des dérivés des phospholipides (acide arachidonique, prostaglandines, prostacycline, etc.). Des études pourraient être effectuées pour vérifier les effets directs des cannabinoïdes sur les processus inflammatoires et immunitaires. Le récepteur aux cannabinoïdes présent sur les macrophages est différent de celui trouvé dans le cerveau, ce qui explique des effets immunomodulateurs obtenus avec des dérivés du THC dépourvus d'effets psychiques. On peut remarquer que le THC et le cannabis fumé ont été utilisés chez les malades atteints de sida pour diminuer les effets secondaires des traitements (vomissements, perte d'appétit, etc.). Aucune étude n'a rapporté d'effets aggravants des cannabinoïdes sur le système lymphocytaire affecté par le virus VIH-1 (Kaslow *et al.*, 1989). C'est du reste une des raisons invoquées pour l'utilisation clinique du THC chez les malades atteints de sida ou de cancer.

EFFETS DU CANNABIS SUR LES SYSTÈMES ENDOCRINIENS
ET LES FONCTIONS DE REPRODUCTION

Les facteurs hypophysaires LH et FSH sont responsables de la synthèse des hormones sexuelles (œstrogènes et testostérone) et du fonctionnement normal des organes sexuels (cycle menstruel, ovulation, spermatogenèse, etc.). Les taux plasmatiques de LH et FSH sont sous la dépendance de plusieurs facteurs, en particulier de la prolactine qui diminue leur sécrétion. La libération de la prolactine est elle-même contrôlée négativement par la dopamine et donc indirectement par les substances agissant sur ce neurotransmetteur. Chez le rat, le THC diminue les concentrations plasmatiques de LH et de testostérone (Fernandez-Ruiz *et al.*, 1992), stimule la sécrétion d'ACTH et augmente le taux circulant de corticostérone (Rodriguez de Fonseca *et al.*, 1995). L'anandamide donne des résultats similaires. La faible augmentation de dopamine induite par le THC dans le N. Acc. pourrait éventuellement expliquer des changements dans la concentration circulante de prolactine, si toutefois la même augmentation était observée au niveau hypothalamo-hypophysaire, ce qui n'est pas démontré. Il est plus probable que l'action du THC s'effectue directement au niveau des neurones hypothalamiques (Weidenfeld *et al.*, 1993).

Chez le rongeur, le THC conduirait à des réductions dans la taille de certains organes impliqués dans les fonctions sexuelles (testicule, prostate, ovaire). Par contre, les effets observés chez l'homme sont très contradictoires. Les études les plus anciennes rapportaient soit des effets de diminution transitoire, soit aucune modification des taux de LH et de testostérone. Toutefois, plusieurs études effectuées entre 1974 et 1979 laissaient entendre que les cannabinoïdes pouvaient altérer les fonctions testiculaires du fait des modifications hormonales induites par le cannabis. Depuis d'autres travaux ont démontré que les taux de LH et de testostérone ne subissaient pas de modification significative après consommation de cannabis (Cone *et al.*, 1986) et que ces taux étaient similaires chez les consommateurs de cannabis et les contrôles (Block *et al.*, 1991). Des études avaient montré une diminution des spermatozoïdes dans un groupe de seize consommateurs de cannabis (Hembree *et al.*, 1990). En 1990, Murphy *et al.*, ont également rapporté que le THC pouvait empêcher l'ovulation et la production de sperme. Toutefois, comme cela est souligné par l'OMS dans son dernier rapport (1997), aucune étude épidémiologique n'a encore confirmé ces résultats. Néanmoins, des travaux récents ont relancé le débat sur les effets éventuels du cannabis sur les organes de reproduction. Le récepteur CB1 est présent à la fois dans l'utérus et à la surface des cellules embryonnaires des rongeurs (Paria *et al.*, 1995). Récemment, des quantités d'anandamide, plus de cent fois supérieures à celles trouvées dans le cerveau, ont été mises en évidence dans l'utérus de souris (Schmid *et al.*, 1997). Ces concentrations semblent osciller légèrement en fonction des états de pré- ou post-implantation de l'embryon avec un taux plus bas dans la première situation. Des résultats obtenus sur un nombre restreint de souris montrent un effet inhibiteur *in vitro* de l'anandamide sur le développement de l'embryon dont les premières cellules (blastocyte) portent le récepteur CB1 (Yang *et al.*, 1996). De même, l'infusion par minipompe d'un agoniste CB1 préviendrait l'implantation embryonnaire et ce phénomène serait antagonisé par le SR 141716A (Schmid *et al.*, 1997). Ces résultats sont cependant à prendre avec prudence car établis sur un nombre très restreint (n = 4–5) d'animaux et leur transposition chez la femme, en particulier comme hypothèse d'infertilité inexpliquée, très prématurée. Néanmoins, la mise en évidence du récepteur CB1 humain dans l'endomètre et la capacité de l'utérus à synthétiser l'anandamide avec augmentation d'activité d'une des deux enzymes de synthèse durant la phase de réceptivité et une diminution de l'enzyme de métabolisation (amidase) après l'implantation (Paria *et al.*, 1996) conduisent à s'interroger sur les effets négatifs que pourraient avoir les cannabinoïdes exogènes sur les phases d'implantation de l'embryon. Il reste, selon les auteurs, à expliquer l'énorme quantité d'anandamide dans l'utérus au moins chez la souris, vis-à-vis d'une concentration limitée de récepteur, ce qui est difficilement compatible avec un rôle régulateur de la nidation, à moins qu'il existe une compartimentalisation à démontrer.

Chez l'homme, les testicules et les cellules spermatiques expriment de très nombreuses protéines membranaires et ectoenzymes, dont le rôle reste inconnu dans la plupart des cas. Il en est de même du récepteur CB1 (Schuel *et al.*, 1994) qui se trouve également sur les spermatozoïdes d'oursin et dont le pouvoir fertilisant est réduit *in vitro* par des concentrations importantes ($\sim 10^{-6}$M) d'anandamide ou de THC.

L'action des cannabinoïdes consisterait à bloquer les réactions impliquant l'acrosome, c'est-à-dire l'exposition de la partie membranaire du spermatozoïde qui permettra la fécondation de l'ovule. Aucune expérience *in vivo* n'a encore été décrite et même si, comme c'est probable, le récepteur CB1 se trouve également sur le spermatozoïde humain, il est prématuré d'en conclure que, *in vivo*, les processus de fusion des gamètes sont régis par l'activité du récepteur CB1, chez les primates et chez l'homme. Chez le rat, le THC semble également capable de moduler le fonctionnement des cellules de Sertoli qui jouent un rôle très important dans la spermatogenèse. Cela a été mesuré par accumulation de lactate dans la cellule mais les résultats sont divergents selon que la cellule est isolée ou au sein du tissu (Newton *et al.*, 1993).

Chez les rongeurs, les concentrations d'anandamide dans l'utérus semblent très élevées (voir ci-dessus). Il serait intéressant d'étudier si les effets de cet effecteur, obtenus chez l'oursin à 10^{-6}M, sont compatibles avec les concentrations du ligand et des récepteurs en fonction des affinités de l'un pour l'autre. Dans tous les cas, il faut se garder de transposer directement à l'homme les résultats obtenus *in vitro* sur une espèce, en l'occurrence très éloignée.

Des études épidémiologiques (absence de fertilité, avortement, accouchement prématuré, etc.) sur un nombre important de femmes ne consommant pas d'autres produits susceptibles de masquer l'effet spécifique du cannabis, devraient lever ces interrogations. Il existe aux États-Unis un recul de près de trente ans depuis le début de la consommation de cannabis et aucune étude, avançant une baisse de fertilité due à cette substance, n'a été publiée. Il serait par ailleurs intéressant que des études soient menées par des spécialistes du fonctionnement des cellules reproductrices en utilisant du matériel humain (spermatozoïdes, en particulier) et sur des tissus (utérus et placenta) qui peuvent être obtenus sans difficultés techniques (post-opératoires par exemple) après consentement du patient.

POUVOIRS MUTAGÈNE ET CARCINOGÈNE DU CANNABIS

Deux études font le bilan. La première (Berryman *et al.*, 1992) compare l'action du THC à hautes doses durant cinq semaines chez le rat avec celle de l'éthanol et d'un mutagène témoin, le Trenimon. Les résultats montrent que le THC, seul ou en combinaison avec l'éthanol, n'a aucun effet sur le taux de pré-implantation embryonnaire, la mortalité fœtale et l'index de mutations.

Plus récemment (Chan *et al.*, 1996), une étude a été initiée par le NIH pour évaluer le potentiel carcinogène éventuel du THC chez les rongeurs (rat, souris) à des doses journalières culminant à 500 mg/kg! et durant des périodes allant de treize semaines à deux ans. Aucune évidence d'un effet tumorigène du THC n'a été observée. À des doses très élevées, des réductions de poids peuvent être notées. Elles sont associées avec des fréquences abaissées de tumeurs, y compris du testicule chez le mâle et de l'utérus et de l'ovaire chez la femelle. Une atrophie de ces derniers organes est observée, éventuellement en relation avec des augmentations importantes dans les concentrations hormonales induites par les très hautes doses de THC.

Les effets mutagènes du cannabis « fumé » observés dans le test de AMES (Sparacino *et al.*, 1990) sont donc dus à l'existence des goudrons et des constituants obtenus à partir des cigarettes, dont nous avons vu qu'ils contenaient les mêmes molécules que le tabac. Des études sur cellules humaines en culture en présence de THC pur ou de condensats de la fumée de cigarette devraient confirmer ces observations.

6. Utilisation potentielle du cannabis en thérapeutique

Dans le passé le cannabis était vanté pour ses vertus à soulager les migraines et diminuer les réactions allergiques. Plus récemment le THC a été utilisé pour ses propriétés analgésiques, dans le traitement du glaucome, et comme antiémétique. C'est ce dernier effet qui lui a valu d'être introduit dans la pharmacopée américaine en 1987 par la FDA (Dronabinol) avec comme indication les nausées et vomissements réfractaires à d'autres antiémétiques, en particulier chez les patients traités par des anticancéreux ou des antiviraux. Une reprise de l'appétit a été également observée. Peu d'études cliniques comparatives avec d'autres composés ont été effectuées et les effets psychiques sont apparus lors de l'augmentation des doses.

Il serait donc certainement nécessaire d'étudier plus en détail l'intérêt du THC ou, mieux, des dérivés synthétiques et ceci en les comparant avec les analgésiques actuellement utilisés (voir revue récente de la British Medical Association, 1997).

7. Cannabis et analgésie

Une autre application thérapeutique potentielle du THC serait liée à son pouvoir analgésique observé chez l'animal et qui serait dénué de composante opioïde μ et ∂ mais pourrait impliquer les récepteurs x (Pugh *et al.*, 1997; Rowen *et al.*, 1997). Peu d'études cliniques en double aveugle portant sur un nombre suffisant de patients ont été effectuées pour tester les propriétés analgésiques du THC. Les deux plus significatives sont celle de Noyes *et al.* en 1975 (36 patients souffrant de douleurs cancéreuses), et celle de Jain *et al.* en 1981 (56 patients présentant des douleurs post-opératoires). Dans les deux cas, des effets analgésiques significatifs ont été observés par rapport au placebo. L'effet secondaire majeur est un état de somnolence. Plusieurs études (Consroe *et al.*, 1992, 1997 et références citées) rapportent des effets analgésiques du cannabis ou du THC sur différents types de douleurs neurogènes, ce qui, en cas de confirmation dans des conditions contrôlées, pourrait devenir une application intéressante car ce type de douleur reste souvent réfractaire à tout traitement, y compris à l'action de la morphine.

D'autres études donnent des résultats contradictoires (aucune analgésie en cas de douleurs dentaires par exemple). Ces résultats méritent que des études comparatives avec d'autres analgésiques opioïdes ou non soient entreprises pour confirmer l'intérêt potentiel du THC et surtout celui des analogues de synthèse qui possèdent des affinités supérieures au produit naturel. En effet, il reste à démontrer clairement que les effets analgésiques sont reliés à l'activation du récepteur CB1, ceci étant désormais réalisable avec l'antagoniste SR174716. Si de tels travaux confirmaient l'intérêt des agonistes CB1 en analgésie, il serait alors souhaitable de tenter d'éliminer, ou au moins de réduire, les effets psychiques non désirables. Il n'est du reste pas certain que cela soit possible. Il faut rappeler que dans la puissante action analgésique de la morphine, la réduction de la composante émotionnelle de la douleur par recrutement du système hédonique joue certainement un rôle important.

8. Cannabinoïdes et effets antiémétiques

C'est probablement le domaine où les résultats sont les plus convaincants, en particulier chez les malades atteints du sida et soumis à des traitements entraînant nausées, vomissements très fréquents. Non seulement ces effets apparaissent significativement réduits par le THC mais, de plus, une reprise de poids est observée témoignant de l'amélioration de la prise alimentaire (Mattes *et al.*, 1994 ; Voth *et al.*, 1997 ; Dansak, 1997). Le mécanisme de l'action antiémétique de THC demeure inconnu comme l'est la localisation des sites de liaison impliqués. Il est donc nécessaire, avant d'envisager une utilisation thérapeutique des cannabinoïdes, de mieux dominer son mécanisme d'action et surtout de comparer ses effets à ceux des meilleurs antiémétiques actuels.

De toute manière, il serait souhaitable, si les effets antiémétiques et stimulants de l'appétit s'exercent par activation des récepteurs CB1 et/ou CB2, que des composés synthétiques plus puissants que le THC et, si possible, dénués de ses effets psychiques, soient développés.

L'avenir thérapeutique des cannabinoïdes (agonistes et/ou antagonistes) doit passer par des études classiques de développement d'un médicament avant son autorisation de mise sur le marché. Cela nécessite donc que les effets bénéfiques éventuels d'un « cannabinoïde » soient comparés à ceux produits par des représentants de la même classe thérapeutique et qu'ils soient trouvés supérieurs. Cela n'enlève en rien l'intérêt potentiel de cette classe de molécules mais la replace, comme d'autres, dans la stratégie habituelle d'évaluation des activités thérapeutiques.

Conclusion

En dépit de résultats notables obtenus ces dernières années concernant les actions du cannabis, beaucoup d'inconnues demeurent sur le mécanisme d'action des cannabinoïdes et le rôle du système endogène. Dans ces conditions, il serait important :

• De développer un antagoniste sélectif et de haute affinité du site CB2.

• D'explorer le(s) système(s) physiologique(s) aux cannabinoïdes endogènes : localisations cellulaire et subcellulaire des récepteurs à l'aide d'anticorps spécifiques. Traçage des voies, libération et mesure *in vivo* par microdialyse de l'anandamide et ses dérivés, utilisation d'inhibiteurs de la synthèse et/ou de l'inactivation de ces molécules.

• Mécanismes de formation et catabolisme de l'anandamide.

• Mise au point (cela semble en cours) de ligands appropriés aux études en PET Scan ou SPECT pour étude des relations entre occupation des récepteurs *in vivo* et effets psychiques. Relations entre occupation et durée des effets (réponse au débat sur les actions du cannabis à long terme).

• Utilisation de modèles animaux (rat, singe) appropriés et de tests réellement adaptés pour explorer les effets sur la mémoire des cannabinoïdes. *Idem* chez l'homme (voir législation).

• Utilisation de modèles cellulaires et tissulaires humains pour étudier les éventuelles perturbations causées par le cannabis sur les fonctions de reproduction, le système immunologique, etc. avant de transposer des résultats obtenus *in vitro* ou chez d'autres espèces.

• Effectuer des expériences sur des souris délétées des gènes codants pour les récepteurs CB1 ou CB2 et reprendre les problèmes de dépendance sélective, croisée, etc.

• Utiliser les souris dépourvues du facteur Krox-24 hyperexprimé sous traitement chronique au THC pour étudier son rôle dans le développement éventuel d'une addiction.

Recommandations

• Le cannabis ne possède aucune neurotoxicité telle qu'elle a été définie au chapitre 2. De ce point de vue, le cannabis se différencie complètement de l'alcool, de la cocaïne, de l'ecstasy et des psychostimulants, ainsi que de certains médicaments utilisés à des fins toxicomaniaques.

Outre leur neurotoxicité, ces substances induisent des altérations comportementales très sévères et une dangerosité sociale dans le cas de l'alcool et de la cocaïne qui ne sont pratiquement jamais retrouvées avec le cannabis. Le THC et certains dérivés agonistes pourraient au contraire diminuer la fréquence des crises d'épilepsie et protéger des altérations neuronales par ischémie, bien que cela demande à être confirmé.

• La toxicité du cannabis « fumé » vis-à-vis des systèmes respiratoire et cardiovasculaire ne doit pas être négligée, bien qu'elle reste sans doute faible par rapport à celle du tabac pour des raisons simples de quantités consommées, au moins chez les usagers occasionnels, c'est-à-dire 90 % de la population.

• Les résultats de nombreux travaux effectués tant chez l'animal que chez l'homme montrent une altération temporaire des performances mnésiques, un défaut d'attention et un état de somnolence induits par le cannabis. Ces effets sont dépendants de la dose utilisée.

Il est souhaitable que des études comportementales sur des modèles animaux appropriés (rat et singe) soient entreprises pour objectiver ces altérations et les mesurer au cours du développement, et chez l'animal adulte et âgé. Cela compléterait des études électrophysiologiques qui demeurent nécessaires pour étudier les mécanismes de la diminution des performances mnésiques.

Compte tenu de l'usage fréquent du cannabis dans la période d'âge correspondant à la fréquentation de l'école ou de l'université, et bien que cet usage ne semble pas conduire à des échecs scolaires plus nombreux ou à une perte de motivation, il est souhaitable que la population scolarisée soit informée de ces effets particuliers du cannabis. Là encore c'est la diminution, réduite par le cannabis, des capacités de libre choix, d'esprit critique, d'authenticité et de spontanéité, qui pourrait être utilisée comme arguments dissuasifs de la consommation durant les cours.

• Les études actuelles n'accréditent pas l'existence d'un syndrome psychiatrique propre au cannabis. Il en est de même de l'éventuelle « révélation » d'un état schizophrénique sous-jacent. Toutefois la consommation fréquente de cannabis très concentré en THC pourrait induire des états schizoïdes (Williams *et al.*, 1996).

• Les altérations des fonctions de reproduction observées sur cellules ou chez les rongeurs méritent qu'on évalue les effets du cannabis sur les cellules (et tissus) humains avant toute conclusion. Des études dans ce sens devraient être initiées rapidement.

• La structure chimique des effecteurs endogènes des récepteurs aux cannabinoïdes laisse entrevoir un rôle possible (physiologique ?, pharmacologique ?) dans les mécanismes de l'inflammation. Cela pourrait rendre compte d'effets souvent contradictoires du THC sur les cellules immunitaires, sur l'inflammation bronchique, la réduction des processus inflammatoires douloureux, etc. Là encore, des études épidémiologiques sont nécessaires.

• *La « dangerosité » d'un composé en termes d'addiction
se mesure non seulement aux efforts pour se procurer le produit mais à l'énergie considérable dépensée pour tenter
d'échapper à la dépendance.*

Le cannabis engendre des effets hédoniques, il est donc
susceptible d'induire une dépendance. Moins de 10 % de
consommateurs excessifs deviennent dépendants au cannabis, ce qui n'est pas négligeable mais très inférieur au risque
induit par les consommations excessives d'alcool ou de
tabac. Il faut ajouter que ce pourcentage devient inférieur à
2 % si l'on prend l'ensemble de la population des consommateurs de THC (~ 90 % étant occasionnels). Aucune étude
épidémiologique n'a été entreprise pour comparer les difficultés d'abandon des mono-consommations de cannabis,
d'alcool et de tabac mais l'évolution de celles-ci en fonction
de l'âge démontre que le cannabis est le moins addictif. C'est
du reste la raison pour laquelle le NIDA n'a pas jugé utile de
recommander des travaux sur la mise au point de traitements substitutifs au cannabis.

• L'intérêt d'étudier les effets du THC en vue d'utilisation thérapeutique a fait l'objet d'un rapport très récent
des experts de la British Medical Association. Ces derniers remarquent que les travaux sur l'utilisation médicale du THC restent anecdotiques et ne donnent pas de
résultats scientifiques incontestables, en particulier
lorsqu'on compare les études qui ont été effectuées avec
celles qui sont exigées pour la mise sur le marché d'un nouveau médicament. Ils observent néanmoins que les cannabinoïdes, utilisés depuis très longtemps par un nombre très
élevé de consommateurs, n'ont pas donné lieu à des effets
toxiques majeurs et qu'ils se comportent donc comme des
« remarkably safe drugs with a side-effects profile superior
to many drugs used for the same indications » (*Therapeutic
use of cannabis*, British Medical Association, 1997, Har-
wood Academic Publishers The Netherlands).

Nous pensons également que l'avenir thérapeutique
potentiel des cannabinoïdes (synthétiques) passe par une

évaluation de leurs propriétés selon les normes usuelles de mise sur le marché des médicaments.

Références bibliographiques

ACETO M.D., SCATES S.M., LOWE J.A., MARTIN B.R. (1995), « Cannabinoid withdrawal by the selective cannabinoid receptor antagonist, SR 141716A », *Eur. J. Pharmacol.* 282, R1-R2.

ADAMS I., MARTIN B.R. (1996), « Cannabis : Pharmacology and toxicology in animals and humans », *Addiction* 91, 1585-1614.

ALLEBECK P. (1993), « Schizophrenia and cannabis : Cause-effect relationship ? », *in Cannabis : Physiopathology, Epidemiology, Detection* (Nahas G.G., LaTour C., éds.), Boca Raton, FL, CRC Press, p. 113-117.

ALLEBECK P., ADAMSSON C., Engström A., RYDBERG U. (1993), « Cannabis and schizophrenia : A longitudinal study of cases in Stockholm Country », *Acta Psychiatr. Scand.* 88, 21-24.

AMES F.R., BROWNELL B., ZVURMOND T.J. (1979), « Effects of the oral administration of cannabis Sativa (dagga) on charma baboons (Papio ursinus) », *S. Afr. Med. J.* 55, 1127-1132.

BALSTER R.L., PRESCOTT W.R. (1992), « Δ9-tetrahycannabinol discrimination in rats as a model for cannabis intoxication », *Neurosci. Biobehav. Rev.* 16, 55-62.

BENEWITZ N.L., JONES R.T. (1981), « Cardiovascular and metabolic considerations in prolonged cannabinoid administration in man », *J. Clin. Pharmacol.* 21, 2214-2235.

BERRYMAN S.H., ANDERSON Jr R.A., WEIS J., BARTKE A. (1992), « Evaluation of the co-mutagenicity of ethanol and Δ9-tetrahydrocannabinol with Trenimon », *Mut. Res.* 278, 47-60.

BLOCK R.I., GHONEIM M.M. (1993), « Effects of chronic marijuana use on human cognition », *Psychopharmacology* 110, 219-228.

BLOCK R.I., FARINPOUR R., BRAVERMAN K. (1992), « Acute effects of marijuana on cognition : Relationships to chronic effects and smoking techniques », *Pharmacol. Biochem. Behav.* 43, 907-917.

BLOCK R.I., FARINPOUR R., SCHLECHTE J.A. (1991), « Effects of chronic marijuana use on testosterone, luteinizing hormone, follicule stimulating hormone, prolactin and cortisol in men and women », *Drug Alcoh. Depend.* 28, 121-128.

BOUABOULA M., POINOT-CHAZEL C., BOURRIÉ B., CANAT X., CALANDRA B., RINALDI-CARMONA M., LE FUR G., CASELLAS P. (1995), « Activation of mitogen-activated protein kinases by stimulation of the central cannabinoid receptor CB1 », *Biochem. J.* 312, 637-641.

CASTLE D.J., AMES F.R. (1996), « Cannabis and the brain », *Aust. NZ.J. Psychiatry* 30, 179-183.

CHAN P.C., SILLS R.C., BRAUN A.G., HASEMAN J.K., BUCHER J.R. (1996), « Toxicity and carcinogenicity of Δ9-tetrahydrocannabinol in Fischer rats and B6C3F1 mice », *Fund. Appl. Toxicol.* 30, 109-117.

CHESHER G. (1995), « Cannabis and road safety : An outline of the research studies to examine the effects of cannabis on driving skills and actual driving performance », *in The Effects of Drugs (Other Than Alcohol) on Road Safety* (Melbourne, Australia, Road Safety Committee, Parliament of Victoria), pp. 67-96.

COHEN P., SAS A. (1997), « Cannabis use as a stepping stone to other drug use ? The case of Amsterdam », *in Cannabis Science : From Prohibition to Human Right* (Bollinger L., éd.), New York, Peter Lang, pp. 49-82.

COMPTON D.R., RICE K.C., DE COSTA B.R., RAZDAN R.K., MELVIN L.S., JOHNSON M.R., MARTIN B.R. (1993), « Cannabinoid structure-activity relationships : Correlation of receptor binding and *in vivo* activities », *J. Pharmacol. Exp. Ther.* 265, 218-226.

CONE E.J., JOHNSON R.E., MOORE J.D., ROACHE J.D. (1986), « Acute effects of smoking on hormones, subjective effects and performance in male human subjects », *Pharmacol. Biochem. Behav.* 24, 1749-1754.

CONSROE P., SANDYK R. (1992), « Potential role of cannabinoids for therapy of neurological disorders », *in Marijuana/Cannabinoids. Neurobiology and Neurophysiology* (Murphy L., Bartke A., éds.), Boca Raton, CRC Press, pp. 459-524.

CONSROE P., MUSTY R., REIN J., TILLERY W., PERTWEE R. (1997), « The perceived effects of smoked cannabis on patients with multiple sclerosis », *Eur. Neurol.* 38, 44-48.

COOK S.A., LOWE J.A. and MARTIN B.R. (1998), « CB1 receptor antagonist precipitates withdrawal in mice exposed to Δ9–tetrahydrocannabinol », *J. Pharmacol. Exp. Ther.* 285, 1150-1156.

DANSAK D.A. (1997), « Medical use of recreational drugs by AIDS patients », *J. Add. Dis.* 16, 25-30.

DAUGÉ V., MAUBORGNE A., CESSELIN F., FOURNIÉ-ZALUSKI M.C., ROQUES B.P. (1996), « The dual peptidase inhibitor RB 101 induces a long lasting increase in the extracellular level of Met-enkephalin in the nucleus accumbens of freely moving rats », *J. Neurochem.* 67, 1301-1308.

DEVANE W.A., HANUS L., BREUER A., PERTWEE R.G., STEVENSON L.A., GRIFFIN G., GIBSON D., MANDELBAUM A., ETINGER A., MECHOULAM R. (1992), « Isolation and structure of a brain constituent that binds to the cannabinoid receptor », *Science* 258, 1946-1949.

DEVANE W.A., AXELROD J. (1994), « Enzymatic synthesis of anandamide, an endogenous ligand for the cannabinoid receptor, by brain membranes », *Proc. Natl. Acad. Sci. USA* 91, 6698-6701.

DRUMMER O. (1994), « Drugs and drivers killed in Australian road accidents : The use of responsibility analysis to investigate the contribution of drugs to fatal accidents » (Victorian Institute of Florensic Pathology, Monash University).

FERNANDEZ-RUIZ J.J. *et al.* (1992), « Neuroendocrine effects of acute dose of Δ9-tetrahydrocannabinol : Changes in hypothalamic biogenic amines and anterior pituitary hormone secretion », *Neuroendocrinol. Lett.* 14, 349-355.

FLETCHER J.M., PAGE B.J., FRANCIS D.J. (1996), « Cognitive correlates of long-term cannabis use in Costa Rican men », *Arch. Gen. Psych.* 53, 1051-1057.

FRIDE E., MECHOULAM R. (1993), « Pharmacological activity of the cannabinoid receptor agonist, anandamide, a brain constituent », *Eur. J. Pharmacol.* 231, 313-314.

FRIEDMAN H., SHIVERS S.C., KLEIN T.W. (1994), « Drugs of abuse and the immunen system », *in Immunotoxicology and Immunopharmacology* (Dean J.H., Luster M.I., Munson A.E., Kimber I., éds.), Raven Press, New York, 303-322.

GAREAU Y., DUFRESNE C., GALLANT M., ROCHETTE C., SAWYER N., SLIPETZ D.M., TREMBLAY N., WEECH P.K., METTERS K.M., LABELLOE M. (1996), « Structure activity relationships of tetrahydrocannabinol analogues on human cannabinoid receptors », *Bioorg. Med. Chem. Lett.* 6, 189-194.

GIL E., CHEN B., KLEERUP E., WEBBER M., TASHKIN D.P. (1995), « Acute and chronic marijuana smoking on pulmonary alveolar permeability », *Life Sci.* 56, 2193-2199.

HALL W., SOLOWIJ N., LEMON J. (1994), « The health and psychological consequences of cannabis use », *The National Task Force on Cannabis*, Sydney, Australia.

HEMBREE W.C. III, SEIDENBERG P., NAHAS G.G. (1979), « Changes in human spermatozoa associated with high dose marijuana smoking», *in Marijuana : Biological Effects : Analysis, Metabolism, Cellular Responses, Reproduction and Brain* (Nahas G.G., Paton W.D.M., éds.), Adv. Biosci. 22 et 23, 429-439.

HERKENHAM M., LYNN A.B., JOHNSON M.R., MELVIN L.S., DE COSTA B.R., RICE K.C. (1991), « Characterization and localization of cannabinoid receptors in rat brain : A quantitative *in vitro* autoradiographic study », *J. Neurosci.* 11, 563-583.

HINE B., FRIEDMAN E., TORRELIO M., GERSHON S. (1975), « Morphine-dependent rats : Blockade of precipitated abstinence by tetrahydrocannabinol », *Science* 18, 443-445.

HOLLISTER L.E. (1986), « Health aspects of cannabis », *Pharmacol. Rev.* 38, 1-20.

HOWLETT A.C., BIDAUT-RUSSELL M., DEVANE W.A., MELVIN L.S., JOHNSON M.R., HERKENHAM M. (1990), « The cannabinoid receptor : Biochemical, anatomical and behavioural characterization », *Trends Neurosci.* 13, 420-423.

HUTCHESON D.M., TZAVARA E.T., SMADJA C., VALJENT E., ROQUES B.P., HANOUNE J., MALDONADO R. (1998), « Behavioural and biochemical evidence for signs of abstinence in mice chronically treated with delta-9-tetrahydrocannabinol », *Br. J. Pharmacol.*, sous presse.

HUESTIS M.A., SAMPSON A.H., HOLICKY B.J., HENNINGFIELD J.E., CONE E.J. (1992), « Characterization of the absorption phase of marijuana smoking », *Clin. Pharmacol. Ther.* 52, 31-41.

JAIN A.K., RYAN J.R., MCMAHON F.G., SMITH G. (1981), « Evaluation of intramuscular levonantradol and placebo in acute postoperative pain », *J. Clin. Pharmacol.* 21, 3205-3265.

JENKINS A.J., MILLS L.C., DARWIN W.D., HUESTIS M.A., CONE E.J., MITCHELL J.M. (1993) », Validity testing of the EZ-SCREEN® cannabinoid test », *J. Anal. Toxicol.* 17, 292-298.

JOHNSTON L.D., O'MALLEY P.M., BACMAN J.G. (1997), « National survey results on drug use from the Monitoring the Future Study, 1975-1996 », Vol. I : *Secondary students.* US Department of Health and Human Services, National Institute on Drug Abuse, Rockville, M.D.

JONES R.T., BENOWITZ N.L., HERNING R.I. (1981), « Clinical relevance of cannabis tolerance and dependence, », *J. Clin. Pharmacol.* 21, 143S-152S.

KASLOW R.A., BLACKWELDER W.C., OSTROW D.G., YERG D., PALENICEK J., COULSON A.H., VALDISERRI R.O. (1989), « No evidence for a role of alcohol or other psychoactive drugs in accelerating immunodeficiency in HIV-1-positive individuals », *JAMA* 261, 3424-3429.

KAYMAKCALAN K., AYHAN I.H., TULUNAY F.C. (1977), « Naloxone-induced or postwithdrawal abstinence signs in Δ9-tetrahydrocannabinol-tolerant rats », *Psychopharmacology* 55, 243-249.

KLEIN T.W., NEWTON C., ZHU W., DAAKA Y., FRIEDMAN H. (1995), « Δ9-tetrahydrocannabinol, cytokines, and immunity to legionella pneumophila (43897A) », *Soc. Exp. Biol. Med.* 209, 205-212.

LAGIER G. (1996), *Livre blanc : Sécurité routière, drogues licites ou illicites et médicaments.* Éd. La Documentation française.

LANDFIELD P.W., CADWALLADER L.B., VINSANT S. (1988), « Quantitative changes in hippocampal structure following long-term exposure to Δ9-tetrahydrocannabinol : Possible mediation by glucocorticoid systems », *Brain Res.* 443, 47-62.

LEPORE M., VOREL S.R., LOWINSON J., GARDNER E. L. (1995), « Conditioned place preference induced by Δ9-tetrahydrocannabinol : Comparaison with cocaine, morphine and food reward », *Life Sciences* 56, 2 073-2 080.

MANSBACH R.S., NICHOLSON K.L., MARTIN B.R., BALSTER R.L. (1994), « Failure of Δ9-tetrahydrocannabinol and CP-55,940 to maintain intravenous self-administration under a fixed-interval schedule in rhesus monkeys », *Behav. Pharmacol.* 5, 219-225.

MARTELLOTTA M.C., COSSU G., FATTORE L., GESSA G.L., FRATTA W. (1998), « Self-administration of the cannabinoid receptor agonist WIN 55,212-2 in drug-naive mice », *Neurosci.* 85, 327-330.

MATHEW R.J., WILSON W.H., HUMPHREYS D.F., LOWE J.V., WIETHE K.E. (1992), « Regional cerebral blood flow after marijuana smoking », *J. Cerebral Blood Flow Metabol.* 12, 750-758.

MATHEW R.J., WILSON W.H., COLEMAN R.E., TURKINATON T.G., DE GRADO T.R. (1997), « Marijuana intoxication and brain activation in marijuana smokers », *Life Sciences* 60, 2075-2089.

MATSUDA L.A., LOLAIT S.J., BROWNSTEIN M.J., YOUNG A.C., BONNER T.I. (1990), « Structure of a cannabinoid receptor and functional expression of the cloned cDNA », *Nature* 346, 561-564.

MATTES R.D., ENGELMAN K., SHAW L.M., ELSOHLY M.A. (1994), « Cannabinoids and appetite stimulation », *Pharmacol. Biochem. Behav.* 49, 187-195.

MCGREGOR I.S., ISSAKIDIS C.N., PRIOR G. (1996), « Aversive effects of the synthetic cannabinoid CP 55,940 in rats », *Pharmacol. Biochem. Behav.* 53, 657-664.

MCMILLAN D.E., DEWEY W.L., HARRIS L.S. (1971), « Characteristics of tetrahydrocannabinol tolerance », *Ann. N.Y. Acad. Sci.* 191, 83-99.

MECHOULAM R., FEIGENBAUM J.J. (1987), « Towards cannabinoid drugs », *Progress in Med. Chim.* 24, 159-207.

MECHOULAM R., HANUS L., MARTIN B.R. (1994), « The search for endogenous ligands of the cannabinoid receptor », *Biochem. Pharmacol.* 48, 1537-1544.

MERCIER-GUYON C. (1994), « Médicaments, drogues et comportement au volant », *Bull. Acad. Méd.* 178, 111-122.

MUNRO S., THOMAS K.L., ABU-SHAAR M. (1993), « Molecular characterization of a peripheral receptor for cannabinoids », *Nature* 365, 61-64.

MURPHY L.L., STEGER R.W., BARTKE A. (1990), « Phychoactive and non-psychoactive cannabinoids and their effects on reproductive neuroendocrine parameters », *in Biochemistry and Physiology of Substance Abuse* (Watson R.R., éd.), CRC Press, Inc. Boca Raton, Vol. II, 77-93.

NAHAS G. (1993), « General toxicity of cannabis », *in Cannabis : Physiopathology, Epidemiology, Detection* (Nahas G.G., LaTour C., éds.), CRC Press, Boca Raton, FL, pp. 5-17.

NEWTON S.C., MURPHY L.L., BARTKE A. (1993), « *In vitro* effects of psychoactive and non-psychoactive cannabinoids on immature rat sertoli cell function », *Life Sci.* 53, 1429-1437.

NOYES R., BRUNK S.F., BARAM D.A., BARAM A. (1975), « Analgesic effect of delta-9-tetrahydrocannabinol », *J. Clin. Pharmacol.* 15, 139-143.

ONAIVI E.S., GREEN M.R., MARTIN B.R. (1990), « Pharmacological characterization of cannabinoids in the elevated plus-maze », *J. Pharmacol. Exp. Ther.* 253, 1002-1009.

OVIEDO A., GLOWA J., HERKENHAM M. (1993), « Chronic cannabinoid administration alters cannabinoid receptor binding in rat brain : A quantitative autoradiograhic study », *Brain Res.* 616, 293-302.

PARIA B.C., DAS S.K., DEY (1995), « The preimplantation mouse embryo is a target for cannabinoid ligand-receptor signaling », *Proc. Natl. Acad. Sci. USA* 92, 9460-9464.

PARIA B.C., DEUTSCH D.D., DEY S.K. (1996), « The uterus is a potential site for anandamide synthesis and hydrolysis : Differential profiles of anandamide synthase and hydrolase activities in the mouse uterus during the perimplantation period », *Mol. Reproduct. Dev.* 45, 183-192.

PEELE S. (1989), « The diseasing of America », Lexington, MA, Lexington Books.

PERTWEE R.G. (1988), « The central neuropharmacology of psychotropic cannabinoids », *Pharmacol. Ther.* 36, 189-261.

POPE H.G., YURGELUM-TODD D. (1995), « The residual neuropsychological effects of cannabis : The current status of research », *Drug Alcoh. Dep.* 38, 25-34.

LE CANBIS 213

Pope H.G., Yurgelun-Todd D. (1996), « The residual cognitive effects of heavy marijuana use », J. Am. Med. Assoc. 275, 521-527.

Pugh Jr G., Mason Jr D.J., Combs V., Welch S.P. (1997), « Involvement of dynorphin B in the antinociceptive effects of cannabinoid CP55,940 in the spinal cord », J. Pharmacol. Exp. Ther. 281, 730-737.

Rinaldi-Carmona M., Barth F., Héaulme M., Shire D., Calandra B., Congy C., Caput D., Ferrara P., Soubrié P., Brelière J.-C., Le Fur G. (1994), « SR 141716A, a potent and selective antagonist of the brain cannabinoid receptor », FEBS Lett. 350, 240-244.

Robbe H.W.J. (1994), « Influence of marijuana on driving », (Maastricht, Institute for Human Psychopharmacology, University of Limberg).

Rodriguez de Fonseca F., Rubio P., Menzaghi F., Merlo-Pich E., Rivier J., Koob G.F., Navarro M. (1996), « Corticotropin-releasing factor (CRF) antagonist [D-Phe^{12}, Nle^{21,38}, C^{x}MeLeu ^{37}] CRF attenuates the acute actions of the highly potent cannabinoid receptor agonist HU-210 on defensive-withdrawal behavior in rats », J. Pharmacol. Exp. Ther. 276, 56-64.

Romero J., Garcia L., Fernandez-Ruiz J.J., Cebeira M., Ramos J.A. (1995), « Changes in rat brain cannabinoid binding sites after acute or chronic exposure to their endogenous agonist, anandamide, or to Δ9-tetrahydrocannabinol », Pharmacol. Biochem. Behav. 51, 731-737.

Roques B.P., Noble F., Daugé V., Fournié-Zaluski M.C., Beaumont A. (1993), « Neutral endopeptidase 24.11. Structure, inhibition, and experimental and clinical pharmacology », Pharmacol. Rev. 45, 87-146.

Rowen D.W., Embrey J.P., Moore C.H., Welch S.P. (1998), « Antisense oligodeoxynucleotides to the kappa 1 receptor enhance Δ9-THC-induced antinociceptive tolerance », Pharmacol. Biochem. Behav. 59, 399-404.

Schermann J.-M. et al. (1992), « Évaluation du risque d'accident de la circulation lié à l'absorption de drogues illicites », Convention Direction de la Sécurité routière.

Schmid P.C., Paria B.C., Krebsbach R.J., Schmid H.H.O., Dey S.K. (1997), « Changes in anandamide levels in mouse uterus are associated with uterine receptibility for embryo implantation », Proc. Natl. Acad. Sci. USA 94, 4188-4192.

Schuel H., Goldstein E., Mechoulam R., Zimmerman A.M., Zimmerman S. (1994), « Anandamide (arachidonylethanolamide), a brain cannabinoid receptor agonist, reduces sperm fertilizing capacity in sea urchins by inhibiting the acrosome reaction », *Proc. Natl. Acad. Sci. USA* 91, 7678-7682.

SCHWARTZ R.H., GRUENEWALD P.J., KLITZNER M., FEDIO P. (1989), « Short-term memory impairment in cannabis-dependent adolescents », *Am. J. Dis. Child.* 143, 1214-1219.

SIDNEY S., BECK J.E., TEKAWA I.S., QUESENBERRY C.P., FRIEDMAN G.D. (1997), « Marijuana use and mortality », *Am. J. Public Health* 87, 585-590.

SIMPSON H.M. (1986), « The epidemiology of road accidents involving marijuana. Traffic Injury Research Foundation of Canada », *in Alcohol, Drugs and Driving*, Abstracts and Reviews. Vol. 2, n°s 3-4, juillet-décembre.

SLIKKER W. Jr. *et al.* (1992), « Behavioural, neurochemical, and neurohistological effects of chronic marijuana smoke exposure in the nonhuman primate », *in Marijuana/cannabinoids : Neurobiology and Neurophysiology* (Murphy L., Bartke A., éds.), Boca Raton, Florida, CRC Press, 219-273.

SMILEY A. (1986), « Marijuana : On-road and driving simulator studies », *Alcohol, Drugs and Driving* 2, 121-134.

SMITH M.S., YAMAMOTO Y., NEWTON C., FRIEDMAN H., KLEIN T. (1997), « Psychoactive cannabinoids increase mortality and alter acute phase cytokine responses in mice sublethally infected with legionella pneumophila », *Soc. Exp. Biol. Med.* 214, 69-75.

SOLOWIJ N., GRENYER B.F., CHESHER G., LEWIS J. (1995), « Biopsychological changes associated with cessation of cannabis use : A single case study of acute and chronic cognitive effects, withdrawal and treatment », *Life Sci.* 56, 2127-2134.

SOLOWIJ N., MICHIE P.T., FOX A.M. (1991), « Effects of long-term cannabis use on selective attention : An event-related potential study », *Pharmacol. Biochem. Behav.* 40, 683-688.

SPARACINO C.M., HYLDBURG P.A., HUGHES T.J. (1990), « Chemical and biological analysis of marijuana smoke condensate », *NIDA Res. Monogr.* 99, 121-140.

STELLA N., SCHWEITZER P., PIOMELLI D. (1997), « A second endogenous cannabinoid that modulates long-term potentiation », *Nature* 388, 773-778.

STRUVE F.A., STRAUMANIS J.J. (1990), « Electroencephalographic and evoked potential methods in human marijuana research : Historical review and future trends », *Drug Dev. Res.* 20, 369-388.

STRUVE F.A., STRAUMANIS J.J., PATRICK G. (1994), « Persistent topographic quantitative EEG sequelae of chronic marijuana use : A replication study and initial discriminant function analysis », *Clin. Electroencephal.* 25, 63-75.

« Substance Abuse and Mental Health Services Administration » (1996), *in National Household Survey on Drug Abuse* : Main Findings 1994, Rockville, MD, US Department of Health and Human Services 132-134.

TANDA G., PONTIERI F.E., DI CHIARA G. (1997), « Cannabinoid and heroin activation of mesolimbic dopamine transmission by a common μ1 opioid receptor mechanism », *Science* 276, 2049-2050.

TASHKIN D.P., COULSON A.H., CLARK V.A., SIMMONS M., BOURQUE L.B., DUANN S., SPIVEY G.H., GONG H. (1987), « Respiratory symptoms and lung function in habitual smokers of marijuana alone, smokers of marijuana and tobacco, smokers of tobacco alone, and nonsmokers », *Am. Rev. Respir. Dis.* 135, 209-216.

« Therapeutic Uses of Cannabis » (1997), *in* British Medical Association, Harvard Academic Publishers.

TSOU K., PATRICK S., WALKER M.J. (1995), « Physical withdrawal in rats tolerant to Δ9-tetrahydrocannabinol precipitated by a cannabinoid receptor antagonist », *Eur. J. Pharmacol.* 280, R13-R15.

VALK P., VERBAKEL S., VANKAN Y., HOL S., MANCHAM S., PLOEMACHER R., MAYEN A., LÖWENBERG, DELWEL R. (1997), « Anandamide, a natural ligand for the peripheral cannabinoid receptor is a novel synergetic growth factor for hematopoietic cells », *Blood* 90, 1448-1457.

VELA G., RUIZ-GAYO M., FUENTES J.A., « Anandamide decreases naloxone-precipitated withdrawal signs in mice chronically treated with morphine », *Neuropharmacology.* 34, 665-668.

VOLKOW N.D., GILLESPIE H., MULLANI N., TANCREDI L., GRANT C., VALENTINE A., HOLLISTER L. (1996), « Brain glucose metabolism in chronic marijuana users at baseline and during marijuana intoxication », *Psychiatr. Res. Neuroimag.* 67, 29-38.

VOTH E.A., SCHWARTZ R.H. (1997), « Medicinal applications of delta-9-tetrahydrocannabinol and marijuana », *Ann. Intern. Med.* 126, 791-798.

WEIDENFELD J., FELDMAN S., MECHOULAM R. (1993), « Effect of the brain constituent anandamide, a cannabinoid receptor agonist, on the hypothalamus-pituitary-adrenal axis in the rat », *Neuroendocrinology* 59, 110-112.

WESTLAKE T.M., HOWLETT A.C., ALI S.F., PAULE M.G., SCALLET A.C., SLIKKER Jr W. (1991), « Chronic exposure to Δ9-tetrahydrocannabinol fails to irreversibly alter brain cannabinoid receptors », *Brain Res.* 544, 145-149.

WIESBECK G.A., SCHUCKIT M.A., KALMIJN J.A., TIPP J.E., BUCHOLZ K.K.,

SMITH T.L. (1996), « An evaluation of the history of a marijuana withdrawal syndrome in a large population », *Addiction* 91, 1469-1478.

WILLIAMS J.H., WELLMAN N.A., RAWLINS J.N.P. (1996), « Cannabis use correlates with schizotypy in healthy people », *Addiction* 91, 869-877.

YANG Z.M., PARIA B.C., DEY S.K. (1996), « Activation of brain-type cannabinoid receptor interferes with preimplantation mouse embryo development », *Biol. Reproduc.* 55, 756-761.

ZIMMER L., MORGAN J.P. (1997), *in Marijuana Myths, Marijuana Facts*, The Linesmith Center, Éd. New York.

CHAPITRE 11

LE TABAC

Bien que l'on associe le tabac à une drogue douce, puisqu'il n'existe pas de réglementation concernant sa vente et que son utilisation n'a pas de répercussion sociale grave, force est de constater que son usage prolongé entraîne une dépendance. Les fumeurs connaissent bien le besoin compulsif de fumer dont il est difficile de se détacher et qui peut resurgir même après de longues périodes de sevrage lorsqu'ils se trouvent confrontés à des situations difficiles ou, au contraire, heureuses ou dans un environnement incitatif sollicitant leur envie refoulée (Besson, 1992; Molimard, 1997).

1. Présentation de la molécule et de son usage

Parmi les substances ayant un pouvoir addictif dans le tabac, il faut en premier lieu mentionner la nicotine et un certain nombre d'alcaloïdes dissous dans les goudrons de la fumée de tabac dont la nornicotine, l'anabasine, l'anatabine, des substances aromatiques... (Le Houezec et Molimard, 1986) [...]. De toutes ces substances, seule la nicotine a été bien étudiée. La nicotine est l'alcaloïde principal extrait des feuilles de tabac. C'est en 1560 que Jean Nicot rapporta d'Amérique du Sud les graines de tabac qui furent cultivées ; les feuilles séchées furent prisées, mâchées et progressivement l'habitude de fumer les feuilles de tabac sous forme de cigarettes, cigares et pipes se répandit à travers l'Europe et le monde entier. L'absorption au niveau des poumons des produits contenus dans la fumée de tabac procure très rapidement un effet psychostimulant avec augmentation de la vigilance et des capacités cognitives (Levin, 1992), mais a peu d'effets euphorisants (Pomerleau et Pomerleau, 1992), et ne provoque pas d'hallucinations, ni de modifications considérables de l'humeur. Toutefois, les troubles de l'humeur seront perçus chez le fumeur intoxiqué dans les périodes de sevrage. On constate une plus grande irritabilité, fatigabilité, voire même certaines formes de dépression lors d'un sevrage prolongé. Les facteurs addictifs du tabac ont certainement une durée d'action courte puisqu'ils doivent être constamment réintroduits dans l'organisme (la cigarette qui en allume une autre est un bon exemple dans le cas de grande intoxication). La prise des alcaloïdes contenus dans la fumée de tabac est généralement associée à certaines activités de la vie courante. Les processus d'incitation collective sont également à prendre en compte, notamment chez les jeunes qui fument davantage en groupe que seuls et qui entraînent avec eux des non-fumeurs.

ANALYSE DES DONNÉES BIOLOGIQUES

La nicotine, principal alcaloïde contenu dans la fumée de tabac, mime l'action d'un neuromédiateur endogène : l'acétylcholine, qui agit au niveau du sous-type de récepteur cholinergique : le récepteur nicotinique. Ces récepteurs sont bien étudiés en France, par le groupe de J.-P. Changeux qui le premier caractérisa le récepteur nicotinique purifié à partir de l'organe électrique de torpille (Changeux et al., 1970 ; Changeux, 1990). Les récepteurs nicotiniques appartiennent à la classe des récepteurs ionotropiques associés à un canal ionique Na^+/K^+. Le récepteur nicotinique a une structure pentamérique. Il est constitué de cinq sous-unités protéiques comprenant diverses isoformes, ce qui accroît considérablement les combinaisons possibles et donne un vaste répertoire de récepteurs nicotiniques. À côté du récepteur nicotinique de la jonction neuromusculaire (au niveau duquel interagit le curare avec une très grande affinité), il existe une très grande diversité de récepteurs nicotiniques dans le système nerveux périphérique (système végétatif) et surtout dans le système nerveux central. Par interaction avec les récepteurs nicotiniques, la nicotine augmente l'activité des neurones et facilite la libération de neuromédiateurs. Son effet est rapide mais le récepteur se désensibilise très vite, ce qui permet d'expliquer que la nicotine a une plus grande efficacité en prises répétées (bouffées de cigarette) qu'en prise continue (Galzi et Changeux, 1995 ; Changeux *et al.*, 1998).

La nicotine a des effets sympathomimétiques. En agissant sur les systèmes catécholaminergiques périphériques (neurones post-ganglionnaires du système sympathique et cellules de la médullo-surrénale), *la nicotine facilite la libération des catécholamines* responsables des effets cardiovasculaires induits par la nicotine (augmentation de la pression artérielle, augmentation du rythme cardiaque). Par son interaction avec les cellules de la médullo-surrénale, la nicotine favorise aussi la sécrétion d'enképhalines, peptides opioïdes exprimés par ces cellules, et il est vraisemblable que certains effets antinociceptifs de la nicotine impliquent ces peptides mais une action centrale est aussi à envisager (Decker *et al.*, 1998). *La nicotine a également un effet éveillant* très accru, elle augmente la vigilance et améliore les performances, dans des tâches visuelles notamment. Ces effets sont certainement associés à l'action de la nicotine sur les neurones noradrénergiques centraux, principalement les neurones du locus cœruleus qui innervent de nombreuses structures cérébrales dont le cortex cérébral, le thalamus, l'hypothalamus, etc. La nicotine peut également avoir des *effets antidépresseurs*, le tabac pouvant représenter une sorte d'automédication chez des sujets très dépendants. On a pu constater chez l'homme (par des analyses en imagerie TEP chez le fumeur et le non-fumeur) une diminution du taux de la monoamine oxydase B (MAO-B), ce qui pourrait rendre compte d'effets antidépresseurs de la nicotine par modification du taux de dégradation des catecholamines (Fowler *et al.*, 1996). Cependant l'inhibition pourrait être due à un composant du tabac autre que la nicotine.

Les *effets coupe-faim* de la nicotine sont également bien connus. Le sevrage est généralement suivi de prise de poids. La nicotine intervient à différents niveaux dans le contrôle de la prise alimentaire (noyau du tractus solitaire, hypothalamus). La réduction de la prise alimentaire pourrait être en partie due aussi aux effets hyperglycémiants de la nicotine. Les *effets toxicomanogènes* de la nicotine sont comme pour beaucoup d'autres drogues, induisant une addiction associée à son action sur les neurones dopaminergiques (DA) du mésencéphale ventral et en particulier sur les neurones DA mésolimbiques (aire tegmentale-noyau accumbens)(Clarke and Pert, 1985 ; Stolerman and Shoaib, 1991 ; Besson, 1992). La nicotine accroît l'activité des neurones DA (localisés dans l'aire tegmentale ventrale), ce qui produit une augmentation de la libération de DA dans la région des terminaisons (le noyau accumbens) (Di Chiara and Imperato, 1988). L'action de la nicotine sur les récepteurs est de relativement courte durée car les récepteurs se désensibilisent rapidement. La prise répétée de nicotine (par bouffées) semble donc plus efficace pour activer les neurones dopaminergiques que la prise continue de nicotine par administration transcutanée. Du fait de la désensibilisation rapide des récepteurs de la nicotine, on estime que l'action de la nicotine est plus intense après le sevrage nocturne en nicotine. Par ailleurs, l'administration transcutanée par patches de nicotine utilisée comme palliatif de la cigarette lors du sevrage pourrait produire des activations neuronales, mais beaucoup moins intenses que celles induites par l'apport brusque de nicotine sous forme d'inhalation de la fumée de cigarettes.

2. Mécanismes d'action : aspects cellulaires

La nicotine agit sur les récepteurs nicotiniques largement distribués dans le système nerveux central. Cet alcaloïde agit sur les neurones en provoquant leur dépolarisation qui s'accompagne d'une entrée de Ca^{++} dans la cellule. La nicotine augmente l'activité des neurones, leur mode de décharge peut passer d'un mode régulier en un mode de décharge en bouffées comme c'est le cas pour les neurones DA. Les récepteurs nicotiniques ne sont pas uniquement trouvés sur les corps cellulaires et les dendrites des neurones mais aussi sur les terminaisons nerveuses, ce qui fait que la nicotine peut par une action présynaptique induire une libération accrue de neuromédiateur (Giorguieff-Chesselet et al., 1979). Les sites d'action de la nicotine sont multiples puisqu'elle peut, soit directement modifier l'activité des neurones, soit indirectement changer l'excitabilité des neurones en facilitant la libération de neuromédiateurs comme les amines biogènes, l'acétylcholine, le glutamate, le GABA, voire même certains neuropeptides (Wonnacott, 1997). Dans la perspective de rechercher les structures cérébrales cibles de la nicotine, la cartographie des récepteurs de la nicotine a été établie. (Wada et al., 1990; Le Nonève et al., 1996).

Des mesures de changements de métabolisme du glucose ont été réalisées chez l'animal, ce qui a permis de mettre en évidence des accroissements de consommation de glucose (signe d'une activité cérébrale plus importante) au niveau des structures reliées à la rétine, mais aussi dans des structures du système limbique comme la partie « shell » du noyau accumbens ou encore le cortex cingulaire (Pontieri *et al.*, 1996). Une autre approche utilisée ces dernières années a été l'analyse de l'induction par la nicotine de gènes précoces comme le gène cfos qui est lui-même utilisé pour induire d'autres gènes. Ces analyses ont mis en lumière un nombre très important de structures cérébrales pouvant être des cibles de la nicotine : c'est le cas des projections visuelles, de nombreuses régions du système limbique et des différentes aires associatives du cortex cérébral et du thalamus (Mathieu *et al.*, 1998). La comparaison des structures cérébrales dans lesquelles s'expriment ces gènes précoces chez des animaux entraînés à s'auto-administrer de la cocaïne ou de la nicotine a mis en lumière des régions communes d'interaction entre ces deux substances comme le noyau accumbens (partie core et shell), le cortex préfrontal médian (Pich *et al.*, 1997). Il est clair, par ailleurs, que la nicotine peut augmenter la libération de nombreux neuromédiateurs mais son action sur la libération de DA reste le point majeur rapprochant la nicotine d'autres psychostimulants comme la cocaïne ou l'amphétamine. Chez les souris n'exprimant plus la sous-unité β_2 du récepteur nicotinique, ce qui altère le fonctionnement d'un bon nombre de récepteurs nicotiniques centraux, dont ceux localisés sur les neurones DA, il n'y a plus possibilité d'induire un comportement d'auto-administration de nicotine alors que le comportement d'auto-administration de cocaïne reste inchangé (Picciotto *et al.*, 1998). La comparaison des effets de la cocaïne et de la nicotine appelle cependant quelques remarques. L'accroissement de libération de DA par la nicotine est modéré comparativement à ceux induits par les psychostimulants forts comme la cocaïne ou l'amphétamine. Par ailleurs, il est à souligner que les régulations induites par la DA et notamment l'expression des peptides contenus dans les neurones localisés dans les régions innervées par les fibres DA ne sont pas soumises aux mêmes variations après nicotine qu'après cocaïne ou amphétamine. La cocaïne augmente l'expression des enképhalines dans la partie antérieure du noyau accumbens ainsi que l'expression des tachykinines et de la dynorphine dans l'ensemble des structures striatales (partie dorsale ou striatum dorsal et partie ventrale ou noyau accumbens). En revanche, la nicotine ne modifie pas l'expression de ces peptides (Mathieu-Kia and Besson, 1998).

Il reste encore de nombreux gènes à découvrir dont l'induction pourra être accrue ou, au contraire, réprimée par la nicotine et dont la régulation pourra être affectée de façon similaire ou, au contraire, différente par la cocaïne ou l'amphétamine. À titre d'exemple, il a été rapporté que la nicotine augmentait la synthèse de facteurs trophiques comme le BFGF alors que la cocaïne induirait plutôt des effets trophiques inhibiteurs, notamment lorsque cette drogue est prise pendant la grossesse.

3. Pharmacologie générale et comportementale chez l'animal

La nicotine pure est très toxique et ne peut être administrée qu'à faibles doses. De fortes doses de nicotine produisent des effets sympathomimétiques considérables et induisent le plus généralement des convulsions. À faibles doses, la nicotine active modérément le comportement des animaux. Il semble plus difficile d'induire un conditionnement d'auto-administration avec la nicotine qu'avec la cocaïne. Toutefois, il est à noter que les échecs pourraient être associés à des administrations de trop fortes doses de nicotine provoquant alors des effets aversifs.

4. Effets neurotoxiques chez l'homme

La toxicité de la nicotine vis-à-vis des neurones n'a jamais été rapportée. Au contraire, du fait d'une réduction de l'activité de la MAO-B induite par la nicotine, il a été avancé que la nicotine pouvait protéger certaines populations neuronales comme les neurones DA en limitant le métabolisme de la DA, réduisant ainsi le risque de formation de radicaux libres. Chez le très gros fumeur et chez la femme enceinte forte fumeuse, des risques d'atteintes cérébrales par apport exogène de CO sont à prendre en compte.

5. Effets toxiques sur différents organes

Bronchites chroniques, cancer du poumon, cancer de la sphère ORL. Maladies cardiovasculaires. Aux États-Unis, plus de quatre cent mille décès annuels sont attribués au tabac (NIDA notes, 1998).

6. Associations, toxicité additionnelle

Le tabac est constamment associé à l'usage du café et de l'alcool, ce dernier augmentant la consommation de tabac.
Ces deux substances pourraient avoir des interactions pharmacologiques. L'alcool augmente la consommation de tabac. Ces deux substances pourraient avoir des effets

synergiques sur la libération de DA, ce renforcement pharmacologique pouvant être synonyme d'une recherche
d'un plaisir plus intense. L'association de ces deux produits pourrait être recherchée pour d'autres interactions
fonctionnelles, la nicotine supprimant en particulier certains effets désinhibiteurs de l'alcool. L'association café-
tabac permet de renforcer les effets éveillants des deux
substances.

Références bibliographiques

BESSON M.J. (1992), « Nicotine et systèmes de récompense du cer-
veau », Sem. Hôp. Paris 68, 1270-1276.
CHANGEUX J.P. BERTRAND D., CORRINGER P.J., DEHAENE S., EDELSTEIN S.,
LENA C., LE NOVERE N., MARUBIO L., PICCIOTTO M., ZOLI M., (1998),
« Brain nicotinic receptors : structure and regulation, role in lear-
ning and reinforcement », Brain Res. Rev., 26, 198-216.
CHANGEUX J.P., « Functional architecture and dynamics of the nicoti-
nic acetylcholine receptor : an allosteric ligand-gated ion chan-
nel », in CHANGEUX J.P. et al. (Eds), Fidia Research Foundation
Neuroscience Award Lectures, Raven Press Ltd., New York, 1990, 21-
168.
CHANGEUX J.P., KASAI M., LEE C.Y., (1970), « The use of a snake venom
toxin to characterize the cholinergic receptor protein ». Proc. Natl.
Acad. Sci., USA, 67, 1241-1247.
CLARKE P.B.S., PERT A., (1985), « Autoradiographic evidence for nicotine receptors on nigrostriatal and mesolimbic dopaminergic neurons ». Brain Res., 348, 355-358.
DECKER M.W., BANNON A.W., BUCKLEY M.J., KIM D.J., HOLLADAY M.W.,
RYTHER K.B., LIN N.H., WASICAK J.T., WILLIAMS M., ARNERIC S.P.
(1998) « Antinociceptive effects of the novel neuronal nicotinic acetylcholine receptor agonist, ABT-594, in mice », Eur. J. Pharmacol,
346 (1), 23-33.

DI CHIARA G. et IMPERATO A., (1988), « Drugs abused by humans preferentially increase synaptic dopamine concentrations in the mesolimbic system of freely moving rats », *Proc. Natl. Acad. Sci.*, USA, 85, 5274-5278.

FOWLER J.S., VOLKOW N.D., WANG G.J., PAPPAS N., LOGAN J., MACGREGOR R., ALEXOFF D., SHEA C., SCHLYER D., WOLF A.P., WARNER D., ZEZULKOVA I., CILENTO R. (1996), « Inhibition of monoamine oxidase B in the brains of smokers », *Nature*, 379, 733-736.

GALZI J.L., CHANGEUX J.P., (1995), « Neuronal nicotinic receptors : molecular organization and regulations », *Neuropharmacology*, 34, 563-582.

GIORGUIEFF-CHESSELET M.F., KEMEL M.L., WANDSCHEER D., GLOWINSKI J., (1979), « Regulation of dopamine release by presynaptic nicotinic receptors in rat striatal slices : effect of nicotine in a low concentration », *Life Sci.*, 25, 1257-1262.

LE HOUEZEC J., MOLIMARD R., (1986), « Role de la nicotine dans l'induction et la maintenance de la dépendance au tabac », *La Presse Méd.*, 15, 1873-1876.

LE NOVERE N., ZOLI M., CHANGEUX J.P. (1996), « Neuronal nicotinic receptor alpha 6 subunit mRNA is selectively concentrated in catecholaminergic nuclei of the rat brain », *Eur. J. Neurosci.*, 8, (11), 2428-2439.

LEVIN E.D., (1992), « Nicotinic systems and cognitive function », *Psychopharmacology* (Berl), 108, 417-431.

MATHIEU A.M., PAGES C. and BESSON M.J., (1998), « Inducibility of c-Fos protein in visuo-motor system and limbic structures after acute and repeated administration of nicotine in the rat. » *Synapse*, 29, 343-354.

MATHIEU-KIA A.M. and BESSON M.J., (1998), « Repeated administration of cocaine, nicotine and ethanol : effets on preprodynorphin, preprotachykinin A and preproenkephalin mRNA expression in the dorsal and the ventral striatum of the rat », *Mol. Br. Res.*, 54, 141-151.

PICCIOTTO M.R., ZOLI M., RIMONDINI R., LENA C., MARUBIO L.M., PICH E.M., FUXE K., CHANGEUX J.P. (1998), « Acetylcholine receptors containing the beta2 subunit are involved in the reinforcing properties of nicotine », *Nature*, 391, 173-177.

PICH E.M., PAGLIUSI S.R., TESSARI M., TALABO-AYER D., VAN HUIJSDUIJNEN R.H. and CHIAMULERA C., (1997), « Common neural substrates for addictive properties of nicotine and cocaine », *Science*, 275, 83-86.

POMERLEAU C.S. et POMERLEAU O.F., (1992), « Euphoriant effects of nicotine in smokers. » *Psychopharmacology* (Berl), 108, 460-465.

PONTIERI F.E., TANDA G., ORZI F. et DI CHIARA G., (1996), « Effect of nicotine on the nucleus accumbens and similarity to those of addictive drugs », *Nature*, 382, 255-257.

STOLEMAN, I.P. et SHOAIB, M., (1991), « The neurobiology of tabacco addiction », *Trends Pharmacol. Sci.*, 12, 467-473.

WADA E., WADA K., NOULTER J., DENERIS E., HEINEMANN S., PATRICK J., SWENSON L.W., (1990), « Distribution of Alpha2, Alpha3, Alpha4 and Beta2 neuronal nicotinic receptor subunit mRNAs in the central nervous system », *Brain Res.*, 526, 45-53.

WONNACOTT S., (1997), « Presynaptic nicotinic ACh receptors », *Trends Neurosci.*, 20, 92-98.

CHAPITRE 12

MÉDICAMENTS ET PHARMACODÉPENDANCE

1. Benzodiazépines et molécules apparentées

Présentation des molécules

Les benzodiazépines ayant fait l'objet de notifications au système national de pharmacovigilance sont par ordre alphabétique : Alprazolam, Bromazépam, Clobazam, Clorazépate, Flunitrazépam, Loprazolam, Lorazépam et Prazépam.

Les autres substances apparentées : Méprobamate, Zolpidem et Zopiclone.

Mécanismes d'action

La cible principale des benzodiazépines est le récepteur au GABA de type A au niveau du cerveau. Les benzodiazépines se fixent sur ce récepteur complexe et modulent allostériquement l'activité du canal chlore. Les benzodiazépines nécessitent la présence de GABA pour exprimer leur effet. Les benzodiazépines moduleraient la fixation du GABA sur son site de fixation et inversement, le GABA modifierait la fixation des benzodiazépines. Au total, les benzodiazépines augmenteraient le courant chlore du récepteur GABA-A activé et potentialiseraient ainsi les effets GABAergiques centraux. Cette relation avec les récepteurs GABA-A a été confirmée par de nombreuses études de biologie moléculaire. Les études électrophysiologiques réalisées *in vitro* ont montré que l'augmentation du courant chlore induite par les benzodiazépines résultait principalement de l'ouverture massive des canaux chlore en présence de doses submaximales de GABA. Cependant, les effets amnésiants et hypnotiques pourraient faire intervenir d'autres mécanismes et notamment, une inhibition de la recapture de l'adénosine ou une modification de l'activité des canaux calciques.

Propriétés pharmacologiques

Les principaux effets des benzodiazépines sont : sédatif, anxiolytique, hypnotique, amnésiant (amnésie antérograde), anticonvulsivant et myorelaxant. Il n'y a pas d'effet dépresseur respiratoire aux posologies normales et les effets cardiovasculaires sont minimes.

Chez l'animal, dans les modèles d'anxiété, les benzodiazépines renforcent les activités locomotrices et de satiété habituellement diminuées lors d'un stress. La marge thérapeutique entre effet anxiolytique et sédatif varie selon les benzodiazépines et les modèles expérimentaux utilisés. Le développement d'une tolérance aux effets anxiolytiques des benzodiazépines fait l'objet de nombreux débats contradictoires. L'effet analgésique observé chez l'animal n'est retrouvé que très partiellement chez l'homme.

Effets neurotoxiques

Les benzodiazépines peuvent induire une baisse de la vigilance, des sensations ébrieuses et une somnolence qui peuvent être préjudiciables chez le conducteur de véhicule ou l'utilisateur de machine. Ces effets peuvent être potentialisés par l'alcool et les autres dépresseurs du système nerveux central (SNC).

Effets toxiques autres

Les effets neurotoxiques cités ci-dessus sont en rapport avec la dose ingérée et la sensibilité individuelle du patient. La somnolence serait plus fréquente chez les personnes âgées. Des amnésies antérogrades et des effets paradoxaux ont été décrits chez certains patients. Les réactions cutanées et les modifications de la libido sont exceptionnelles.

Effets psychopathologiques

Il existe chez certains patients une dépendance physique et psychique, même à dose thérapeutique. Cette « addiction » est favorisée par une prise prolongée (plusieurs mois, forte dose).

Il existe également une possibilité de mésusage avec les benzodiazépines de forte puissance et à demi-vie très courte. Il s'agit essentiellement de l'utilisation de benzodiazépines ou d'apparentés pour un usage criminel à type de soumission médicamenteuse. (Pour plus de détails, voir la « Réflexion sur l'usage criminel des psycho-actifs ».) Il existe aussi une utilisation de benzodiazépines dans des conduites d'auto-soumission facilitant le passage à l'acte (prostitution, agressions, tentatives de suicide, etc.). Il s'agit essentiellement de benzodiazépines fortement dosées à action rapide (flunitrazépan, Rohypnol et chlorazepate dipotassique, Tranxène 50).

Association, toxicité additionnelle

L'alcool et les dépresseurs du SNC majorent l'effet sédatif des benzodiazépines et l'altération de la vigilance des conducteurs de véhicule ou des utilisateurs de machine. Avec les morphiniques et la clozapine, il existe un risque accru de dépression respiratoire.

Les toxicomanes peuvent associer benzodiazépine et

méthadone pour potentialiser les effets. L'association benzodiazépine-cocaïne est essentiellement utilisée pour réduire l'effet anxiogène de la cocaïne. Chez les toxicomanes aux opiacés, l'association aux benzodiazépines est fréquente et s'explique par l'effet anxiolytique sur la survenue du syndrome de sevrage.

2. **Amineptine**

Présentation

Il s'agit d'un antidépresseur de structure tricylique.

Mécanisme d'action

L'amineptine inhibe principalement la recapture de la dopamine et possède à la fois des effets antidépresseurs et psychostimulants.

Pharmacologie générale

Chez l'animal et à fortes doses, l'amineptine se comporte comme le méthylphénidate ou la dexamphétamine (propriétés amphétaminiques).

Effets neurotoxiques

L'amineptine peut induire chez certains patients une pharmacodépendance. Les posologies utilisées par ces patients entraînent la survenue de troubles psychiques (excitation, anxiété, insomnie, agitation, confusion, amaigrissement).

Effets indésirables

Des atteintes hépatiques ont été décrites avec ce produit et une surveillance particulière des patients est nécessaire. En cas de surdosage prolongé lors d'une toxicomanie, on peut observer l'apparition d'un syndrome acnéique particulièrement sévère.

Effets psychopathologiques

Chez certains sujets, une addiction est possible, notamment en cas d'antécédent de dépendances à l'alcool, à des médicaments ou à des substances illicites. L'anorexie mentale et la boulimie sont également des facteurs de risque.

Associations et toxicité additionnelle

Il n'existe pas de mention particulière.

3. **Clobenzorex**

Présentation

Il s'agit d'un anorexigène amphétaminique.

Mécanismes d'action

Il s'agit d'une amphétamine agissant par relargage au niveau des terminaisons nerveuses des stocks d'amines biogènes. Les principaux effets sont une anorexie et une action stimulante. Ces effets sont bloqués chez l'animal par un prétraitement par un inhibiteur de la tyrosine hydroxylase. L'effet stimulant observé sous amphétamines est probablement la conséquence d'une libération de dopamine dans le néostriatum. Cet effet dose-dépendant est observé pour les plus fortes doses *in vitro*. Des modifications de la perception et des effets psychotiques sont observés aux plus fortes doses et pourraient être en rapport avec la libération de 5-hydroxytryptamine et de dopamine dans le système méso-limbique.

Pharmacologie générale

Les amphétaminiques entraînent une augmentation de la pression artérielle associée ou non à une bradycardie réactionnelle. Il existe également un renforcement du tonus du sphincter vésical.

L'effet anorexigène a été largement utilisé en thérapeutique humaine.

Les amphétamines exercent un effet stimulant sur le SNC. Les effets psychiques sont fonction de la dose et de la personnalité du sujet. On observe généralement, pour des posologies moyennes, une hyperactivité, une baisse de la sensation de fatigue, une élévation de la thymie et des facultés de concentration. Un surdosage ou un usage prolongé se traduit par une dépression et une grande asthénie.

Aux plus fortes doses et/ou sur terrain favorisant, on peut observer des confusions, une agressivité, des modifications de la libido, un délire, des hallucinations, des états de panique ou des pulsions homicides, etc.

L'intoxication chronique comporte une sémiologie voisine de l'intoxication aiguë, notamment pour les effets centraux.

Effets neurotoxiques

Cf. Pharmacologie générale, chapitre 3.

Effets indésirables

En dehors de l'hypertension artérielle pulmonaire qui semble exceptionnelle mais gravissime, on observe surtout des effets centraux à type de dépression, réaction psychotique, nervosité, agitation, troubles du sommeil, céphalées, vertiges, voire des convulsions. Les autres effets sont cardiovasculaires à type d'hypertension, de palpitations, de tachycardie ou d'angor et, plus exceptionnellement, d'accidents ischémiques cardiaques ou cérébraux.

Effets psychopathologiques

Cf. Pharmacologie générale et Effets indésirables. Un traitement prolongé risque d'entraîner une tolérance pharmacologique et une pharmacodépendance. Des troubles psychotiques peuvent être observés sur des terrains particuliers. La prise d'amphétamine peut modifier le comportement des conducteurs de véhicule ou des utilisateurs de machine.

Associations, toxicité additionnelle

RAS.

4. Buprénorphine

Présentation

Il s'agit d'un analgésique de type agoniste-antagoniste morphinique (voir chapitres 2 et 3).

Mécanisme d'action

La buprénorphine est un agoniste-antagoniste morphinique se fixant sur les récepteurs μ et κ cérébraux.

Pharmacologie générale

La buprénorphine présente des propriétés antalgiques et centrales voisines de celles de la morphine. La puissance d'effet de la buprénorphine représente vingt-cinq à cinquante fois celle de la morphine. L'effet antalgique semble plus prolongé sous buprénorphine. La dépression respiratoire est retardée et prolongée sous buprénorphine.

Chez les toxicomanes, l'administration de buprénorphine entraîne des effets « morphine-like » (euphorie, etc.). En administration prolongée (8 à 16 mg SC ou SL/J) (SC = sous-cutanée, SL = sub-linguale), il y a une identification de la buprénorphine comme agent morphinique et les effets de l'injection parentérale de morphine sont atténués ou bloqués pendant une période pouvant atteindre trente heures. Cependant, l'arrêt de la buprénorphine s'accompagne d'un syndrome de sevrage retardé débutant entre le deuxième jour et la deuxième semaine et comparable à celui observé avec la morphine mais avec une intensité moindre. Ce syndrome peut durer une à deux semaines. L'existence d'un syndrome de sevrage plus modéré en intensité qu'avec la morphine explique en partie que le potentiel d'addiction à la buprénorphine est moindre.

La buprénorphine est utilisée chez l'homme comme antalgique et comme traitement substitutif des pharmacodépendances majeures aux opiacés.

Selon l'article de Tracqui *et al.* (1998), il serait nécessaire de revoir les modalités de dispensation du Subutex (buprénorphine), dans le cadre des traitements de substitution. En effet, ils ont analysé de manière rétrospective ou prospective quarante-neuf cas de surdosage en buprénorphine, dont vingt mortels. Il s'agissait de toxicomanes âgés de quatorze à quarante-huit ans comprenant trente-neuf hommes et dix femmes. Dans presque tous les cas, il y avait polymédication associée, essentiellement des benzodiazépines, et une administration intraveineuse (broyat de comprimés) était présente chez dix-huit des quarante-neuf patients. La dépression respiratoire induite par la polymédication pourrait être responsable des décès recensés. Ces cas posent le problème de l'obtention des comprimés et de leur mésusage, qui est à mettre en balance avec les avantages obtenus en matière de toxicomanie, notamment à l'héroïne. Une enquête nationale de pharmacovigilance a été mise en route dès la fin de 1996 par l'Agence du médicament. Les réévaluations successives de cette enquête ont permis de modifier de façon régulière et significative la description des caractéristiques du Subutex, dans le cadre de son autorisation de mise sur le marché français.

Effets neurotoxiques

Cf. Toxicité générale des opiacés.

Effets indésirables

Les principaux effets indésirables sont : constipation, céphalées, insomnie, asthénie, somnolence, nausées, vomissements, lipothymies et sensations vertigineuses, hypotension orthostatique, sueurs, etc. Plus exceptionnellement sont observées des dépressions respiratoires (en cas de mésusage ou association avec benzodiazépines) ou des atteintes hépatiques.

L'association à l'alcool et aux dépresseurs du SNC majore la baisse de la vigilance (véhicules, machines). L'association aux benzodiazépines semble majorer le risque de survenue de dépression respiratoire pouvant avoir une évolution fatale.

Le risque de pharmacodépendance reste faible (voir *supra*).

Effets psychopathologiques

L'administration de buprénorphine reproduit chez les toxicomanes un effet « morphine-like » (voir *supra*). Cet effet est majoré par l'administration intraveineuse (à partir du broyat de comprimés et risque d'administration d'excipients dangereux par voie intraveineuse). Ses propriétés agonistes-antagonistes peuvent modifier en cas d'association les effets d'autres opiacés avec un risque de sevrage ou de dépression respiratoire. La buprénorphine peut entraîner la survenue d'un syndrome de sevrage (voir *supra*).

Association, toxicité générale

Voir au-dessus avec les autres opiacés, les benzodiazépines, l'alcool et les dépresseurs du SNC.

Effet potentialisateur possible sur l'euphorie entre buprénorphine et cocaïne, la cocaïne réduirait l'anxiété du syndrome de sevrage et la buprénorphine réduirait l'irritabilité des cocaïnomanes.

5. LSD

Présentation

Il s'agit d'un hallucinogène.

Mécanisme d'action

Les hallucinogènes ont une grande affinité pour les récepteurs à la sérotonine de type 5HT-2 et pour d'autres sous-types de récepteurs. Il y a une bonne corrélation entre l'affinité pour les récepteurs 5HT-2 et le potentiel hallucinogène chez l'homme. La ritansérine, antagoniste des 5HT-2, réduit considérablement les effets des hallucinogènes chez l'animal (comportement et électrophysiologie). Cependant, le LSD est capable d'interagir sur de nombreux sous-types de récepteurs sérotoninergiques à concentrations nanomolaires et il semble actuellement difficile d'attribuer les effets « psychédéliques » aux seuls 5HT-2.

Pharmacologie générale

Les effets initiaux de type anticholinergique-sympathomimétique (tachycardie, hyperthermie, mydriase, salivation, larmoiement, piloérection, hypertension, nausées) débutent dans les trente à soixante minutes suivant la prise. Les effets psychoactifs débutent une à deux heures après et peuvent persister un à deux jours. Une dose de 25 μg est capable d'avoir des effets psychoactifs et une relation effet-dose est observée jusqu'à 500 μg.

Une tolérance croisée a été mise en évidence chez l'animal entre LSD, mescaline et psilocybine.

Effets neurotoxiques

L'utilisation répétée de LSD peut conduire à la survenue d'une ataxie, d'une incoordination motrice, d'une dysphasie, de paresthésie ou de tremblement. Des convulsions ont été rapportées. L'HPPD (hallucinogen persisting perception disorder) ou « flash-back » est observé chez un quart des anciens consommateurs. Les hallucinations visuelles persistantes représentent 50 % des cas et témoigneraient d'une altération du système visuel.

Effets indésirables

Les sujets à risques individualisés sont les personnes présentant ou ayant des antécédents de schizophrénie ou d'instabilité mentale. Les épileptiques sont également des sujets à risque.

Nausées, vomissements et diarrhée sont fréquemment observés. Les effets sur le SNC peuvent être subdivisés en trois sous-types : 1) modifications de l'humeur : la prise de LSD peut s'accompagner d'une instabilité de l'humeur allant de l'euphorie à la dépression en passant par l'anxiété. Des états de panique ont été décrits et ils ont pu se compliquer de passages à l'acte ; 2) hallucinations : visuelles, tactiles, auditives, etc. Délires mégalomaniaques ; 3) signes neurologiques : ils s'observent plus fréquemment chez les consommateurs chroniques et se résument à ataxie, dysphasie, vertiges, paresthésie, incoordination et tremblements. Des comportements antisociaux ont été observés sans que la relation de causalité soit prouvée.

La « psychose » produite par le LSD est sémiologiquement très variable.

Effets psychopathologiques

Ils sont plus fréquents chez les sujets à risque (schizophrénie ou antécédents de schizophrénie, et instabilité mentale). Les principaux effets sont la « psychose » induite, le risque de passage à l'acte et les comportements antisociaux.

Le phénomène de « flash-back » peut persister chez certains anciens consommateurs.

Associations, toxicité additionnelle

L'alcool, le cannabis et les neuroleptiques peuvent précipiter la survenue d'un « flash-back » (voir *supra*).

Les phénothiazines et les butyrophénones peuvent antagoniser les effets psychoactifs du LSD. Les benzodiazépines peuvent réduire également ses effets. La réserpine, les IMAO, le cannabis et les amphétamines peuvent majorer les effets psychoactifs du LSD.

Référence bibliographique

TRACQUI A., TOURNOUD F., KOPFERSCHMITT J., KINTZ P., DEVEAUX M., GHYSEL M.H., MORQUET P., PÉPIN G., PETIT G., JAEGER A., LUDES B. (1998), « Intoxications aiguës par traitement substitutif à base de buprénorphine haut dosage », *Presse médicale*, 27, 551-561.

CHAPITRE 13

ASSOCIATION DE SUBSTANCES PSYCHOACTIVES À L'ORIGINE DE DÉPENDANCE ET RISQUES ASSOCIÉS

1. Approche descriptive

RAPPORT OFDT/1996 SUR LA POLYTOXICOMANIE

Proportion de polytoxicomanes parmi les toxicomanes ayant recours au système sanitaire et social en novembre 1994.

Produit principalement consommé	% de polytoxicomanes
Héroïne	63
Codéine	72
Morphiniques	57
Cannabis et dérivés	53
LSD et autres dysleptiques	74
Médicaments psychotropes	79
Cocaïne	76
Crack	68
Colles et solvants	64

PATIENTS DÉPENDANTS MAJEURS ET AVÉRÉS AUX OPIACÉS

La dépendance majeure aux opiacés est rarement spécifique aux seuls opiacés. Les patients en traitement de substitution de maintien par la méthadone, patients dépendants majeurs et avérés aux opiacés, ont pour *préférence* déclarée au cours du dernier trimestre précédant l'initiation du traitement (source « Clinique Liberté ») : 1) l'héroïne seule pour 52 % des sujets interrogés ; 2) l'association héroïne/cocaïne pour 33 % des sujets interrogés ; 3) l'association héroïne/tranquillisants ou sédatifs ou anxiolytiques et/ou alcool pour 12 % des sujets interrogés ; 4) n'ont pas de préférence sélective, pour 3 % des sujets interrogés.

2. Approche explicative médico-ethnologique

Les dépendances associées relèvent de plusieurs ordres : 1) diversification du marché de la « drogue » et multiplication des propositions ; 2) culture de la polytoxicomanie transmise par les proches ou les « pairs » ; 3) complémentarité des effets des différentes substances dans le temps (par exemple, les opiacés permettent de calmer la tension interne extrême survenant pour certains sujets après administration intraveineuse de cocaïne, d'où la fréquente association héroïne-cocaïne, appelée « speed-ball ») ; 4) recherche de nouvelles ou d'anciennes sensations sous « drogue » quand une sensation découverte précédemment présente une tolérance acquise importante (par exemple, la dépendance primaire à un opiacé faible peut nécessiter après augmentation des doses administrées une potentialisation de l'opiacé par des substances associées et/ou un changement de produit au profit d'un opiacé fort.

3. Approche pharmacologique

INTERACTIONS PHARMACODYNAMIQUES (Beauverie *et al.*, 1997)

Synergie d'effet

Il est fréquent de retrouver dans les substances illicites, des traces de différents solvants employés au cours de l'extraction à partir des plantes, de faibles quantités d'intermédiaires de synthèse, et tous les produits de « coupure » employés par les différentes personnes impliquées dans le circuit de distribution et de vente. Toute substance capable de mimer pour partie ou capable de potentialiser les effets de la substance recherchée, sera additionnée en vue d'augmenter le volume du produit ou dans le but de baisser les prix proposés à la vente. Chaque vendeur, en fonction de ses ressources, aura un large choix de produits de coupure. Ainsi, strychnine, caféine ou opiacés peuvent être associés à l'héroïne en vue de potentialiser certains de ses effets. Ces produits participent à la toxicité des substances illicites, elle peut être fatale ou à l'origine de graves complications.

Sensibilisation croisée

L'existence d'une sensibilisation (ou tolérance inverse) croisée, persistant six mois, et portant sur les effets stimulants et locomoteurs des substances psychostimulantes, facilite, après initiation à une substance stimulante majeure comme la cocaïne ou l'amphétamine, l'expression des effets stimulants de substances mineures comme certains vasoconstricteurs ou antidépresseurs.

*Recrutement des différents systèmes neurobiologiques partici-
pant pour partie au comportement*

En théorie, le comportement d'auto-administration des
substances psychoactives, serait acquis et repris par des
mécanismes neurobiologiques impliquant le système dopaminergique. Et le maintien de ce comportement d'auto-
administration impliquerait le système opioïdergique. Les
substances psychostimulantes recrutent préférentiellement
le système dopaminergique, et on observe une conduite de
dépendance sans maintien, c'est-à-dire alternant des phases
de consommation entre des phases d'abstinence. Les
opiacés recrutent de manière ubiquitaire et préférentielle le
système opioïdergique et indirectement le système dopaminergique. On note une conduite de dépendance maintenue
dans le temps, c'est-à-dire que les phases de consommation
sont continues. L'association des substances stimulantes
aux substances opiacées entraîne un recrutement simultané
des deux systèmes de neurotransmission et cette synergie
pourrait renforcer le maintien du comportement d'auto-
administration des deux catégories de substance (voir
chapitre 2).

INTERACTION PHARMACOCINÉTIQUE

Inhibition catabolique et augmentation de la biodisponibilité

*En raison des moyens nécessaires à l'exploration de ce
type d'interaction chez l'homme, il n'est pas possible de l'étudier de manière précise avec des substances illicites, cependant nous retrouvons dans ce contexte une possibilité
d'association de substance à visée thérapeutique.*

Illustration : association fluoxétine/méthadone

La fluoxétine et la méthadone sont des substances à
l'origine de dépendance (Menecier *et al.*, 1997 ; Beauverie
et al., 1997). La fluoxétine (antidépresseur sérotoniner-

gique) est un inhibiteur du catabolisme de la méthadone (opiacé substitutif). L'association des deux médicaments entraîne une augmentation progressive de la biodisponibilité de la méthadone accompagnée d'une tolérance neurophysiologique partielle. À l'arrêt de la consommation de fluoxétine, il est possible d'observer des signes de manque subjectifs et/ou objectifs de type opiacé (Beauverie *et al.*, 1997).

Induction catabolique et apparition d'un métabolite actif

Illustration : association codéine/alcool

La codéine ne possédant qu'une faible affinité pour les récepteurs μ, son action serait surtout associée à sa transformation hépatique et peut-être *in situ* au niveau cérébral en morphine. L'importance de cette transformation est très variable d'un individu à l'autre, ce qui explique les grandes variations interindividuelles d'activité de la codéine, son inefficacité en tant qu'antalgique et son absence de potentiel d'abus pour certains sujets. Cette même transformation permet aux personnes dépendantes des opiacés de potentialiser les effets de la codéine en absorbant d'importantes quantités d'alcool en vue de faciliter et activer la transformation endogène en morphine (induction enzymatique) (Beauverie *et al.*, 1997).

INTERACTION MIXTE : APPARITION D'UN NOUVEAU CATABOLITE ACTIF

Illustration : association cocaïne/alcool

L'administration d'alcool (0,8 g/kg) en association avec la cocaïne, induit l'apparition d'un nouveau métabolite, le cocaéthylène. Ce dernier est pharmacologiquement actif, il inhibe la recapture de la dopamine de manière équivalente à celle de la cocaïne, il est également impliqué dans le mécanisme de dépendance (Schechter, 1995). L'étude de l'impact de l'alcool sur la cocaïne utilisée par voie nasale, montre que

si la prise de cocaïne précède de trente minutes la prise
d'alcool, la cocaïne ne modifie pas la biodisponibilité sanguine de l'alcool. L'apparition de cocaéthylène au niveau
plasmatique n'altère pas les effets cardiovasculaires et subjectifs de la cocaïne. Les concentrations plasmatiques de
cocaïne ne sont pas augmentées, et aucune augmentation
des effets cardiovasculaires et subjectifs de la cocaïne ne
survient. Les observations réalisées quand l'alcool est administré pendant ou avant la prise nasale de cocaïne révèlent
que les effets de la cocaïne sur les fonctions vitales sont
majorés, la stimulation comportementale augmentée et
l'ébriété éthylique diminuée (Perez-Reyes, 1994).

Références bibliographiques

BEAUVERIE P., JACQUOT C., « Substances psychoactives à l'origine de
dépendance », *in Les traitements de substitution pour les usagers de
drogue*, D. TOUZEAU, C. JACQUOT, Paris, Éditions Arnette, Collection
« Pharmascopie », 1997, pp. 15-31.

MENECIER P., MENECIER-OSSIA L., BERN P., « Dépendance et tolérance à
la fluoxétine. À propos d'une observation », *L'Encéphale*, 1997, 23,
400-401.

BEAUVERIE P., JACQUOT C., « Pharmacologie des opiacés, agonistes, ago-
antagonistes et antagonistes employés dans la prise en charge des
sujets dépendants », *in Les traitements de substitution pour les usagers de drogue*, D. TOUZEAU, C. JACQUOT, Paris, Éditions Arnette, Collection « Pharmascopie », 1997, pp. 33-56.

SCHECHTER M.D., « Cocaethylene produces conditioned place preference in rats », *Pharmacol Biochem Behavior*. 1995, 51, 2/3, 549-
552.

PEREZ-REYES M., « The order of drug administration : its effects on the
interaction between cocaïne and ethanol », *Life Sciences* 1994, 55,
7, 541-550.

CHAPITRE 14

EFFETS DES SUBSTANCES PSYCHOTROPES CHEZ LA FEMME ENCEINTE ET LE NOUVEAU-NÉ

Le choix des substances retenues dans ce chapitre a été dicté par leur prévalence (alcool, cannabis), leur utilisation illicite ou médicale (LSD, héroïne, morphine, méthadone) ou leur dangerosité intrinsèque (cocaïne).

1. Cocaïne

La consommation de cocaïne est souvent associée à celle d'autres drogues à risque d'abus et à des styles de vie dangereux qui pourraient avoir des conséquences importantes pour la grossesse. Cela complique l'étude des effets de cette drogue, mais il est clair que l'utilisation de cocaïne par la femme enceinte a des répercussions très importantes sur la mère, le fœtus et le nouveau-né.

La cocaïne est un sympathomimétique qui produit hypertension et vasoconstriction (Briggs et al., 1995). Ces effets cardiovasculaires ont conduit chez l'adulte et chez la femme enceinte à des cas de mort subite (Henderson et Torbey, 1988 ; Greenland et al., 1989).

Les caractéristiques physico-chimiques de la cocaïne expliquent qu'elle traverse facilement le placenta (Briggs et al., 1995). Cette drogue est inactivée par le foie et les cholinestérases plasmatiques, et l'activité de ces dernières est fortement diminuée chez le fœtus et chez la femme enceinte, ce qui retarde l'inactivation et l'élimination de la cocaïne (Cregler et Mark, 1986; Bingol *et al.*, 1987).

L'administration de cocaïne est capable de modifier les caractéristiques physiologiques du tissu placentaire. Une diminution du nombre des récepteurs bêta-adrénergiques, μ et δ opioïdes a été observée dans le placenta après administration de cocaïne (Wang et Schnoll, 1987). La signification clinique de ces résultats n'a pas été déterminée, mais des modifications similaires pourraient aussi avoir lieu au niveau des récepteurs opioïdes et adrénergiques du fœtus.

La consommation de cocaïne est associée à une diminution de la durée de gestation d'une moyenne de deux semaines (Zuckerman *et al.*, 1989; Neerhof *et al.*, 1989). Cette diminution a été similaire dans les groupes de femmes consommatrices de cocaïne seule ou associée à d'autres drogues (MacGregor *et al.*, 1987). Une augmentation de la fréquence d'avortements spontanés a été directement reliée à la consommation de cocaïne pendant la gestation (Chasnoff *et al.*, 1985; Keith *et al.*, 1989). Une incidence plus élevée de rupture prématurée de la membrane placentaire lors de l'accouchement a été décrite chez les consommatrices de cocaïne (Neerhof *et al.*, 1989), mais cet effet n'a pas été observé dans toutes les études (Oro et Dixon, 1987; Little *et al.*, 1989). La cocaïne augmenterait aussi l'incidence d'hypertension induite chez la femme par la gestation (4 % chez la non-consommatrice *vs* 25 % chez la consommatrice) (Chouteau *et al.*, 1988; Little *et al.*, 1989). Des augmentations d'incidence de rupture placentaire (Acker *et al.*, 1983) et d'hémorragies rétroplacentaires (Oro et Dixon, 1987) ont été induites par la consommation de cocaïne probablement en relation avec ses effets vasoconstricteurs, l'accélération du rythme cardiaque et ses effets contracturants sur l'utérus.

La cocaïne induit sur le fœtus un retard dans son développement (diminution du poids, de la taille et de la circonférence du crâne) qui est comparable à celui observé chez les femmes consommatrices d'héroïne ou de méthadone (Oro et Dixon, 1987 ; Franck *et al.*, 1988). Une augmentation importante du syndrome de détresse périnatale du fœtus est aussi observée chez la femme consommatrice de cocaïne par rapport aux femmes non consommatrices (Wang *et al.*, 1987) ou dépendantes aux opiacés (héroïne ou méthadone) (Chasnoff *et al.*, 1987 ; Chasnoff, 1987). Ce syndrome inclut des épisodes de tachycardie et bradycardie, des indices d'Apgar très diminués une minute après la naissance (Briggs *et al.*, 1995). Des accidents cardiovasculaires du fœtus avec une forte morbidité et mortalité ont été observés chez des femmes qui ont consommé des quantités importantes de cocaïne dans les quarante-huit à soixante-douze heures précédant l'accouchement (Chasnoff *et al.*, 1986, 1989 ; Chasnoff, 1987 ; Chasnoff et MacGregor, 1987). Des lésions cérébrales avec des infarctus hémorragiques dans diverses régions ont été décrites chez 33 % de nouveau-nés avec présence de cocaïne dans les urines (Dixon et Bejar, 1988). Ces nouveau-nés ont aussi présenté des altérations dans le développement du système nerveux (Telsey *et al.*, 1988). Des malformations congénitales majeures ont été décrites chez 10 % de nouveau-nés issus de mères consommatrices de cocaïne (Neerhof *et al.*, 1989). Les malformations les plus fréquentes sont des anomalies du cœur, du crâne, des membres et du tractus génito-urinaire (Briggs *et al.*, 1995). Des modifications de la face associées à des malformations cérébrales ont été également observées (Kobori *et al.*, 1989), ainsi que certaines altérations oculaires (rétinophatie et hyperplasie de la substance vitreuse) qui n'ont pas eu de répercussion à long terme sur les performances visuelles (Teske et Trese, 1987). Des nécroses intestinales chez le fœtus ont été observées, probablement dues aux effets ischémiques induits par la cocaïne (Telsey *et al.*, 1988). Cependant, il faut noter que d'autres études n'ont pas mis en évidence de malformations congénitales chez les fœtus de femmes exposées à la cocaïne (LeBlanc *et al.*, 1987 ; Cherukuri *et al.*, 1988 ; Doberczak *et al.*, 1988). Le mécanisme précis par lequel la cocaïne induirait des malformations n'est pas clair, mais il pourrait être associé à une vasoconstriction au niveau du placenta et une hypoxie du fœtus, conduisant à des interruptions vasculaires intermittentes et des ischémies dans différents tissus (Briggs *et al.*, 1995).

À part les malformations décrites ci-dessus, les nouveau-nés exposés à la cocaïne pendant la gestation présentent une incidence élevée d'altérations neurocomportementales et neurophysiologiques sévères qui peuvent persister pendant plusieurs mois (Briggs *et al.*, 1995). Une augmentation de la fréquence de mort subite du nouveau-né chez les nourrissons issus de mères dépendantes semble être aussi une conséquence de l'exposition à la cocaïne (Ryan *et al.*, 1987 ; Chasnoff *et al.*, 1987, 1989). En dépit des altérations fœtales dues à la consommation de cocaïne par la femme enceinte, les effets à long terme sur l'enfant ne sont pas encore clairement établis.

2. Héroïne, morphine et méthadone

La consommation illicite d'héroïne est souvent associée à celle d'autres drogues et à des styles de vie dangereux. Par ailleurs, l'héroïne frauduleuse est généralement mélangée à des substances diverses (lactose, glucose, mannitol, amidon, quinine, amphétamine, strychnine, procaïne ou lidocaïne, entre autres) et souvent contaminée par des bactéries, des virus ou des champignons (Cregler et Mark, 1986 ; Frank *et al.*, 1988). Il est donc difficile de séparer les effets toxiques induits spécifiquement par la drogue de ceux causés par les facteurs associés.

L'héroïne traverse très rapidement le placenta et peut produire la mort du fœtus par aspiration du méconium (Zuckerman *et al.*, 1989; Neerhof *et al.*, 1989). Certaines études avaient suggéré que la fréquence des altérations congénitales n'était pas modifiée par l'héroïne (Foutz *et al.*, 1983; Moore *et al.*, 1986; Woods *et al.*, 1987). Des études plus récentes montrent une augmentation des malformations congénitales du fœtus chez les femmes dépendantes à l'héroïne, ainsi qu'une incidence plus élevée de certaines affections comme le syndrome de détresse respiratoire, mais ces patientes avaient aussi consommé d'autres drogues pendant la gestation (Wang et Schnoll, 1987). Les principales altérations décrites chez le nouveau-né issu de femme dépendante à l'héroïne sont une accélération du développement hépatique, une diminution du poids à la naissance (50 % pèsent moins de 2 500 g), une diminution de la taille, la présence de méconium dans le liquide amniotique et une augmentation de 37 % de la mortalité périnatale (Chasnoff et MacGregor, 1987). Une diminution de l'incidence de la maladie de la membrane hyaline est décrite chez ces nouveau-nés et elle est probablement due à l'augmentation des taux de prolactine chez la mère dépendante (Oro et Dixon, 1987). D'autre part, un syndrome de sevrage opiacé, caractérisé par plusieurs signes végétatifs et neuronaux (Foutz *et al.*, 1983; Woods *et al.*, 1987) et par l'augmentation du taux plasmatique de magnésium, est observé chez 85 % de ces nouveau-nés (Chasnoff et MacGregor, 1987).

L'utilisation de méthadone par la femme en gestation est presque toujours liée à un traitement de substitution en place, et il ne semble pas y avoir d'altérations congénitales majeures directement associées à l'administration de ce produit (Briggs *et al.*, 1995). Une diminution du poids de nouveau-nés a été associée à l'utilisation de méthadone (33 % pèsent moins de 2 500 g), mais cet effet est moins important que celui engendré par la consommation d'héroïne (Cregler et Mark, 1986; Neerhof *et al.*, 1989). Néanmoins, la méthadone induit également une augmentation de la mortalité périnatale et de l'incidence du syndrome de mort subite, des ictères et des thrombocytoses (Cregler et Mark, 1986; Wang et Schnoll, 1987; Neerhof *et al.*, 1989). Un syndrome de sevrage est observé chez 60-90 % de nouveau-nés issus de mères traitées à la méthadone (Briggs *et al.*, 1995), et l'intensité de ce syndrome est fortement augmentée lors d'une consommation maternelle de méthadone supérieure à 20 mg par jour (Bingol *et al.*, 1987). Cette abstinence est en général plus sévère que celle observée après la consommation d'héroïne, mais elle peut être contrôlée par les concentrations de méthadone dans le lait maternel (Cregler et Mark, 1986). Une diminution de l'incidence de la maladie de la membrane hyaline est aussi associée à l'utilisation de méthadone (Foutz *et al.*, 1983). La morphine, comme tous les autres narcotiques, est capable de traverser le placenta (Frank *et al.*, 1988; Zuckerman *et al.*, 1989). Cependant, l'utilisation thérapeutique de la morphine chez la femme enceinte ne semble pas générer de malformations (Briggs *et al.*, 1995).

3. **Cannabis**

L'utilisation de cannabis durant la période de gestation est très élevée. Selon différentes études, cette consommation implique 3 à 16 % des mères (Briggs *et al.*, 1995). Les effets du cannabis sur le fœtus sont encore très controversés et les résultats publiés contradictoires dans la plupart des cas. La difficulté d'interprétation de ces études est due à l'association de cannabis avec le tabac, l'alcool ou d'autres drogues (cocaïne, benzodiazépines) et avec des styles de vie qui augmenteraient le risque périnatal. D'autre part, la concentration en principe actif (Δ-9-THC) dans le cannabis utilisé et la présence de contaminants (herbicides et pesticides) n'a pas été déterminée dans la plupart des études.

Le Δ-9-THC, ainsi que le métabolite, 9-carboxy-THC, sont capables de traverser le placenta mais les effets induits sur la gestation restent très discutés. Certaines études ont associé la consommation de cannabis avec une diminution de la durée de la gestation (Cregler et Mark, 1986; Wang et Schnoll, 1987; Chasnoff et MacGregor, 1987). Cependant, d'autres travaux ont attribué ces effets à la consommation associée de tabac (Wang et Schnoll, 1987), d'autres n'ont pas trouvé de modification dans la durée de gestation (Zuckerman et al., 1989; Chasnoff et al., 1989; Keith et al., 1989) et une étude a même montré une augmentation de cette durée (Chasnoff et al., 1985). D'autre part, certains résultats ont suggéré une augmentation de la durée du travail chez les femmes consommatrices de cannabis (Acker et al., 1983; Neerhof et al., 1989), mais la plupart des études ne montrent pas de différences significatives entre les consommatrices et non-consommatrices de cannabis (Briggs et al., 1995). L'utilisation de cette substance a été aussi reliée à une réduction du poids et de la taille du nouveau-né (Ryan et al., 1987; Chasnoff et al., 1989; Collins et al., 1989), mais dans la plupart de ces études, on notait également une consommation de tabac et d'alcool.

Quelques études ont signalé des malformations congénitales diverses chez les enfants provenant de femmes consommatrices de cannabis, mais comme dans les cas précédents, la plupart des mères consommaient également du tabac, de l'alcool ou d'autres drogues. À quelques exceptions près, ces études n'ont pas relié les malformations observées chez le nouveau-né à la consommation de cannabis par la mère (Briggs et al., 1995). Cependant, l'association de cannabis et d'alcool semble augmenter la fréquence du syndrome alcoolique fœtal (Chasnoff et al., 1989).

Certaines altérations neurocomportementales des nouveau-nés (tremblements, diminution des réponses visuelles, augmentation de l'irritabilité et des réactions d'alarme) ont été associées à la consommation de cannabis (Ryan *et al.*, 1986; Chasnoff *et al.*, 1988; Zuckerman *et al.*, 1989), mais ces altérations comportementales n'ont pas eu de conséquences sur les performances cognitives ou motrices évaluées entre dix-huit et vingt-quatre mois après la naissance (Chasnoff *et al.*, 1988). L'exposition prénatale au cannabis a été associée à des altérations du sommeil des enfants à l'âge de trois ans (Dahl *et al.*, 1995).

La consommation de cannabis pendant la gestation a été reliée au développement de certaines formes particulières de néoplasies, telles que la leucémie aiguë non lymphoblastique chez l'enfant (Doberczak *et al.*, 1987), mais l'influence d'autres facteurs, comme par exemple la présence de pesticides ou herbicides dans le produit, n'a pu être exclue.

4. Alcool

L'effet tératogène de l'éthanol est connu depuis très longtemps, mais les conséquences de la consommation de cette drogue sur le fœtus ont été bien caractérisées seulement au cours des trente dernières années. La consommation d'éthanol est particulièrement dangereuse pendant les deux premiers mois suivant la conception, et elle semble être en augmentation au cours des dernières années chez les femmes en âge de procréer.

La consommation maternelle de quantités importantes d'éthanol induit un syndrome alcoolique fœtal. Ce syndrome apparaît chez 30-40 % de nouveau-nés issus de mères alcooliques (Foutz *et al.*, 1983). Il est observé habituellement quand la consommation maternelle est d'au moins 60-75 ml d'éthanol par jour (4-5 verres de vin), mais un syndrome alcoolique fœtal plus atténué a été décrit après consommation pendant les premiers mois de gestation de 30 ml d'éthanol par jour (2 verres de vin) (Foutz *et al.*, 1983 ; Woods *et al.*, 1987). Le syndrome alcoolique fœtal est caractérisé par des modifications morphologiques craniofaciales, dysfonctionnement du système nerveux central, retard dans le développement (la taille du nouveau-né est plus affectée que son poids), altérations cardiaques (incluant la tétralogie de Fallot), rénogénitales, cutanées (hémangiomes), squelettiques, musculaires et hépatiques (Briggs *et al.*, 1995). Les malformations craniofaciales, qui sont corrélées avec les altérations nerveuses et les retards dans le développement, sont directement dépendantes de la dose d'éthanol consommée pendant la gestation par la mère (Hadeed et Siegel, 1989). Ce syndrome semble être dû à des altérations dans la synthèse des protéines induites par l'alcool ou ses métabolites (tout particulièrement l'acétaldéhyde) conduisant à des modifications dans la croissance cellulaire qui auraient des conséquences sur le développement de plusieurs tissus, y compris le système nerveux (Dixon et Oro, 1987). Ces retards sont aggravés lors d'une consommation pauvre en protéines (MacGregor *et al.*, 1987). Certains cas de carcinome ont été rapportés chez des enfants qui ont présenté un syndrome alcoolique fœtal (Doberczak *et al.*, 1987). Ces cas pourraient être fortuits, et des études à long terme semblent nécessaires afin d'éclaircir ce point. Un syndrome de sevrage à l'éthanol a été aussi décrit chez les nouveau-nés issus de mères qui ont une très forte consommation d'éthanol (une moyenne de 630 ml par semaine) (Ricci et Molle, 1987).

Un résultat curieux concernant la consommation paternelle d'éthanol a été rapporté. En effet, une diminution moyenne de 180 g a été décrite dans le poids des nouveaunés issus de pères consommateurs d'au moins 30 ml d'éthanol par jour (équivalent à 2 verres de vin) le mois avant la conception (Chasnoff et MacGregor, 1987). Les mécanismes biologiques éventuellement impliqués dans cette observation qui demande confirmation, n'ont pas été éclaircis (Briggs *et al.*, 1995).

La consommation de doses modérées d'éthanol (15-30 ml d'éthanol par jour) pourrait aussi être associée à des malformations congénitales qui affecteraient les organes sexuels et le système génito-urinaire (Donvito, 1988). D'autres malformations associées au syndrome alcoolique fœtal n'ont pas été observées chez ce type de consommateur. La consommation modérée d'éthanol pendant le deuxième trimestre de gestation a été également reliée à une augmentation des avortements spontanés (Acker *et al.*, 1983; Little *et al.*, 1988). Le pourcentage de nouveau-nés avec des poids très bas est directement proportionnel à la consommation de cette substance (Dixon et Bejar, 1989). Une relation directe a été aussi observée entre la quantité d'éthanol consommée par la mère et le risque d'apparition du syndrome de détresse respiratoire chez le nouveau-né.

Un niveau de consommation maternelle d'éthanol dénuée de risque pour le nourrisson n'a pu être établi. Les recommandations de l'American Council of Science suggèrent pour les femmes enceintes de ne pas dépasser la limite maximale de 30 ml d'éthanol par jour (2 verres de vin) (Woods *et al.*, 1987), mais la mesure la plus sûre serait l'abstinence totale (Foutz *et al.*, 1983).

5. Acide lysergique diéthylamide (LSD)

Les études des années 1960 et 1970 avaient suggéré l'apparition de malformations congénitales chez des femmes ayant consommé du LSD pendant la gestation. Cependant, les résultats obtenus dans la plupart de ces études ont été remis en question parce que : 1) la consommation de LSD était associée dans la plupart des cas à celle d'autres drogues; 2) les préparations contenaient parfois des concentrations très faibles de LSD ou même son absence (Cregler et Mark, 1986).

L'apparition d'altérations chromosomiques, de malformations congénitales et une augmentation du risque d'avortement spontané a été suggérée lors de ces premières études. Les recherches qui ont décrit des altérations chromosomiques dans les leucocytes humains (Neerhof et al., 1989) semblent biaisées du fait que : 1) les résultats in vitro n'ont pas de signification clinique du fait des concentrations extrêmement élevées de LSD qui ont été utilisées et de l'absence d'une réponse dépendante de la dose (Frank et al., 1988); 2) l'apparition d'une faible augmentation transitoire de ruptures de chromosomes n'a été observée que dans un pourcentage réduit d'individus (14 %) ayant reçu des administrations de LSD pur (Frank et al., 1988); 3) il n'y a pas d'évidence d'une augmentation dans la fréquence de leucémies ou d'autres cancers attendus des altérations chromosomiques induites par la consommation de LSD (Bingol et al., 1987); 4) des études postérieures réalisées chez des patients atteints de troubles psychiatriques recevant le LSD dans des conditions contrôlées n'ont pas mis en évidence d'altérations des chromosomes (Foutz et al., 1983). L'ensemble des résultats actuels suggère que le LSD n'induit pas d'altérations chromosomiques, et si elles se produisaient du fait du produit, elles ne sembleraient pas avoir d'effets délétères sur le fœtus.

Des résultats suggérant une augmentation des avortements spontanés par la consommation de LSD ont été publiés dans les années 1970 (Wang et Schnoll, 1987) et ont été démentis (Briggs et al., 1995).

Plusieurs études ont indiqué la présence de malformations congénitales après la consommation de LSD. Cependant, la plupart de ces études ont été biaisées par la consommation simultanée d'autres drogues et l'absence d'une analyse comparative avec des individus non consommateurs (Frank *et al.*, 1988). D'autres résultats démontrant une absence d'altérations fœtales après consommation de LSD suggèrent qu'il n'existe pas de relation directe entre la consommation de cette drogue et l'apparition de malformations congénitales (Moore *et al.*, 1986; Bingol *et al.*, 1987; Frank *et al.*, 1988). D'autre part, la capacité du LSD à traverser le placenta n'a pas été déterminée.

Par contre, l'étude des effets à long terme sur l'enfant de l'exposition au LSD pendant la période fœtale n'a pas encore été réalisée.

Conclusion. Recommandations

L'usage de drogues pendant la grossesse expose à des risques spécifiques tant pour la femme que pour l'enfant en plus des risques existant hors de ce contexte particulier et qui, bien sûr, se surajoutent.

Rappelons que les effets de dépendances physique et psychique, la toxicité, les risques encourus dépendent, pour ce qui est du produit : de sa concentration dans la préparation utilisée, de sa qualité, des quantités ingérées, de la fréquence de consommation, et pour ce qui concerne le consommateur : de facteurs physiologiques, psychologiques et culturels ainsi que du mode de vie.

Les éléments ci-dessous proviennent, d'une part, d'une recherche bibliographique (notamment avec l'aide du Centre de renseignement sur les agents tératogènes du CHU Saint-Antoine), et de l'expérience du Centre Horizons, service spécialisé dans les soins aux femmes enceintes toxicomanes, aux mères toxicomanes et à leurs bébés.

Ces données sont une synthèse des observations cliniques et de la connaissance actuelle encore très imparfaite des conséquences biologiques de l'usage de ces produits sur l'individu.

Nous avons évité toute référence à une classification des substances mais nous les avons regroupées par familles de produits.

Nous avons choisi de présenter les risques liés aux produits en fonction :
- des risques pour le déroulement de la grossesse,
- des risques pour l'embryon,
- des risques pour le fœtus,
- des risques pour le nouveau-né,
- des risques pour le devenir de l'enfant.

LA COCAÏNE ET SES DÉRIVÉS

• Risques pour le déroulement de la grossesse :
- augmentation de la fréquence des avortements spontanés,
- menace d'accouchement prématuré,
- risque d'hématome rétroplacentaire sans corrélation avec l'importance des prises (une fois peut suffire),
- la grossesse ralentit l'élimination de la cocaïne,
- des complications cardiovasculaires à l'accouchement ont été observées.

• Risques pour l'embryon :
L'incidence des malformations serait augmentée mais cette question est actuellement très controversée. *Malformations rapportées :*
- microcéphalie, anomalies cardiovasculaires,
- appareils urinaire et génital.

• Risques pour le fœtus :
- retard de croissance intra-utérine constant en cas de consommation régulière dû à l'action directe de la cocaïne qui entraîne une vasoconstriction. La circulation sanguine materno-fœtale est altérée : le fœtus est moins oxygéné et malnutri. De plus, la cocaïne induit une dénutrition de la mère,
- souffrance fœtale chronique très fréquente,

– infarctus cérébraux observés lors de la consommation de crack.
- Risques pour le nouveau-né :
– prématuré et petit poids de naissance fréquent (50 %),
– risque d'hémorragie intracrânienne.
- Risques pour le devenir de l'enfant :
– interaction mère-enfant perturbée mais les troubles observés dépendent en majeure partie des conditions de vie et des effets des comorbidités associées.

Les opiacés

L'héroïne

- Risques pour le déroulement de la grossesse :
– augmentation de la fréquence des avortements spontanés au premier trimestre,
– menace d'accouchement prématuré (contractions utérines dues aux épisodes de manque maternel, au mode de vie, aux infections, à l'anémie et à la malnutrition).
- Risques pour l'embryon :
La fréquence des malformations est identique à celle de la population générale. Cependant, l'héroïne peut être coupée avec certains produits qui peuvent eux être tératogènes.
- Risques pour le fœtus :
– retard de croissance intra-utérine dans plus de 30 % des cas,
– syndrome de sevrage *in utero* décalé de vingt-quatre à trente-six heures après le sevrage maternel,
– souffrance fœtale aiguë pouvant aller jusqu'à la mort *in utero*,
– souffrance fœtale chronique (liquide amniotique teinté dans 35 % des cas) secondaire aux épisodes de manque ou de surdose.
- Risques pour le nouveau-né :
– prématuré dans 20 à 30 % des cas,
– hypotrophie dans 35 % des cas,

– syndrome de sevrage dans 100 % des cas mais seulement 30 % nécessitent un traitement chimiothérapeutique de sevrage (risque d'induction iatrogène).

• Risques pour le devenir de l'enfant :

– interaction mère-enfant perturbée mais les troubles observés dépendent en majeure partie des conditions de vie et des effets des comorbidités associées,

– mort subite du nourrisson augmentée de quatre à dix fois par rapport à la population générale (causes pourtant jamais explorées à ce jour).

La méthadone

• Risques pour le déroulement de la grossesse :

– moins de risques d'avortements spontanés au premier trimestre ainsi que des menaces d'accouchement prématuré.

• Risques pour l'embryon :

– *idem* que pour l'héroïne.

• Risques pour le fœtus :

– retard de croissance intra-utérine moins important et moins fréquent qu'avec l'héroïne si réduction des cofacteurs,

– syndrome de sevrage *in utero* décalé de vingt-quatre à soixante-douze heures après le sevrage maternel,

– souffrance fœtale chronique moins fréquente.

• Risques pour le nouveau-né :

– prématuré et petit poids de naissance plus fréquents que dans la population générale,

– syndrome de sevrage,

– *idem* que pour l'héroïne mais plus prolongé et parfois plus sévère. Surtout risque majeur d'une apparition retardée jusqu'à quinze jours.

• Risques pour le devenir de l'enfant :

– interaction mère-enfant perturbée mais les troubles observés dépendent en majeure partie des conditions de vie et des effets des comorbidités associées,

– mort subite du nourrisson non étudiée.

Les autres opiacés utilisés : morphine, codéine et dextro-propoxyphène

Ces produits exposent aux mêmes risques mais dans une proportion moindre. L'apparition et l'intensité du syndrome de sevrage du nouveau-né ne sont, comme pour l'héroïne ou la méthadone, pas corrélées aux doses absorbées.

LE CANNABIS ET SES DÉRIVÉS

• Risques pour le déroulement de la grossesse :
Les risques décrits sont discutés et parfois contradictoires :
– baisse de la gestation,
– augmentation de la durée du travail à l'accouchement.
• Risques pour l'embryon :
– pas de malformation identifiée chez l'homme.
• Risques pour le fœtus :
– pour certains, retard de croissance intra-utérine dû à l'action directe du tabac.
• Risques pour le nouveau-né :
– prématuré et petit poids de naissance décrits si consommation importante,
– hyperexcitabilité parfois jusqu'à trente jours.
• Risques pour le devenir de l'enfant :
– pas de risques spécifiques.

LES AMPHÉTAMINES

• Risques pour le déroulement de la grossesse :
– mêmes risques que la cocaïne mais fréquence et intensité moindres.
• Risques pour l'embryon :
– l'incidence des malformations serait augmentée. *Mal-*

formations rapportées : anomalies cardiovasculaires et digestives.
- Risques pour le fœtus :
  - retard de croissance intra-utérine fréquent,
  - souffrance fœtale chronique très fréquente,
  - mort *in utero* à fortes doses.
- Risques pour le nouveau-né :
  - assoupissement nécessitant un gavage.
- Risques pour le devenir de l'enfant :
  - interaction mère-enfant perturbée mais les troubles observés dépendent en majeure partie des conditions de vie et des effets des comorbidités associées.

En ce qui concerne la MDMA (ecstasy), aucune étude épidémiologique n'a été faite sur des femmes enceintes et les conséquences éventuelles sur le fœtus et le nouveau-né. Cependant, dans l'incertitude où nous nous trouvons quant aux altérations irréversibles possibles des voies sérotoninergiques du SNC par la MDMA, sa consommation durant la période de gestation est à proscrire totalement.

LES BENZODIAZÉPINES

- Risques pour le déroulement de la grossesse :
  - pas de risques notables.
- Risques pour l'embryon :
  - l'incidence des malformations serait augmentée, mais risques très faibles. *Malformations rapportées :* anomalies faciales, crâniennes et digestives.
- Risques pour le fœtus :
  - pas de retentissement en dehors d'un ralentissement des mouvements fœtaux.
- Risques pour le nouveau-né :
  - syndrome d'imprégnation fréquent nécessitant une surveillance et des soins (risques de détresse respiratoire, d'apnée et d'hypothermie),

– syndrome de sevrage retardé parfois entre dix et quinze jours.
• Risques pour le devenir de l'enfant :
– interaction mère-enfant perturbée en cas de consommation importante due au syndrome confusionnel de la mère.

Produits	Risques/ tératogènes	Risques/ grossesse	Risques/ fœtus	Risques/ nouveau-né
Opiacés	NON	OUI	OUI	OUI
Cocaïniques	?	OUI	OUI	NON
Amphétamines	?	OUI	OUI	NON
Cannabis	NON	NON	NON	NON
Benzodiazépines	NON	NON	NON	OUI
Alcool	OUI	NON	OUI	NON
Autres produits • LSD	OUI	OUI	?	NON
• Subutex	?	OUI	OUI	OUI
• Ecstasy	?	?	?	?
• Solvants	OUI	?	?	?

Références bibliographiques

ACKER D., SACHS B.P., TRACEY K.J., WISE W.E. (1983), « Abruptio placentae associated with cocaine use », *Am. J. Obstet. Gynecol.* 146, 220-221.

BINGOL N., FUCHS M., DIAZ V., STONE R.K., GROMISCH D.S. (1987), « Teratogenicity of cocaine in humans », *J. Pediatr.* 110, 93-96.

BRIGGS G.G., FREEMAN R.K., YAFFE S.J. (1995) *A reference Guide to Fetal and Neonatal Risk : Drugs in Pregnancy and Lactation*, 4ᵉ éd. Williams & Wilkins, Baltimore.

CHASNOFF I.J., MACGREGOR S. (1987), « Maternal cocaine use and neonatal morbidity (abstract) », *Pediatr. Res.* 21, 356A.

CHASNOFF I.J. (1987), « Cocaine- and methadone-exposed infants : A comparison », *Natl. Inst. Drug Abuse Res. Monogr. Ser.* 76, 278.

CHASNOFF I.J., BURNS K.A., BURNS W.J. (1987), « Cocaine use in pregnancy : Perinatal morbidity and mortality », *Neurotoxicol. Teratol.* 9, 291-293.

CHASNOFF I.J., BURNS W.J., SCHNOLL S.H., BURNS K.A. (1985), « Cocaine use in pregnancy », *N. Engl. J. Med.* 313, 666-669.

CHASNOFF I.J., BUSSEY M.E., SAVICH R., STACK C.M. (1986), « Perinatal cerebral infarction and maternal cocaine use », *J. Pediatr.* 108, 456-459.

CHASNOFF I.J., CHISUM G.M., KAPLAN W.E. (1988), « Maternal cocaine use and genitourinary tract malformations », *Teratology* 37, 201-204.

CHASNOFF I.J., GRIFFITH D.R., MACGREGOR S., DIRKES K., BURNS K.A. (1989), « Temporal patterns of cocaine use in pregnancy : Perinatal outcome », *JAMA* 261, 1741-1744.

CHASNOFF I.J., HUNT C.E., KLETTER R., KAPLAN D. (1989), « Prenatal cocaine exposure is associated with respiratory pattern abnormalities », *Am. J. Dis. Child* 143, 583-587.

CHERUKURI R., MINKOFF H., FELDMAN J., PAREKH A., GLASS L. (1988), « A cohort of alkaloidal cocaine (" crack ") in pregnancy », *Obstet. Gynecol.* 72, 147-151.

CHOUTEAU M., NAMEROW P.B., LEPPERT P. (1988), « The effect of cocaine abuse on birth weight and gestational age », *Obstet. Gynecol.* 72, 351-354.

COLLINS E., HARDWICK R.J., JEFFERY H. (1989), « Perinatal cocaine intoxication », *Med. J. Aust.* 150, 331-334.

CREGLER L.L., MARK H. (1986), « Special report : Medical complications of cocaine abuse », *N. Engl. J. Med.* 315, 1495-1500.

DIXON S.D., BEJAR R. (1988), « Brain lesions in cocaine and methamphetamine exposed neonates (abstract) », *Pediatr. Res.* 23, 405A.

DIXON S.D., BEJAR R. (1989) « Echoencephalographic findings in neonates associated with maternal cocaine and methamphetamine use : Incidence and clinical correlates », *J. Pediatr.* 115, 770-778.

Dixon S.D., Oro A. (1987), « Cocaine and amphetamine exposure in neonates : Peripheral consequences (abstract) », *Pediatr. Res.* 21, 359A.

Dixon S.D., Coen R.W., Crutchfield S. (1987), « Visual dysfunction in cocaine-exposed infants (abstract) », *Pediatr. Res.* 21, 359A.

Doberczak T.M., Shanzer S., Kandall S.R. (1987), « Neonatal effects of cocaine abuse in pregnancy (abstract) », *Pediatr. Res.* 21, 359 A.

Doberczak T.M., Shanzer S., Senie R.T., Kandall S.R. (1988), « Neonatal neurologic and electroencephalographic effects of intrauterine cocaine exposure », *J. Pediatr.* 113, 354-358.

Donvito M.T. (1988), « Cocaine use during pregnancy : Adverse perinatal outcome », *Am. J. Obstet. Gynecol.* 159, 785-786.

Foutz S.E., Kotelko D.M., Shnider S.M., Thigpen J.W., Rosen M.A., Brookshire G.L., Koike M., Levinson G., Ellias-Baker B. (1983), « Placental transfer and effects of cocaine on uterine blood flow and the fetus (abstract) », *Anesthesiology* 59, A 422.

Frank D.A., Zuckerman B.S., Amaro H., Aboagye K., Bauchner H., Cabral H., Fried L., Hingson R., Kayne H., Levenson S.M., Parker S., Reece H., Vinci R. (1988), « Cocaine use during pregnancy : prevalence and correlates », *Pediatrics* 82, 888-895.

Greenland V.C., Delke I., Minkoff H.L. (1989), « Vaginally administered cocaine overdose in a pregnant woman », *Obstet. Gynecol.* 74, 476-477.

Hadded A.J., Siegel S.R. (1989), « Maternal cocaine use during pregnancy : Effect on the newborn infant », *Pediatrics* 84, 205-210.

Henderson C.E., Torbey M. (1998), « Rupture of intracranial aneurysm associated with cocaine use during pregnancy », *Am. J. Perinatol* 5, 142-143.

Hume R.F. Jr, O'Donnell K.J., Staner C.L., Killam A.P., Gingras J.L. (1989), « In utero cocaine exposure : Observations of fetal behavioural state may predict neonatal outcome », *Am. J. Obstet. Gynecol.* 161, 685-690.

Keith L.G., MacGregor S., Friedell S., Rosner M., Chasnoff I.J., Sciarra J.J. (1989), « Substance abuse in pregnant women : Recent experience at the Perinatal Center for Chemical Dependence of Northwestern Memorial Hospital », *Obstet. Gynecol.* 73, 715-720.

Kobori J.A., Ferriero D.M., Golabi M. (1989), « CNS and craniofacial anomalies in infants born to cocaine abusing mothers (abstract) », *Clin. Res.* 37, 196A.

LeBlanc P.E., Parekh A.J., Naso B., Glass L. (1987), « Effects of intrauterine exposure to alkaloidal cocaine ("crack")», *Am. J. Dis. Child.* 141, 937-938.

LITTLE B.B., SNELL L.M., KLEIN V.R., GILSTRAP L.C. III (1989), «Cocaine abuse during pregnancy : Maternal and fetal implications», *Obstet. Gynecol.* 73, 157-160.

LITTLE B.B., SNELL L.M., PALMORE M.K., GILSTRAP L.C. III (1988), «Cocaine use in pregnant women in a large public hospital», *Am. J. Perinatal,* 5, 206-207.

MACGREGOR S.N., KEITH L.G., CHASNOFF I.J., ROSNER M.A., CHISUM G.M., SHAW P., MINOGUE J.P. (1987), «Cocaine use during pregnancy : Adverse perinatal outcome», *Am. J. Obstet. Gynecol.* 157, 686-690.

MOORE T.R., SORG J., MILLER L., KEY T.C., RESNIK R. (1986), «Hemodynamic effects of intravenous cocaine on the pregnant ewe and fetus», *Am. J. Obstet. Gynecol.* 155, 883-888.

NEERHOF M.G., MACGREGOR S.N., RETZKY S.S., SULLIVAN T.P. (1989), «Cocaine abuse pregnancy : Peripartum prevalence and perinatal outcome», *Am. J. Obstet. Gynecol.* 161, 633-638.

ORO A.S., DIXON S.D. (1987), «Perinatal cocaine and methamphetamine exposure : Maternal and neonatal correlates», *J. Pediatr.* 111, 571-578.

RICCI B., MOLLE F. (1987), «Ocular signs of cocaine intoxication in neonates», *Am. J. Ophthalmol.* 104, 550-551.

RYAN L., EHRLICH S., FINNEGAN L. (1986), «Outcome of infants born to cocaine using drug dependent women (abstrats)», *Pediatr. Res.* 20, 209 A.

RYAN L., EHRLICH S., FINNEGAN L. (1987), «Cocaine abuse in pregnancy : Effects on the fetus and newborn», *Neurotoxicol. Teratol.* 9, 295-299.

RYAN L., EHRLICH S., FINNEGAN L. (1987), «Cocaine abuse in pregnancy : Effects on the fetus and newborn», *Natl. Inst. Drug Abuse Res. Monogr. Ser.* 76, 280.

TELSEY A.M., MERRIT T.A., DIXON S.D. (1988), «Cocaine exposure in a term neonate : Necrotizing enterocolitis as a complication», *Clin. Pediatr.* 27, 547-550.

TESKE M.P., TRESE M.T. (1987), «Retinopathy of prematurity-like funduss and persistent hyperplastic primary vitreous associated with maternal cocaine use», *Am. J. Ophthalmol.* 103, 19-20.

WANG C.H., SCHNOLL S.H. (1987), «Prenatal cocaine use associated with down regulation of receptors in human placenta», *Natl. Inst. Drug Abuse Res. Monogr. Ser.* 76, 277.

WANG C.H., SCHNOLL S.H. (1987), «Prenatal cocaine use associated with down regulation of receptors in human placenta », *Neurotoxicol. Teratol.* 9, 301-304.

WOODS J.R. Jr., PLESSINGER M.A., CLARK K.E. (1987), « Effect of cocaine on uterine blood flow and fetal oxygenation », *JAMA* 257, 957-961.

ZUCKERMAN B., FRANK D.A., HINGSON R., AMARO H., LEVENSON S.M., KAYNE H., PARKER S., VINCI R., ABOAGYE K., FRIED L.E., CABRAL H., TIMPERI R., BAUCHNER H. (1989), « Effects of maternal marijuana and cocaine use on fetal growth », *N. Engl. J. Med.* 320, 762-768.

CHAPITRE 15

TOXICITÉ POTENTIELLE DES TRAITEMENTS SUBSTITUTIFS À LA MÉTHADONE

Le traitement de substitution exige en général l'administration de méthadone pendant une durée de temps assez prolongée afin d'éviter la rechute dans la consommation d'opiacés illicites (Anglin *et al.*, 1989). Chez certains patients la méthadone est administrée pendant des périodes qui peuvent dépasser quinze ans. Des études prospectives sur l'éventuelle toxicité de la méthadone ont été réalisées afin d'évaluer les conséquences négatives de ces traitements substitutifs. Les premières études faites sur des patients traités à la méthadone pendant au moins trois ans (Kreek, 1973) ont montré que les effets secondaires associés à ce traitement ont été une augmentation de la transpiration (48 %), diminution de la libido (22 %) et constipation persistante (17 %). Aucune autre altération fonctionnelle ou somatique n'a été observée chez ces patients. Les affections hépatiques étaient présentes chez plus de 50 % des individus qui ont commencé le traitement à la méthadone, mais ce pourcentage n'a pas été modifié au cours du traitement substitutif (Kreek, 1973).

Les études prospectives réalisées sur des patients qui ont reçu la méthadone pendant des périodes supérieures à cinq ans ont aussi indiqué une absence d'altérations fonctionnelles ou somatiques associées à la prise de méthadone (Kreek *et al.*, 1972 ; Kreek, 1973 ; 1978). D'autres études ont montré que ce type de traitement substitutif de longue durée est associé à une normalisation de certaines modifications neuroendocrines (Kreek *et al.*, 1983) et immunologiques (Novick *et al.*, 1989) provoquées par l'administration parentérale d'héroïne. Le traitement à la méthadone a été particulièrement efficace pour la diminution du risque d'infection par le virus du sida des toxicomanes (Ball *et al.*, 1988 ; Novick *et al.*, 1990).

Des études prospectives ont été réalisées très récemment sur des patients qui ont reçu la méthadone pendant des périodes encore plus longues (entre onze et dix-huit ans et plus de vingt ans) (Novick *et al.*, 1993 ; Kreek, 1997). Les résultats indiquent à nouveau que l'administration à long terme de méthadone n'induit pas d'effets secondaires ou d'altérations fonctionnelles cliniquement évaluables. La comparaison de ces patients avec des utilisateurs d'héroïne par voie parentérale a montré une incidence plus importante dans ce dernier groupe de plusieurs effets associés directement ou indirectement avec la consommation de drogue, tels que des infections de la peau et d'autres tissus, des ulcères cutanés et des endocardites. Le groupe traité à la méthadone a montré une incidence plus importante de diabètes *mellitus* et d'obésité, probablement en rapport avec une augmentation dans la prise de nourriture et un style de vie plus sédentaire.

Les différents bilans sur les traitements substitutifs ont révélé que la consommation de drogues, autres que les opioïdes, telles que l'alcool, la cocaïne ou la marijuana, est fortement diminuée chez les patients traités à long terme avec de la méthadone (Novick et Joseph, 1991 ; Novick *et al.*, 1993). Une meilleure réhabilitation sociale a été aussi observée chez ces patients (Novick et Joseph, 1991 ; Novick *et al.*, 1993). L'incidence de la constipation et les modifications de la transpiration et de la libido observées dans les premières études ont été similaires dans les études prospectives réalisées après cinq ans (Kreek, 1978) ou dix ans (Novick *et al.*, 1993) de traitement substitutif.

Conclusion

Les différentes études prospectives indiquent que les traitements substitutifs à la méthadone ne produisent pas de modifications fonctionnelles ni d'effets délétères importants, même après une durée de traitement supérieure à dix ans. Les altérations pathologiques observées chez ces patients ont été similaires à celles des individus du même âge non traités ou ont été liées à l'utilisation préalable d'héroïne ou d'autres drogues.

Le traitement à la méthadone a représenté un facteur très important pour la normalisation du style de vie des toxicomanes ainsi que pour l'élimination de la consommation de drogues illicites et leur réhabilitation sociale.

L'amélioration générale observée chez les toxicomanes et l'absence des effets secondaires, conduisent à recommander l'utilisation des traitements substitutifs à la méthadone pendant des périodes prolongées et en fonction du besoin de chaque individu.

• *Il est souhaitable que les acteurs de la lutte contre la toxicomanie, les toxicomanes et la population générale soient informés, de manière claire, que la dépendance est considérée comme une maladie chronique et récidivante, susceptible de traitements pharmacologiques efficaces (méthadone en particulier, buprénorphine, etc.).*

• Une attention particulière devra être donnée aux patients sous interpellation judiciaire pour éviter les interruptions de traitement et, en cas d'incarcération, pour que le traitement substitutif soit poursuivi.

• *Le traitement substitutif ne doit cependant pas être considéré comme une fin en soi mais comme un moyen de parvenir à l'abstinence. Il est susceptible de faciliter la prise en compte des difficultés personnelles ou des troubles du comportement des toxicomanes qui doivent nécessairement être gérés pour espérer une « sortie » définitive de l'addiction.*

Références bibliographiques

ANGLIN M.D., SPECKART G. R., BOOTH M. W., RYAN T. W. (1989), « Consequences and costs of shutting off methadone », *Addict. Behav.* 14, 307-326.

BALL J. C., LANGE W. R., MYERS C.P., FRIEDMAN S.R. (1988), « Reducing the risk of AIDS through methadone maintenance treatment », *J. Health Soc. Behav.* 29, 214-216.

KREEK M.J. (1973), « Medical safety and side effects of methadone in tolerant individuals », *JAMA* 223, 665-668.

KREEK M.J. (1993), « Plasma and urine levels of methadone », *New York State J. Med* 73, 2773-2777.

KREEK M.J. (1978), « Medical complications in methadone patients » *Ann. N.Y. Acad. Sci.* 311, 110-134.

KREEK M.J., DODES L., KANE S., KNOBLER J., MARTIN R. (1972), « Long-term methadone maintenance therapy : Effects on liver function », *Ann. Intern. Med.* 77, 598-602.

KREEK M.J., WARDLAW S.L., HARTMAN N., RAGHUNATH J., FRIEDMAN J., SCHNEIDER B., FRANTZ A. G. (1983), « Circadian rythms and levels of beta-endorphin, ACTH and cortisol during chronic methadone maintenance treatment in humans », *Life Sci.* 33, (Suppl. 1), 409-411.

NOVICK D.M., JOSEPH H. (1991), « Medical maintenance : the treatment of chronic opiate dependence in general medical practice », *J. Subst. Abuse Treat.* 8, 233-239.

NOVICK D.M., JOSEPH H., CROXSON T.S., SALSITZ E.A., WANG G., RICHMAN B.L., PORETSKY L., KEEFE J.B., WHIMBEY E. (1990), « Absence of antibody to human immunodeficiency virus in long-term, socially rehabilitated methadone maintenance patients », *Arch. Intern. Med.* 150, 97-99.

NOVICK D.M., OCHSHORN M., GHALI V., CROXSON, MERCER W.D.,

CHIORAZZI N., KREEK M.J. (1989), « Natural killer cell activity and lymphocyte subsets in parenteral heroin abusers and long-term methadone maintenance » *J. Pharmacol. Exp. Ther.* 250, 606-610.

NOVICK D.M., RICHMAN B.L., FRIEDMAN J.M., FRIEDMAN J.E., FRIED C., WILSON J.P., TOWNLEY A., KREEK M.J. (1993), « The medical status of methadone maintenance patients in treatment for 11-18 years », *Drug Alcoh. Depend.* 33, 235-245.

Rapport communiqué aimablement par le Docteur M.J. Kreek (en cours de publication), « Effective medical treatment of heroin addiction », du NIH Consensus Statements.

CHAPITRE 16

DÉLIVRANCE CONTRÔLÉE D'HÉROÏNE

En 1992, le gouvernement fédéral suisse a décidé de lancer une série d'études expérimentales de délivrance strictement contrôlée d'héroïne chez les personnes hautement dépendantes. Cette décision s'inscrivait dans la politique établie les années précédentes et qui visait à épuiser le marché clandestin des drogues et de l'héroïne en particulier, en incitant les consommateurs sous dépendance à s'inscrire dans des programmes de maintenance, essentiellement à la méthadone (actuellement 60 % des héroïnomanes en Suisse bénéficient d'une prise en charge par substitution associée ou non à une assistance psychothérapeutique). Quelques études de distribution d'héroïne ont été menées en Angleterre. Elles vont se développer en Hollande, mais n'ont pas été acceptées en Australie.

Une des raisons du lancement des études sur la délivrance d'héroïne en Suisse a été le constat d'une dégradation très forte de l'état sanitaire des consommateurs excessifs de drogues constatée à Zurich où l'accès aux différents produits avait été rendu plus ou moins libre. Cela avait entraîné, de plus, un surcroît de délinquance et d'insécurité qui avait conduit à arrêter brusquement cette expérience de libéralisation.

La distribution « expérimentale » d'héroïne s'est faite en Suisse de manière consensuelle au travers de la mise en place dans quinze villes de la Confédération de centres très encadrés (~ 8-10 personnes pour 40 à 50 consommateurs dépendants). Un peu plus de mille patients répartis sur l'ensemble du territoire sont ainsi traités. Trois ans après le début de ces études, on peut résumer ainsi la situation.

1. Sélection des patients

Après interrogatoire, les patients volontaires ont été choisis parmi ceux qui présentaient un risque grave de détérioration définitive de leur santé (marginalisation totale avec infections multiples, perte de poids importante, tentatives de suicide renouvelées, etc.) et pour l'ordre public (rixes, vols, prostitution... pour se procurer l'héroïne). Tous sont polyconsommateurs, environ 80 % sont atteints d'hépatites et environ 35 % séropositifs au VIH-1. *Tous se déclarent incapables de substituer l'héroïne par la méthadone après avoir subi au moins deux échecs par ce type de traitement.* Le but déclaré du programme est d'améliorer la qualité de vie des patients. Ceux-ci peuvent recevoir l'héroïne trois fois par jour dans un créneau horaire défini. Généralement ils préfèrent s'auto-administrer la drogue mais peuvent bénéficier de l'aide de l'infirmier toujours présent lors de l'injection intraveineuse. Celui-ci leur communique les gestes à éviter lors des injections, les règles d'hygiène à respecter, etc. La pureté de l'héroïne a été contrôlée par un laboratoire spécialisé. Le centre est ouvert tous les jours. Les patients bénéficient d'un environnement chaleureux et très attentif aux problèmes psychologiques et aux plaintes somatiques. Le corps médical très présent s'assure par entretiens et examens que le patient n'a pas consommé d'opiacés avant de lui délivrer l'héroïne, de manière à éviter tout risque d'overdose. Le coût journalier évalué par patient est d'environ 350 francs français. Une étude comparative montre que pour ce type de patient le coût social est encore plus important lorsqu'il est laissé à lui-même (frais de justice, police, prison, rixes, dégradations, secours d'urgence, etc.).

2. Résultats du programme

Les résultats du programme en cours ont été résumés par le docteur Annie Mino *et al.*, (1998), et sont les suivants :

• les patients ont abandonné la recherche d'héroïne clandestine et n'utilisent plus de benzodiazépines;

• l'état général des patients s'est grandement amélioré, de même que leur socialisation. Les tentatives de suicides et actes d'agression légalement répréhensibles ont fortement diminué, et cela est ressenti au niveau même de la population;

• l'amélioration de l'état des patients et leur sensation de sortir des échecs des programmes précédents, y compris « méthadone », les incitent à faire de nouveaux essais de programmes traditionnels;

• le nombre d'overdoses mortelles a diminué de manière significative : à Genève, 26 en 1996 et 7 en 1997.

Ce sont les points les plus positifs.

Par contre on note que :

• la polyconsommation de drogues (autres qu'héroïne et benzodiazépines) et la prostitution sont restées stables;

• la réinsertion dans le monde du travail n'est pas améliorée.

Comme cela est souligné par les auteurs, il s'agit de programmes expérimentaux effectués sur un petit nombre de patients. L'analyse statistique est donc impossible à ce stade. Par ailleurs, plusieurs biais pourraient fausser les résultats. Ainsi, les évaluations d'améliorations psychologiques des patients résultent essentiellement de leur dire et peuvent être faussées par leur volonté de rester dans le programme.

En dehors de l'amélioration physique des patients, leur mieux-être peut être le résultat du nursering très présent dans les centres, plus que de la délivrance d'héroïne. Il faudrait donc comparer des programmes méthadone dans les mêmes conditions. C'est du reste ce que suggèrent les auteurs.

Conclusion. Recommandations

Les résultats du programme expérimental héroïne helvétique doivent être considérés comme préliminaires. Le résultat le plus clair et le plus incontestable est l'amélioration de l'état physique des patients en très grande détresse.

Il sera intéressant d'analyser les résultats définitifs provenant de l'ensemble des programmes expérimentaux de délivrance d'héroïne qui devraient être connus à la fin de l'année 1998. Ces résultats portant sur un plus grand nombre de patients permettront d'affiner l'analyse actuelle. Si la décision était prise d'introduire un tel programme en France, il ne devrait se mettre en place qu'à titre expérimental, dans des conditions médicales bien définies avec des moyens suffisants et dans un nombre de centres (hospitaliers) très limité.

Par ailleurs, les conditions d'évaluation du programme devront être définies clairement au départ par un comité national d'évaluation et de suivi qui devra comporter au moins un collègue suisse qui a participé à ce type de programme.

Référence bibliographique

MINO A., PERNEGER T.V., GINER F., Del RIO M. (1988), *A heroin maintenance programme for severely addicited drug users* (sous presse).

CHAPITRE 17

PHARMACOTHÉRAPIE
DES CONDUITES ABUSIVES

La dépendance doit être considérée comme une maladie chronique et récidivante. Elle est donc susceptible de divers traitements, en particulier le traitement pharmacologique. L'expérience a prouvé, aussi bien dans le cas de l'héroïne que dans celui de la cocaïne, que les chances de succès sont très significativement augmentées (de 20 % à plus de 40 % d'absence de rechutes à deux ans) lorsque le traitement pharmacologique est associé avec une assistance psychothérapeutique, en particulier lorsqu'elle s'effectue dans des établissements adaptés. *Ceux-ci sont cependant en nombre très insuffisant.* Le coût de ces thérapies associées est très élevé.

La grande difficulté du traitement pharmacologique des addictions est que les mécanismes neuropharmacologiques qui sous-tendent la recherche compulsive du produit, c'est-à-dire l'état d'extrême malaise, de nervosité et d'impatience qui pousse l'individu dépendant à se procurer la substance sans délai, restent encore peu connus comme cela a été rapporté au chapitre 2. Il en est de même du problème des rechutes qui s'effectuent souvent plusieurs mois, voire plusieurs années après l'abstinence volontaire. La connaissance des phénomènes neurobiologiques et endocriniens associés à la recherche du produit et à la rémanence de ces effets, permettrait probablement de mettre en œuvre des traitements appropriés à l'ensemble des addictions, pratiquement toujours associées à une polyconsommation. En l'absence de tels traitements, des efforts importants sont néanmoins consacrés à la mise au point de substances capables de bloquer ou d'atténuer les effets hédoniques d'un produit afin d'en faciliter le détachement et la normalisation des fonctions physiologiques altérées par sa consommation abusive. Le bien-fondé de ces approches est désormais admis par la grande majorité des thérapeutes. L'efficacité des traitements pharmacothérapeutiques contre les toxicomanies conduit, d'après O'Brien (1996), à des succès qui sont dans la gamme de ceux obtenus dans des domaines comme l'asthme ou le diabète.

L'industrie pharmaceutique s'est intéressée depuis de nombreuses années au traitement de la dépendance à l'alcool et au tabac avec un certain succès. Plusieurs firmes ont des programmes de recherche très avancés dans ce domaine car le marché est important, laissant espérer en cas de succès un profit supérieur à des frais de recherche et développement conséquents.

Le nombre de sujets dépendants à l'héroïne ou à la cocaïne est heureusement plus faible, ce qui est une des raisons de l'intérêt « mesuré » des firmes pharmaceutiques pour la recherche de substances propres aux traitements de substitution à ces drogues. Par ailleurs, les consommateurs de drogues dites « dures » véhiculent une image très négative et peu de firmes souhaitent s'investir dans le traitement de ces sujets, en dépit d'une prise de conscience de plus en plus grande de leur statut de malades. Ainsi aux États-Unis, c'est le NIDA qui subventionne de nombreuses recherches fondamentales puis appliquées, dans le but de mettre à disposition du corps médical des substances utilisables dans le traitement des addictions (exemple, le LAAM pour la dépendance à l'héroïne et le GBR12909 pour celle à la cocaïne). Le cannabis n'est pas considéré comme justifiant un investissement dans des traitements de substitution.

Un changement est cependant en cours tant au niveau de

la recherche publique que de la recherche privée vis-à-vis des traitements pharmacologiques des addictions pour les raisons suivantes : 1) la consommation des « drogues » ne s'atténue pas et le danger viendra probablement dans le futur de composés synthétiques ; 2) le coût pour l'individu, la famille et la société de l'absence de traitement (pharmacologique et/ou psychothérapeutique) est considérable (estimé à 20 billions de dollars par an aux États-Unis). Le coût en matière de souffrance individuelle est incalculable. Les divers traitements à la méthadone ont diminué la mortalité par l'héroïne de moitié comme le montrent les études effectuées sur des populations traitées ou non ; 3) le traitement réduit non seulement l'achat illicite d'héroïne mais également le recours à d'autres substances (cocaïne, alcool, benzodiazépines, etc.). Les activités criminelles sont significativement diminuées chez les sujets traités. L'amélioration de la santé de ces derniers réduit les frais de couverture médicale ; 4) les patients traités pour leur toxicomanie acceptent plus facilement l'idée que leur comportement pouvait dissimuler des problèmes plus profonds et acceptent de prolonger la cure par des traitements de fond qui augmentent alors de manière très importante les chances de succès d'abstinence définitive. Le profil d'un agent thérapeutique utilisable dans une toxicomanie particulière est le suivant :

– actif par voie orale (non utilisable par voie intraveineuse) ;

– longue durée d'action (pharmacocinétique appropriée) ;

– dénué de toxicité à longue échéance.

L'idéal serait de trouver une substance active sur tous les types de toxicomanie et capable d'éliminer, ou au moins de réduire très fortement la recherche compulsive *(craving)* du(des) produit(s).

État actuel des travaux dans les traitements pharmacologiques des conduites abusives

Plusieurs approches sont envisagées. Elles se distinguent par le mécanisme d'action des molécules utilisées.

Tabac

Les intérêts industriels considérables dans le commerce du tabac ont longtemps freiné les recherches, mais c'est désormais un domaine où l'industrie phamaceutique s'investit puissamment. L'attitude du public est favorable à la substitution.

Les traitements en cours avec succès sont l'administration de nicotine (« patch », gomme à mâcher, etc.). La mécamylamine est en essai. La FDA (États-Unis) a approuvé l'utilisation d'un « anti-craving », le bupropion Ziban ® (inhibiteur de recapture de DA) qui semble donner des résultats intéressants en association avec la nicotine. De même pour le moclobemide inhibiteur de MAO-B qui reproduit l'effet du tabac (voir chapitre 11).

Alcool

Beaucoup de travaux pharmaceutiques dans le domaine. Sans encouragement très net des pouvoirs publics. Les intérêts industriels sont là encore considérables. L'attitude du public est moins favorable que pour le tabac, l'alcoolisme étant encore jugé souvent comme le reflet d'un manque de volonté du consommateur.

Les antagonistes opioïdes donnent des résultats intéressants. Selon le NIDA, le nombre de rechutes est de 60 % sans naltrexone, 20 % avec naltrexone après les cures d'abstinence.

Le naltrindole est également un antagoniste opioïde (type δ récemment utilisé).

L'acamprosate (chapitre 6) donne des résultats prometteurs, les benzodiazépines sont souvent utilisées avant l'entrée du patient dans un programme de « décrochement » à long terme pour diminuer l'anxiété.

De nombreuses autres substances sont en cours d'essais (Schering, Bayer, Rhône Poulenc Rorer, etc.).

La plupart agissent au niveau des voies sérotoninergiques (antagonistes 5HT ou inhibiteurs de recapture). Les antagonistes CCK-B diminueraient la prise d'alcool dans des modèles animaux prédictifs.

Héroïne et opiacés

L'utilité des traitements de substitution commence à être admise dans le public bien que la majorité soit encore opposée à l'assistance thérapeutique sous toutes ses formes. Trois stratégies existent :

La première, la plus employée, consiste à utiliser des agonistes (méthadone, LAAM) ou agonistes partiels/antagonistes (buprénorphine). Les résultats ont été discutés précédemment. Les effets secondaires sont très faibles dans le cas de la méthadone. Il serait sans doute intéressant de réexaminer des agonistes opioïdes (péthidine par exemple) sous forme retard.

La deuxième consiste à utiliser des antagonistes opioïdes. La naltrexone est peu utilisée car elle supprime tout effet euphorisant. Néanmoins, son administration durant de nombreuses années dans le cas des traitements substitutifs à la cocaïne montre son absence d'effets secondaires.

La mise au point de naltrexone à effet retard est envisagée (une ou deux injections/mois).

Pour éviter l'administration « détournée » de la méthadone orale par voie intraveineuse, on a mis au point des composés associant au sein d'un même comprimé, la buprénorphine et un antagoniste opioïde. La disponibilité supérieure par voie intraveineuse de l'antagoniste produit un effet de sevrage chez le sujet sous traitement buprénorphine ou chez l'héroïnomane, ce qui est très dissuasif. Néanmoins, l'utilité d'un tel traitement, qui pose des problèmes d'éthique médicale, est discutable.

La troisième voie est de potentialiser les systèmes opioïdes endogènes par des inhibiteurs du catabolisme enzymatique des enképhalines. Elle reste encore expérimentale, mais les résultats chez l'animal sont très encourageants avec le RB 101 dont l'indication première est l'analgésie.

Plusieurs types d'inhibiteurs sont envisageables. Seuls les résultats d'essais cliniques permettront d'envisager leur utilisation possible dans le domaine de la substitution.

Vaccination : Il existe des essais chez le singe avec des anticorps antimorphine (c'est également le cas avec la cocaïne). Les résultats sont intéressants mais le problème est l'utilisation possible par le toxicomane « vacciné » de doses encore plus fortes de drogue pour « surmonter » la neutralisation par l'anticorps... ce qui peut engendrer des effets secondaires très sévères.

La cocaïne

De nombreux travaux existent dans ce domaine aux États-Unis où cette drogue est dominante. Les traitements sont encore assez mal perçus par la population. Actuellement plusieurs substances sont utilisées, d'autres sont en essais cliniques, beaucoup ont été abandonnées.

Les antidépresseurs et agents dopaminergiques ont été abandonnés car les résultats sont décevants avec l'halopéridol, désipramine, bromocriptine, bupropion, etc. Des résultats intéressants sont rapportés avec le méthylphénidate (MP ou Ritaline) utilisé dans le traitement des déficits attentionnels chez l'enfant qui souffre d'hyperactivité. Néanmoins, l'utilisation de la Ritaline pour le traitement des hyperkinésies infantiles est assez contestée en France. Par ailleurs, il reste à démontrer que la Ritaline n'engendre pas de dépendance. Les inhibiteurs de recapture ont donné des résultats très prometteurs. C'est le cas de la fluoxétine et plus récemment du GBR 12909 (inhibiteur de recapture de DA), développé en Europe comme antidépresseur et repris aux États-Unis par le NIDA.

En ce qui concerne les opioïdes, la naltrexone est utilisée et la méthadone est souvent administrée aux États-Unis dans les traitements d'abstinence à la cocaïne.

Des résultats intéressants ont été récemment rapportés dans le sevrage à la cocaïne avec le bacoflen, agoniste GABA-B, connu pour freiner la libération des catécholamines.

Les autres substances à risque d'abus (benzodiazépines, barbituriques, cannabis) ne sont pas considérées comme nécessitant des traitements substitutifs ou d'aide au sevrage.

Recommandations

Parmi les barrières à l'utilisation efficace des traitements de substitution, la première tient à l'image du sujet dépendant et au sentiment qu'il n'y a aucun traitement qui puisse le détacher du produit. C'est la raison pour laquelle le corps médical est encore souvent réticent à considérer le « drogué » comme un malade et le traitement de substitution comme une méthode thérapeutique.

Une partie de l'évolution lente de la mise en place du traitement pharmacologique et/ou psychothérapeutique des toxicomanies vient également d'une très grande insuffisance des enseignements dans ce domaine des médecins, pharmaciens, cadres infirmiers, y compris dans les maternités, les services d'obstétrique, etc.

Enfin une prise en compte des efforts à consacrer dans

le développement de traitements de substitution doit aboutir à une facilitation des études de pharmacologie clinique consacrées spécifiquement à de tels composés et donc à une modification des textes en conséquence. La constitution d'une structure européenne et de satellites nationaux, capables d'initier une politique scientifique européenne en matière de recherche et de thérapie des toxicomanies, faciliterait certainement le développement des travaux académiques et industriels.

Références bibliographiques

BAUMANN M.H., CHAR G.U., DE COSTA B.R., RICE K.C., ROTHMAN R.B. (1994), « GBR 12909 attenuates cocaine-induced activation of mesolimbic dopamine neurons in the rat », *J. Pharmacol. Exp. Ther.* 271, 1216-1222.

GLOWA J.R., FANTEGROSSI W.E., LEWIS D.B., MATECKA D., RICE K.C., ROTHMAN R.B. (1996), « Sustained decrease in cocaine-maintaned responding in rhesus monkeys with 1--[2)[bis(4-fluorophenyl) methoxy]ethyl]-4-(3-hydroxy-3-phenylpropyl)piperazinyldecanoate, a long-acting ester derivative of GBR 12909 », *J. Med. Chem.* 39, 4689-4691.

KREEK M.J. (1997), « Goals and rationale for pharmacotherapeutic approach in treating cocaine dependence : Insights from basic and clinical research », *NIDA Res. Monogr.* 175, 5-35.

KREEK M.J. (1997), « Opiate and cocaine addictions : Challenge for pharmacotherapies », *Pharmacol. Biochem. Behav.* 57, 551-569.

LING W., SHOPTAN S., MAJEWSKA D. (1998), « Baclofen as cocaine anti-craving medication : a preliminary chimical study », *Neuropsychopharmacology*, 18, 404-405.

McCANCE E.F. (1997), « Overview of potential treatment medications for cocaine dependence », *NIDA Res. Monogr.* 175, 36-72.

O'Brien C.P. (1997), « A range of research-based pharmacotherapies for addiction », *Science* 278, 66-70.

Pharmacological treatment of substance use disorders : International issues in medications development (1995), Addiction Research Foundation, Toronto, et The WHO Programme on Substance Abuse, Genève, 23-26 octobre.

Tella S.R., Ladenheim B., Andrews A.M., Goldberg S.R., Cadet J.L. (1996), « Differential reinforcing effects of cocaine and GBR 12909 : Biochemical evidence for divergent neuroadaptive changes in the mesolimbic dopaminergic system », *J. Neurosci.* 16, 7416-7427.

CONCLUSIONS GÉNÉRALES

• Une prédisposition biochimique au comportement abusif se mettrait en place au cours des premiers contacts avec la drogue. À ce stade, deux paramètres joueraient un rôle essentiel : le patrimoine génétique et le contexte socio-culturel et émotionnel. Cela, bien entendu, expliquerait que tous les individus ne présentent pas la même vulnérabilité et que c'est la conjonction défavorable de ces deux paramètres qui faciliterait la « dérive » possible vers l'addiction. La fréquence de comorbidité psychiatrique dans les toxicomanies est en faveur de cette hypothèse. Il est donc souhaitable que des études génétiques soient développées en France et plus généralement en Europe dans ce domaine, actuellement couvert quasi exclusivement par les États-Unis.

• Les stress répétés (y compris durant la gestation) lors de la mise en place des réseaux neuronaux et la constitution de la personnalité, jouent très certainement un rôle important dans la vulnérabilité. C'est la raison pour laquelle un environnement familial et socioculturel conflictuel dans l'enfance est un facteur de risque de dépendance particulièrement élevé. Il semble aggravé par la précocité de la première expérience. Il est donc souhaitable de mettre en place des modèles animaux appropriés pour étudier : 1) le rôle des stress répétitifs dans la vulnérabilité à la consommation des différentes drogues; 2) l'établissement d'une dépendance et les conditions conduisant aux rechutes.

• La consommation de *toutes* les « drogues » conduit à une stimulation de la voie dopaminergique mésocorticolimbique. Toutefois cela n'est pas spécifique aux « drogues » et il n'existe pas de relation directe entre la libération de DA dans le système limbique et la « dangerosité » des drogues. C'est la faculté d'établir un état hypersensibilisé du système DA qui caractériserait les « drogues dures ». Il est important de soutenir des études dans ce domaine car cette hypothèse n'est pas parfaitement établie et son mécanisme moléculaire demeure inconnu. Il faut donc aider à la mise en place de modèles animaux, en particulier souris avec des délétions de gènes et plus encore souris à restriction d'expression de gène avec déclenchement anatomique et temporel contrôlé.

• L'établissement d'un état d'hypersensibilité à un produit, à la suite d'usage répété, pourrait être « stabilisé » par la liaison du CRF et/ou des glucocorticoïdes à leurs récepteurs neuronaux. De très nombreux travaux *in vitro* et *in vivo* vont dans ce sens. Des recherches en neuroendocrinologie devraient donc être entreprises pour évaluer les changements hormonaux susceptibles de permettre une prévision des rechutes aussi bien chez l'animal que chez l'homme.

• Les phénomènes biochimiques impliqués dans la dépendance à long terme devraient être recherchés de *manière prioritaire*, en utilisant, en particulier, les techniques de la *biologie moléculaire* couplées à l'utilisation des animaux transgéniques traités ou non par différentes drogues.

• La neurotoxicité de l'ecstasy doit être étudiée en priorité chez l'homme (métabolisme, neuroanatomie, neuro-imagerie) afin de déterminer la dangerosité à long terme de cette substance et de dérivés apparentés.

• Très peu d'études de neuro-imagerie sont actuellement effectuées en Europe (quelques-unes au Royaume-Uni et en Suède) et surtout en France pour évaluer l'effet des drogues, leur rémanence dans le SNC, la relation entre la dose et l'effet (sensations décrites par le sujet), la recherche compulsive, les épisodes précédant la rechute, etc. Il s'agit d'un domaine clé dans lequel notre retard se creuse. Il faut absolument le développer d'autant que ses « retombées » attendues dans les sciences cognitives et en clinique sont très nombreuses.

• Il est souhaitable que toutes les précautions soient prises dans le cas du développement clinique d'un nouveau médicament actif sur le SNC pour éviter une possible utilisation toxicomanogène. Ainsi, il serait important de s'assurer de l'absence d'effets addictifs potentiels : 1) des métabolites du principe actif; 2) des sous-produits éventuellement aisément accessibles à des laboratoires chimiques clandestins, en particulier lorsque le médicament est de structure chimique simple.

• Des efforts doivent être faits pour encourager l'industrie pharmaceutique et la recherche publique à s'investir dans la lutte contre les toxicomanies.

1. Étude comparative de la « dangerosité » des « drogues »

• Les travaux les plus récents permettent d'établir un profil pharmacotoxicologique et comportemental pour les différents produits. Afin de ne pas reprendre les différents arguments exposés au long de ce rapport, les profils ont été simplifiés et répertoriés dans un tableau récapitulatif. *Ce tableau est nécessairement réducteur.* Par exemple, la neurotoxicité à long terme de la MDMA, si elle était établie, placerait automatiquement cette substance au premier rang des drogues toxiques. La dépendance psychique est évaluée par la longueur des effets de rémanence et l'« attirance » vers le produit ainsi que par l'évaluation approximative (très forte, forte, etc.) des rechutes et donc la difficulté d'« échappement ». *Ainsi l'héroïne et le tabac se retrouvent dans ce groupe avec l'alcool.*

La dangerosité sociale tient compte des états comportementaux qui peuvent engendrer des conduites très agressives et incontrôlées (cocaïne, alcool, psychostimulants) induites par le produit ou des désordres variés (rixes, vols, crimes...) pour se procurer celui-ci et des risques pour le consommateur ou autrui, par exemple dans le cas de la conduite de véhicule. *Cela conduit à placer l'héroïne, la cocaïne et l'alcool dans un groupe de forte dangerosité.*

Pour ce qui est de la toxicité générale, il faut tenir compte du nombre de consommateurs. Le tabac et l'alcool sont consommés par une très large fraction de la population et parmi les drogues classées comme « illicites », le cannabis est largement le plus utilisé. De ce fait on peut considérer que l'héroïne, à cause des risques divers liés à ses pratiques de consommation (seringue, infections multiples, overdose...) est le produit conduisant au risque de décès le plus grand dans les conditions de consommation de « rue » actuelles. Elle précède l'alcool et le tabac pour lesquels la dangerosité en termes de cancer, maladies cardiovasculaires, hépatiques, etc., est très élevée.

En conclusion, aucune de ces substances n'est complètement dépourvue de danger. Toutes sont hédoniques, le tabac à un degré nettement moins important, toutes activent le système dopaminergique, toutes sont susceptibles d'entraîner des effets plus ou moins accentués de dépendance psychique. On peut néanmoins distinguer trois groupes, si on cherche à comparer leur « dangerosité ».

Le premier comprend l'héroïne (et les opioïdes), la cocaïne et l'alcool, le deuxième les psychostimulants, les hallucinogènes et le tabac, les benzodiazépines et, plus en retrait, le cannabis. Ce regroupement peut évidemment être modifié à la lumière de nouveaux résultats, évoqués par exemple à propos de la MDMA « ecstasy ». Par ailleurs, comme cela a été discuté, certaines benzodiazépines utilisées à des fins de soumission ou d'autosoumission devraient être placées dans le premier groupe. Les données actuelles pourraient être prises en compte pour comparer la législation française avec celle des pays européens (voir tableau, qu'il faudrait du reste modifier en tenant compte de décisions récentes : Belgique en matière de cannabis), et ajouter la Suisse au groupe : Royaume-Uni, Allemagne, Pays-Bas, etc.

FACTEURS DE DANGEROSITÉ DES « DROGUES »

	Héroïne (opioïdes)	Cocaïne	MDMA « ecstasy »	Psycho-stimulants	Alcool	Benzo-diazépines	Cannabi-noïdes	Tabac
« Suractivation dopaminergique »	+++	++++	+++	++++	+	±	+	+
Établissement d'une hypersensibilité à la dopamine	++	+++	?	+++	±	?	±	?
Activation du système opioïde	++++	++	?	+	++	+	±	±
Dépendance physique	très forte	faible	très faible	faible	très forte	moyenne	faible	forte
Dépendance psychique	très forte	forte mais intermittente	?	moyenne	très forte	forte	faible	très forte
Neurotoxicité	faible	forte	très forte (?)	forte	forte	0	0	0
Toxicité générale	forte[a]	forte	éventuellement très forte	forte	forte	très faible	très faible	très forte (cancer)
Dangerosité sociale	très forte	très forte	faible (?)	faible (exceptions possibles)	forte	faible[b]	faible	0
Traitements substitutifs ou autres existant	oui	oui	non	non	oui	non recherché	non recherché	oui

a. Pas de toxicité pour la méthadone et la morphine en usage thérapeutique ; b. Sauf conduite automobile et utilisation dans des recherches de « soumission » ou d'« autosoumission », où la dangerosité devient alors très forte.

RECOMMANDATIONS GÉNÉRALES

1. Évolution des toxicomanies.
Surveillance des toxicités

Favoriser la mise en place d'un système d'alerte rapide sur l'évolution des substances à risque d'abus et l'introduction de nouvelles drogues, en particulier synthétiques, de manière à anticiper les mesures à prendre, en termes de santé publique.

Amplifier les analyses toxicologiques des drogues « frauduleuses », interceptées par les différents partenaires participant à la lutte contre la toxicomanie (services de police, douanes, centres de toxicologie, etc.) et *centraliser* les informations de manière à suivre efficacement l'origine géographique des produits et les différents types de falsification. Répercuter sur les systèmes de prise en charge (hôpitaux, centres de pharmacovigilance, médecins d'associations, pharmaciens...) les informations recueillies.

2. Mise en place d'études cliniques des drogues

Les données pharmacodynamiques et pharmacocinétiques concernant les produits illicites utilisés ou non en toxicomanie sont partielles, voire manquantes. Les études cliniques ne sont pas réalisables avec ces produits en France pour des raisons d'ordre pénal, réglementaire et éthique; contrairement à d'autres pays comme les États-Unis ou la Hollande. *Les manques de connaissance sur les effets en clinique humaine de ce type de substance incitent à proposer, comme pour les médicaments, de les évaluer chez l'homme dans un cadre légal et après évaluation des données précliniques de toxicologie animale. En fonction des produits, ces études pourraient être réalisées chez le volontaire sain ou chez le consommateur. Cela nécessiterait, en outre, une coordination à l'échelon national, la mise en place de « centres spécialisés » (type Centre Investigation clinique) agréés et un soutien « légal ».* La réalisation de telles études et les apports des données précliniques devraient permettre une meilleure connaissance sur les effets indésirables de ces substances, de leurs interactions potentielles avec d'autres produits, médicamenteux ou non, et sur leur potentiel toxicomanogène.

Il est souhaitable que l'Assistance publique mette à disposition des groupes qui s'investiraient dans ces études, des postes techniques comme cela a été fait dans le cas du sida.

3. **Enseignement**

Il est indispensable et urgent d'initier des programmes d'enseignement spécialisés sur la toxicomanie (aspects médicaux, socioculturels et législatifs) auprès des acteurs de la santé (médecins, pharmaciens, personnel soignant, etc.). Ces enseignements devraient être mis en place sous le couvert de l'Éducation nationale dans un nombre limité (< 10) de villes universitaires.

De même, un module spécifique « toxicomanie »

devrait être « affiché » dans quelques DEA de pharmacologie, de neuroscience et de santé publique.

Il serait utile de mieux introduire le problème de la toxicomanie dans les enseignements secondaire et universitaire (médecine, pharmacie).

Le but de ces enseignements devrait être de mieux appréhender les différentes toxicomanies, leurs risques et leurs traitements s'il y a lieu.

4. Traitements de substitution

– Des moyens financiers devraient être consacrés à l'ouverture d'un plus grand nombre de centres de substitution. Cette politique s'accélère actuellement dans de nombreux pays européens et aux États-Unis (115 000 patients dépendants des opioïdes sur 600 000 sont en traitement méthadone). *Les résultats démontrent que la dépendance n'est ni inéluctable ni irréversible.*

– L'administration contrôlée de méthadone a été étendue, avec un certain succès aux États-Unis, au traitement de la toxicomanie à la cocaïne. Les statistiques du NIDA montrent clairement que le succès des cures « méthadone » est considérablement amplifié par l'association de ces cures à des traitements psychothérapeutiques et/ou psychosociaux (plus de deux fois moins de rechutes). Cela montre que la substitution constitue un apport efficace pour traiter les causes profondes ayant entraîné la dépendance.

– L'ensemble de ces mesures est de nature, comme cela est désormais bien admis, à diminuer les risques individuels (maladies sexuellement transmissibles, suicides, troubles mentaux, infections, etc.), et collectifs (délinquance, prostitution, criminalité). La mortalité sous méthadone est près de deux fois inférieure à celle sous héroïne « frauduleuse ».

– Le coût du traitement doit être évalué à la fois en termes d'amélioration de la santé pour le patient et au regard du coût pour la société résultant du comportement compulsif de recherche du produit.

– Ces recommandations sont de nature à changer profondément le point de vue très pessimiste que le public (et de nombreux acteurs du cadre médical) portent à l'évolution des toxicomanies. L'exemple du sida a montré que la France pouvait prendre en charge de manière efficace et humaine un tel problème de santé publique.

5. Amélioration de l'analyse des données statistiques concernant les toxicomanies

La très grande complexité des systèmes de recueil de données et de gestion de celles-ci ne permet pas actuellement, en France, de « mesurer l'intensité et le calendrier d'événements tels que l'initiation à l'usage des stupéfiants, l'entrée en toxicomanie, la " guérison " ou encore le décès lié à la consommation de stupéfiants » [extrait de la thèse d'Aline Desquelles, « Consommation de stupéfiants en France : Expertise d'un système d'information et mesure du phénomène », université de Bordeaux-IV (29 janvier 1997)]. On retrouve des commentaires semblables des responsables d'unités d'épidémiologie de l'INSERM, en particulier pour ce qui est des risques mortels et causes du décès. Les données proviennent actuellement de diverses sources (police, établissements du système sanitaire et social, centres de pharmacovigilance, etc.). Il s'agit, selon A. Desquelles, non pas de bouleverser le système de recueil de données, mais d'assurer une couverture précise de la population de consommateurs abusifs et dépendants. Cela exigerait cependant une procédure d'enregistrement similaire à ce qui se pratique depuis très longtemps en Grande-Bretagne (en gardant l'anonymat du patient) avec renvoi d'un questionnaire par le médecin pour toutes les consultations de toxicomanes (aux drogues dures addictives).

Il faut toujours, selon A. Desquelles, unifier le système statistique par définition de dénominateurs communs à tous les questionnaires (âge de la première consommation, circonstances, comorbidité...). Bien entendu, l'efficacité exige un recueil et une gestion d'abord nationaux puis européens. Ceci permettrait de tester, à partir d'observations comparables, l'effet des juridictions et des politiques de santé européennes encore différentes au sein de contextes socioculturels et économiques différents, sur l'évolution de la consommation de stupéfiants.

LÉGISLATIONS EUROPÉENNES SUR LA CONSOMMATION, LA POSSESSION ET LA VENTE DE DROGUES[a]

	Usage	Détention de stupéfiants en général	Possession pour usage personnel	Vente à l'usager
Italie	Non incriminé	Non réprimé pour de petites quantités Peine d'emprisonnement sinon (distinction drogues douces/dures)	Pour usage personnel Sanction administrative (suspension du permis de conduire)	Peine d'emprisonnement (distinction drogues douces/dures)
Espagne	Non incriminé, sauf consommation dans les lieux publics (sanction administrative)	Peine d'emprisonnement (distinction drogues douces/dures)	Sanction administrative	Peine d'emprisonnement (distinction drogues douces/dures)
Pays-Bas	Non incriminé	Peine d'emprisonnement (distinction drogues douces/dures)	En théorie peine d'emprisonnement (distinction drogues douces/dures)	Peine d'emprisonnement (distinction drogues douces/dures)
Royaume-Uni	Non incriminé sauf opium	Peine d'emprisonnement (distinction de 3 niveaux de dangerosité)	Peine d'emprisonnement (distinction de 3 niveaux de dangerosité)	Peine d'emprisonnement (distinction de 3 niveaux de dangerosité)
Irlande	Non incriminé sauf opium	Peine d'emprisonnement (distinction cannabis/autres drogues)	Peine d'emprisonnement (distinction cannabis/autres drogues)	Peine d'emprisonnement (distinction cannabis/autres drogues)
Allemagne	Non incriminé	Peine d'emprisonnement	Peine d'emprisonnement	Peine d'emprisonnement
Danemark	Non incriminé	Peine d'emprisonnement	Peine d'emprisonnement	Peine d'emprisonnement
Belgique	Non incriminé, sauf l'usage collectif (peine de prison)	Peine d'emprisonnement	Peine d'emprisonnement	Peine d'emprisonnement
France	Peine d'emprisonnement	Peine d'emprisonnement	Peine d'emprisonnement	Peine d'emprisonnement
Luxembourg	Peine d'emprisonnement	Peine d'emprisonnement	Peine d'emprisonnement	Peine d'emprisonnement
Portugal	Peine d'emprisonnement	Peine d'emprisonnement	Peine d'emprisonnement	Peine d'emprisonnement

a. Tableau extrait de la thèse de A. Desquelles, université de Bordeaux-IV (1997).

MISE EN PLACE D'AGENCES EUROPÉENNE ET FRANÇAISE D'ÉTUDES ET DE RECHERCHES SUR LA CONSOMMATION DES DROGUES
(European Research Agency on Drug Abuse, ERADA)

La consommation des « drogues » augmente dans tous les pays industrialisés. Pour des raisons que nous avons évoquées au début de ce rapport, il est malheureusement peu vraisemblable que cela cesse brutalement. Le problème des toxicomanies aux drogues doit donc être envisagé aux niveaux national et européen.

L'Europe n'a pas de politique scientifique concertée en matière de lutte contre les conduites toxicophiles. Il existe des structures de surveillance et d'évaluation de la prévalence et de l'incidence des toxicomanies qui fonctionnent de manière globalement satisfaisante, mais ces structures n'ont pas été constituées pour envisager des études fondamentales, cliniques, épidémiologiques, sociologiques, etc., sur ces problèmes.

L'émergence d'une plate-forme politique, économique et monétaire européenne plaide en faveur de la mise en place d'un organisme central européen sur les toxicomanies.

L'Europe va se situer du point de vue de sa population à hauteur des États-Unis, pays dans lequel il existe le National Institute of Drug Abuse (NIDA), émanation du National Institute of Health (NIH) qui a énormément contribué à une évaluation scientifique des problèmes posés par les conduites toxicophiles, à leur évolution et à la mise en place d'une politique de prévention et de traitement. Cet organisme est, de plus, un interlocuteur écouté du monde scientifique, politique et des médias du fait d'un contrôle rigoureux des résultats d'études fondamentales et cliniques effectuées dans le domaine des « drogues ». Sa reconnaissance par le public a fait beaucoup évoluer les mentalités vis-à-vis de la toxicomanie, tant dans le public que dans le corps médical. L'Europe, et la France en particulier, a un très grand retard dans ce domaine où si le sida n'est plus considéré comme une maladie « honteuse », mais la toxicomanie le reste.

Enfin, le NIDA a initié avec efficacité de très nombreuses recherches sur les problèmes posés par l'usage des drogues, et ces travaux ont eu des répercussions très favorables dans des domaines clés tels que les sciences cognitives, la neuro-imagerie ou l'utilisation massive des animaux génétiquement modifiés pour prendre quelques exemples. Il en est de même dans le domaine du développement de nouveaux médicaments du système nerveux central.

La recherche européenne dans le domaine des toxicomanies est peu soutenue. Les futurs programmes de la CEE, du type BIOMED, laissent entendre qu'un volet « toxicomanie » sera introduit dans un programme, mais aucune confirmation n'a encore été faite et, dans tous les cas, la mise en place des aides ponctuelles s'effectuera par un comité où les spécialistes de la toxicomanie sont extrêmement peu nombreux.

La France pourrait jouer un rôle moteur dans la mise en place d'une structure européenne du fait de la qualité de ses recherches en neurosciences et d'une participation régulière et importante dans les découvertes fondamentales autour des substances toxicophiles, opioïdes en particulier, et du mécanisme d'action des drogues aux niveaux biochimique et comportemental.

1. Situation française

Actuellement il existe en France de très nombreux offices, missions, délégations, intercommissions, etc., qui se préoccupent des problèmes liés à la consommation des drogues. Par ailleurs, considérées comme des substances toxiques, celles-ci font donc l'objet d'une surveillance et d'études par les organismes qui s'occupent de toxicologie auxquels il faut ajouter les centres de pharmacovigilance, etc. *Tout cela crée nécessairement des études redondantes, une absence de concertation, une dilution des informations et des difficultés pour mener à bien une véritable politique de santé publique autour des toxicomanies.* Par ailleurs, il y a une réelle nécessité et une certaine urgence à améliorer le fonctionnement des observatoires français et européens des toxicomanies. La création d'un organisme central européen devrait conduire à la mise en place d'agences nationales. En France, l'organisation d'une telle agence pourrait s'effectuer par exemple sur le modèle de l'Agence nationale de recherche sur le sida (ANRS) et de la Ligue nationale contre le cancer. *Un tel organisme devrait bénéficier d'une ligne budgétaire propre.*

L'agence européenne et les agences nationales comprendraient un certain nombre de commissions scientifiques. Leurs missions seraient :

– de mettre en place des programmes d'études et de recherches sur les mécanismes d'action des « drogues », leur traitement et leur prévention ;

– de promouvoir des recherches cliniques dans tous les domaines spécifiques aux toxicomanies (psychiatrie, neuropsychologie, génétique, neuro-imagerie, pharmacocinétique et métabolisme, sociologie, anthropologie, économie de la santé, etc.) ;

– de coordonner les programmes de recherches fondamentale et clinique en rassemblant des spécialistes, neurobiologistes, médecins, pharmaciens, chimistes et physiciens (PET Scan, IRMf), psychologues, épidémiologistes, etc., nécessaires à leur réalisation ;

– d'évaluer les résultats de ces différents programmes et d'en informer les organismes de tutelle pour promouvoir certains secteurs de la recherche académique dans chaque pays membre (par exemple en France : Université, CNRS, INSERM, AP...) ;

– de rassembler les résultats des études cliniques et ceux provenant des divers organismes publics ou privés gérant les problèmes de toxicomanie ;

– de mettre en place une politique de surveillance efficace et coordonnée de l'évolution des toxicomanies et des risques pour la santé publique ;

– de faire des propositions pour améliorer le fonctionnement des observatoires européens et nationaux sur les toxicomanies. De ce point de vue, il est indispensable de faire profiter des expériences des États membres les spécialistes de pays (en particulier pays de l'Est) qui risquent d'être rapidement confrontés aux problèmes des toxicomanies. De plus, ces pays peuvent devenir des producteurs placés à proximité des pays membres ;

– d'inciter à la mise en place de programmes industriels dans le domaine du traitement des toxicomanies.

REMERCIEMENTS

Nous sommes très reconnaissants à Mesdames et Messieurs les Docteurs M. Attal (CESDIP), M. Augsburger (Lausanne), F. Beaugé (INSERM), C. Charlier (Centre hospitalier de Liège), J.-M. Costes (OFDT), N. de Vrièze (Institut belge pour la sécurité routière), J. Desmeules (Hôpital universitaire de Genève), A. Desquelles (université de Bordeaux-IV), M. Kondo-Oestreicher (Hôpital cantonal, division de pharmacologie clinique, Genève), A. Mino (Hôpital universitaire de Genève), G. Pépin (Laboratoire d'expertises Toxlab, Paris), F. Péquignot (INSERM), W. Rostène (INSERM) et H. Simon (INSERM) pour l'aide qu'ils nous ont apportée.

La mise au point de cet ouvrage a été réalisée par Annick Bouju avec la collaboration de Christine Dupuis. Nous les remercions chaleureusement pour leur contribution essentielle.

TABLE

TABLE   **313**

TABLE   315

Cet ouvrage a été réalisé par la
SOCIÉTÉ NOUVELLE FIRMIN-DIDOT
Mesnil-sur-l'Estrée
pour le compte des Éditions Odile Jacob
en décembre 1998

Imprimé en France
Dépôt légal : janvier 1999
N° d'édition : 7381-0342-X – N° d'impression : 44028